De crèche 86

Claude Gutman
De crèche

Vertaald door Floor Borsboom

ARCHIPEL

Amsterdam · Antwerpen

Inhoud

1 De ontvoering van een kind

Agnès kijkt tersluiks naar de affiches die haar kantoor opfleuren. Drie geinige kleine biggetjes. Een snoes van een grote, boze wolf. Een krokodil die geen vlieg kwaad doet. Kleurige, warme vlekken. Want zijn we niet in het kantoor van Agnès Guerrimond, de directrice van de crèche? Slechts één snelle blik voordat ze het gesprek hervat, dat ze liever niet zou voeren.

De man die tegenover haar zit, slaat treurig zijn ogen neer. Hij wil niet horen wat ze gaat zeggen.

'Luister eens, meneer Bertin, natuurlijk is het in het belang van uw kleine Sébastien dat hij u ziet. Maar de beslissing van de rechter is nu eenmaal dat u geen voogdij over hem hebt. U hebt alleen bezoekrecht. De ouderlijke macht ligt bij zijn moeder.'

Bertin zucht.

'Alsof ze me dat niet al honderd keer heeft gezegd.'

Hij kijkt Agnès smekend aan. Ze schudt haar hoofd.

'Ik kan er niets aan doen. Het is niet persoonlijk bedoeld. Elk kind heeft een kaart waarop de personen staan die bevoegd zijn om het op te halen.'

Agnès opent een map die op haar bureau ligt. Automatisch gebaar. Eén kaart per kind. Ze overhandigt hem aan Bertin. Hij maakt een afwerend gebaar.

'Ik wil hem alleen maar even meenemen. Dat is toch niet te veel gevraagd? Het is mijn kind.'

Agnès ontwijkt Bertins blik en bergt de kaart weer op.

'Dat zal niemand ontkennen. Maar ik kan me niet uitspreken over de besluiten van een rechter. Het spijt me zeer.'

Bertin heeft tranen in zijn ogen.

'Mij ook. Ik heb hem al twee maanden niet gezien. Twee maanden, begrijpt u wel?'

Agnès haalt haar schouders op. Een spijtig gebaar. Ze zou hem graag willen helpen.

'U kunt uw bezoekrecht bij zijn moeder afdwingen, niet bij mij. Ga naar haar toe, praat met haar.'

'Ik weet het... Maar als ik hem straks nou kom ophalen, voordat zij er is?'

Agnès slaat een strenge toon aan.

'Niemand zal hem aan u meegeven. Dat mogen we niet.'

Bertin wist zijn voorhoofd, trekt zijn schouders in en staat onhandig op. Hij kijkt niet langer naar Agnès. Hij kijkt niet langer naar het bureau. Hij is ergens anders, bij Sébastien misschien. Hij wankelt. In een poging om zijn evenwicht te hervinden grijpt hij zich in een ongecontroleerde beweging vast aan het bureau en laat per ongeluk het lijstje met Agnès' glimlachende zoon op de grond vallen. Bertin schrikt op van het geluid van brekend glas.

'Neem me niet kwalijk!'

Agnès bedwingt haar woede.

'Het geeft niet.'

Maar Bertin zit al op zijn knieën en raapt de stukken bij elkaar. Hij is onhandig, het lukt hem niet. Hij geeft het op. Hij gaat weer staan, bedwingt zijn tranen. Zijn verontschuldigingen zijn niet te verstaan. Toch heeft hij ze gemompeld.

Agnès pakt hem bij de arm.

'Het spijt me zeer voor u, meneer Bertin. Ik loop met u mee.'

Ze kijkt nog even achterom. Het lijstje is kapot. De foto? Later.

Agnès doet de deur open. Bertin loopt voor haar uit het atrium in. Léon, de reusachtige pluchen beer die de kinderen bij binnenkomst omhelzen, rust uit van al het gezoen. Een meisje van een jaar of twintig houdt op met nagelbijten. Zodra ze Agnès in het oog krijgt vliegt ze op haar af. Haar geestdrift wordt snel gesmoord.

'Ik kom zo bij u, gaat u nog maar even zitten.'

Bertin draait zich om naar dat onbekende jonge meisje. Zijn droeve hondenogen lichten op. Hij glimlacht flauwtjes en mompelt een groet. Hij recht zijn rug. Maar hij loopt niet naar de uitgang.

Hij heeft zijn neus tegen de glazen deur van de peuterafdeling gedrukt. Zijn ogen schitteren. Ze doen een wanhopig beroep op een ventje van tweeënhalf. Een ventje van amper drie turven hoog dat lacht en lacht terwijl hij twee plastic doosjes tegen elkaar slaat. Bertin hoort hem niet lachen. Bertin mompelt alleen: 'Sébastien! Sébastien, kom!' Maar Sébastien komt niet. Hij vliegt in de armen van een vrouw, die hem meetrekt naar een nieuw spelletje.

Agnès is naast hem komen staan. Ze legt een hand op zijn arm. Ze trekt hem voorzichtig mee. Een waar woord ter verontschuldiging: 'Ik maak de regels niet, meneer Bertin.'

En met een strak gezicht loopt ze met hem mee naar de voordeur.

Agnès loopt met een glimlach op haar gezicht terug naar het piepjonge verlegen meisje, dat alles van 'mevrouw de directrice' verwacht.

'Neem me niet kwalijk dat ik je zo lang heb laten wachten, maar ouders gaan altijd voor, na de kinderen uiteraard. Hartelijk welkom.'

Agnès drukt haar warm de hand.

'Jij bent Estelle en dit is je eerste stage, als ik het goed heb begrepen van de personeelsafdeling.'

'Ja, mevrouw. Ik heb net mijn diploma gehaald. Ik begin pas morgen, maar ik wilde me graag komen voorstellen.'

Agnès werpt haar een verbaasde blik toe. Estelle vat die verkeerd op.

'Had ik dat niet moeten doen?'

'Integendeel. Het is juist heel goed van je. Zo kun je alvast kennismaken met je werkterrein. Loop maar met me mee.'

Agnès gaat haar voor het kantoor in. Estelle blijft er als verstijfd bij staan. Agnès pakt een folder uit een kast die half openstaat.

'Kijk, dit is het reglement met de pedagogische richtlijnen van deze crèche. Wat kan ik je er zo een-twee-drie over vertellen? Drieëndertig kinderen, verdeeld over drie afdelingen. Hierin vind je de werkroosters, de lijst met namen van het personeel en de verslagen van enkele vergaderingen: de ontvangst van de kinderen, de ouders, de moeilijke momenten – het afscheid, de maaltijden, het schoonhouden, het aanpassingsproces. Je zult merken dat we als team werken... en als je een probleem hebt, aarzel dan vooral niet om naar me toe te komen.'

Estelle staat haar te midden van deze woordenvloed met open mond aan te staren. Agnès beseft het, stopt en vervolgt: 'Ik doe net of ik het allemaal in één keer kan uitleggen. Je zult het allemaal in de praktijk leren. Zes maanden is lang.'

'En als ik niet goed genoeg ben?'

'We zullen regelmatig de balans opmaken. En bovendien begin je pas. Het komt allemaal vanzelf. Ik hoop dat ik beschikbaarder zal zijn dan vandaag. Er is nog een huishoudelijk probleem dat ik dringend moet regelen. Werkelijk, het spijt me... Je begint morgen om half acht. Je moet de crèche openen, samen met Maryline. Ik had haar aan je willen voorstellen, maar ze heeft vandaag een vrije dag.'

Agnès pakt een map van haar bureau en bladert die door. Estelle bukt zich en pakt de foto die op de grond is gevallen. Ze zet hem voorzichtig neer.

'Dank je wel,' prevelt Agnès. 'Tot morgen.'

En zonder nog even naar Estelle te kijken, die de deur uit gaat, is ze al verdiept in de catalogus van te bestellen huishoudelijke artikelen. Ze markeert de gewenste artikelen met een stift.

Estelle, dolblij omdat ze zich heeft durven voorstellen en het er nog levend af heeft gebracht ook, draait nog even voor de deur van de crèche. De paniek zal wel weer terugkomen als ze vanavond niet kan slapen.

Bertin is nog niet weg. Hij ijsbeert over het trottoir, loopt heen en weer, draait zich om. Estelle ziet hem pas op het moment dat hij haar aanspreekt.

'Werkt u hier? Ik heb u nog nooit gezien.'

Een ogenblik van verbazing. Dan herkent ze de man en ze glimlacht.

'Ik begin net.'

'En bevalt het u?'

'Dat weet ik nog niet. Morgen is de grote dag. Aan het eind van de maand krijg ik mijn eerste salaris. Ik kan het haast niet geloven.'

Haar gezicht straalt.

'En wat gaat u met uw geld doen?'

Estelle, als vanzelfsprekend: 'Ik? Niets. Dat is voor mijn ouders. Ze hebben zoveel offers gebracht zodat ik voor groepleidster kon studeren. Dat ben ik ze wel verschuldigd. En nog wel meer, als ik zou kunnen.'

Heeft ze te veel gezegd? Te weinig? Ze zoekt een uitweg.

'En u, bent u een "ouder"?'

Bertin heeft genoeg aan deze wenk om spontaan aan het liegen te slaan. Hij kan het weer, nog, over zijn Sébastien hebben.

'Ja. Mijn zoon zit hier op de crèche, bij de peuters. Ik zorg meestal voor hem. Mijn vrouw heeft het te druk. Maar ik klaag niet, hoor. Ik had het er net over met de directrice. Ik kwam hem even opzoeken.'

'Mag dat? Overdag? Staat dat in het reglement?'

'Ach, reglement of niet, ik ken hier iedereen. Het is zijn laatste jaar. Mijn zoon is Sébastien, weet u, een echte dondersteen. Misschien komt u wel op zijn afdeling werken.'

Estelle gebaart dat ze het niet weet. Zo staan ze daar maar en glimlachen naar elkaar. Dan kijkt Estelle haastig op haar horloge.

'Neem me niet kwalijk, ik moet ervandoor.'

En Bertin blijft alleen achter met zijn leugen en met zijn ventje, van wie hij alleen maar een glimp heeft kunnen opvangen door een glazen deur. Sébastien bevindt zich slechts een paar meter van hem af, maar hij kan hem niet in zijn armen sluiten. Bertin loopt langs het hek van de crèche en werpt radeloze blikken op de peuterafdeling. Zou Sébastien hem zien?

's Ochtends gaat alles meestal goed. Behalve vanochtend. Het is half acht geweest en de deur van de crèche is nog steeds gesloten. Estelle, die zwijgend tegen het hek aan staat, ziet zich gedwongen de kritiek van twee moeders met hun baby's in de armen aan te horen zonder dat ze iets kan doen. Een 'Nou, vroeg is anders!' redt haar uit haar netelige situatie om haar vervolgens met stomheid te slaan. Wie is die razende furie die daar aan komt rennen en door beide moeders met opluchting en misnoegen wordt gadegeslagen? Ze zijn de vorige dag niet voorgesteld. Het is Maryline. Een waanzinnige look, waardoor ze meer weg heeft van de achtergrondzangeres van een rapgroep dan van een groepsleidster. En toch...

Ze komt buiten adem bij de deur aan, met de sleutels al in haar hand, en geeft de twee moeders geen tijd om te kankeren.

'Neem me niet kwalijk... Een vent had zich voor de metro gegooid! Het was zo afschuwelijk, u hebt geen idee.'

Maryline trilt nog na als ze de deur opendoet en de moeders wenkt om haar te volgen. Dan richt ze zich plompverloren tot Estelle.

'Jij bent toch Estelle, de stagiaire? Help me even, we zijn te laat.

Estelle heeft nauwelijks tijd gehad om haar tas en haar jas in de personeelsruimte op te hangen of ze staat alweer in het atrium, naast Maryline, die toezicht houdt terwijl de eerste buggy's arriveren en de baby's worden uitgekleed. Estelle waagt het erop. Ze vraagt Maryline, die als bij toverslag weer glimlacht: 'Is die man dood?'

Maryline kijkt haar niet-begrijpend aan.

'Ja, die man in de metro?'

Maryline haalt haar schouders op en fluistert: 'Hou je mond. Dat werkt altijd als excuus. Nee, schei uit, we zijn pas om drie uur naar bed gegaan. Ik hoef je dus niet te vertellen hoe we vanochtend zijn opgestaan... Wat voor sterrenbeeld ben je?'

Estelle, verbijsterd: 'Tweelingen... Hoezo?'

'Te gek! Dat dacht ik al.'

En ze laat Estelle pardoes in de steek om met uitgestrekte armen op een kindje af te rennen.

'Heb je er vandaag geen zin in, Lowietje?'

Het kind huilt en klampt zich vast aan zijn ontredderde moeder.

'Hij wil me niet meer loslaten. Ik kom te laat op mijn werk.'

Maryline neemt voorzichtig het trappelende kind van haar over.

'Kom maar, Loulou. Je mama moet weg. Wuif haar maar gedag en vanmiddag... komt ze weer terug.'

'Nee! Ik kan niet... Mijn zus haalt hem op.'

'Nou, dan krijg je een dikke knuffel van je tante, lieve Louis. En je mag bij mij blijven tot Antoinette er is.'

Een moeder kijkt met tranen in haar ogen een peuter na die zich niet eens heeft omgedraaid om haar gedag te zeggen. De rest van de groepsleidsters is nog niet gearriveerd of Maryline grijpt Estelle vast en trekt haar mee naar de personeelsruimte.

'Tien minuten pauze voor de grote stormloop. Ze komen op het laatste nippertje en smeren 'm weer om de oudere kinderen naar de kleuterschool te brengen, hiernaast. Zo gaat het elke dag.'

Maryline doet haar kastje open, dat wordt opgesierd door posters die nog schreeuweriger en opzichtiger ogen dan zijzelf. En dat is niets te veel gezegd. Ze schiet een T-shirt, een legging en balletschoenen aan – de dag kan beginnen.

Estelle wordt duizelig van het gewoel om haar heen. Toch loopt alles gesmeerd. Ze heeft geen tijd om de namen te onthouden die Maryline haar toeroept.

'Antoinette doet de dreumesen, Sophie de peuters en Diplo de baby's.'

Estelle staat tegen de deur van de personeelsruimte en knikt beduusd. Kastjes die open- en dichtgaan. Collega's die elkaar omhelzen, zich omkleden... en in het atrium is het een stuivertje-wisselen van gehaaste ouders. Een buggy die men in de hal laat staan, een zoentje en dag! Tot vanmiddag!

Baby's, ouders, uit alle landen, in alle kleuren en van alle talen. En buiten dezelfde Babylonische spraakverwarring van claxons die tekeergaan tegen auto's die dubbel geparkeerd staan. De dagelijkse verkeersopstopping. Oudere broertjes en zusjes, schooltas op de rug, wachten bij de deur, bang dat ze te laat zullen komen.

Om in deze ochtendlijke waanzin niet ten onder te gaan heeft Estelle zich vastgeklampt aan Diplo, de oudgediende die tegen haar pensioen aan zit, grijze haren in een knotje. Ze hoort de dringende aanbevelingen aan van een hogesnelheidsmoeder die haar pakketje in de armen van de groepsleidster en een partij medicijnen op het aanrecht dropt.

'Ik ben weer bij de dokter geweest. Als Benoît weer een aanval krijgt, moet u hem twintig druppeltjes geven. Alles zit in de tas. Het recept, het flesje... ik moet ervandoor.'

Diplo wil antwoord geven. Te laat. De moeder is al weg. Diplo doet nog een paar stappen om haar in te halen, maar vergeefs. Ze wendt zich tot Estelle.

13

'Vroeger zou dit nooit zijn gebeurd. Als kinderen meer dan acht-endertig graden koorts hadden werden ze niet aangenomen, en er werden geen medicijnen gegeven, met of zonder doktersrecept.'

'Maar wat heeft Benoît dan?'

Estelle zal het nooit te weten komen. Maryline, die een moeder met baby ziet aankomen, roept haar.

'Estelle! Wil jij Christophe verwelkomen?'

Estelle haast zich, dolblij om het kind aan te nemen. De moeder duwt haar de baby in de armen en gaat ervandoor. Estelle heeft nog geen stap gezet of haar gezicht vertrekt. Vreemde geur. Ze heeft nog geen twee stappen gezet of ze houdt de baby op een aan-zienlijke afstand, die steeds aanzienlijker wordt terwijl ze naar de babyafdeling snelt.

'Hij moet verschoond worden... verschoond... snel, snel.'

Ze heeft niet gezien hoe Maryline zich achter haar rug om vro-lijk staat te maken en steun zoekt bij Diplo, die strak toekijkt. Dan opeens de bulderende lach van Maryline. Diplo vindt het hele-maal niet grappig. Ze haalt knorrig en afkeurend haar schouders op. Estelle begint Christophe uit te kleden en Maryline komt naast haar staan.

'Het is elke ochtend hetzelfde. 's Avonds haalt ze hem ver-schoond en wel op, en de volgende ochtend brengt ze hem met dezelfde luier terug.'

Estelle, geschokt: 'Maar zeggen jullie dan niets?'

Maryline, nuchterder: 'Zeg jij tegen die moeder: "U bent een smeerpoets en uw zoontje stinkt!"? Dat kan niet. Je suggereert het, je draait eromheen, maar als iemand iets echt niet wil begrij-pen, begrijpt hij het niet... Je zult het nog wel vaker meemaken, maak je maar geen zorgen.'

Maar Estelle maakt zich wel zorgen en houdt Christophe in ge-dachten verzonken vast terwijl ze hem langzaam schoonmaakt. Wat Diplo zo irriteert dat ze haar wegduwt en de baby in allerijl een schone luier omdoet.

'Als ze jullie dát tegenwoordig op school leren, dien ik mijn ont-slag in.'

Estelle is beledigd. Diplo merkt het en slaat een vriendelijker toon aan.

'Neem me niet kwalijk... Ik ben Michelle, maar iedereen noemt me Diplo.'

'Waarom?'

'De plaatselijke humor. Je ziet hoe oud ik ben. Ik ben hier een prehistorisch dier.'

Diplo neemt Christophe in haar armen en gaat terug naar haar kleintjes. Estelle draaft achter haar aan.

'Sorry, maar wat moet ik vandaag doen?'

'Dat moet je aan Agnès vragen. Dat bepaalt zij. Tenslotte is zij de directrice.'

'Is ze streng?'

Trots op haar aanzien en haar hoge leeftijd begint Diplo een monoloog af te steken, waarin ze zich op een knorrige manier onbevooroordeeld betoont.

'Niet strenger dan een ander. Je komt er nog wel achter, maar elke directrice van een crèche heeft zo haar eigen stokpaardjes. Hier mag je de grond bijvoorbeeld nooit schoonmaken met een washandje, moet de personeelsruimte altijd opgeruimd zijn, al is het onze eigen ruimte, mag je kinderen nooit eten opdringen en ze vooral nooit op de pot zetten als ze er niet om hebben gevraagd. En in principe zullen ze je bij je volgende stage precies het omgekeerde leren.'

Geen tegenspraak mogelijk. Diplo heeft er niets meer aan toe te voegen. Estelle kijkt toe terwijl ze een baby in een ligstoeltje een piepgiraffe voorhoudt. Als betrapt, omdat ze niet weet wat ze moet doen, begint ze aan een stagiaire-'ronde' langs de peuterafdeling. Zoveel nieuwe mensen, namen, gezichten en gewoonten. Estelle wil even uitblazen.

De peuters zitten in groepjes van twee of drie in hun verschillende hoekjes. De poppenhoek. De garagehoek. De keukenhoek. De verkleedhoek. En de helemaal-nietshoek voor een heel klein meisje in een rood jurkje dat in de rondte loopt onder het toeziend oog van een popperige jonge vrouw met kort, bruin haar: Sophie.

Dan zegt het kleine meisje opeens: 'Mama, kom eens kijken!'

Sophie draait zich verbaasd om. Ze loopt naar het kleine meisje en zegt teder: 'Ik ben je mama niet. Ik ben...'

Ze maakt haar zin niet af en barst opeens zonder aanwijsbare reden in snikken uit. Ze kijkt om zich heen, ziet Estelle en rent op haar af.

'Jij bent de stagiaire, kun je even voor me invallen? Neem me niet kwalijk, maar ik...'

Dat is alles wat Estelle te weten komt. Sophie maakt zich uit de voeten om ergens in een hoekje uit te huilen.

'Wat is er met Sophie?' vraagt het kleine meisje.

Estelle, die haar het antwoord schuldig moet blijven, trekt een gezicht en neemt haar mee naar het poppenhuis, dat midden in het vertrek staat.

'Zullen we samen spelen?'

Het kleine meisje vindt het best. Maar Estelle is er met haar hoofd niet bij, ze vindt het eng, zo alleen op de peuterafdeling. Ze kijkt steeds naar Sophie, die in haar hoekje zit te hikken. Estelle wist zich het zweet van het voorhoofd. Haar handen zijn nat. En al die kinderen die naar haar kijken. Ze haalt diep adem. Maar ze ademt pas echt op als er een imposante, indrukwekkend lange Antilliaanse, haar armen vol linnengoed op haar afkomt. Ze begroet Estelle hartelijk met haar één meter tachtig,

'Ik ben Marguerite. Mocht je iets nodig hebben, aarzel dan vooral niet. Ik ben bezig met mijn examen, dus...'

'Wat voor examen?'

'Wat jij ook hebt gedaan. Om groepsleidster te worden. Jij bent klaar, dus jij kunt me helpen.'

'Ik weet niet of ik dat wel kan.'

'Natuurlijk kun je dat. Ik ben al twee keer gezakt voor het toelatingsexamen. Ik wil niet altijd de juffrouw van de linnenkamer blijven. Maar probeer maar eens te leren, met alles wat ik hier te doen heb.'

Estelle maakt een hoofdbeweging naar Sophie, die nog steeds hartverscheurend zit te huilen.

'Wat heeft zij?'

Marguerite reageert verontwaardigd.

'Sophie? Die heeft altijd wel wat. Ze zou eens echt in de stront moeten zitten. Dan zou ze wel anders piepen...'

Sophie schijnt het te hebben opgevangen, want ze vermant zich en staat op. Vanaf de babyafdeling roept Diplo haar toe: 'Wat heb je nu weer vandaag?'

'Laat haar toch met rust!' brult een stem achter haar.

Sophie haalt geringschattend haar schouders op, loopt terug naar haar afdeling en verontschuldigt zich tegenover Estelle.

'Ik heb vannacht niet geslapen, ik voel me vanochtend dus...'

Estelle is bezorgd: 'Jij ook al niet?'

'Waarom vraag je dat?'

'Vanwege haar daar... Maryline. Ze is ook pas om drie uur naar bed gegaan.'

'Misschien, maar om heel andere redenen dan ik.'

Zal ze die ooit te weten komen? Een schrille, driftige stem maakt een einde aan elk gesprek. Een moeder duwt een angstig jongetje voor zich uit en houdt met haar andere hand een broek omhoog, die haar ernstige zorgen lijkt te baren. Een van die beroepskankeraarsters die de plaag zijn van elke crèche. Ze heeft het op Sophie voorzien.

'Denkt u soms dat ik elke dag nieuwe kleren voor hem kan kopen? Kijk eens hier, wat is dat?'

'Een vlek.'

'Ja, maar wel een witte vlek! Ik weet niet wat u gisteren met hem hebt gedaan. Geschilderd misschien? Kan u wat verdommen. Maar ik krijg die broek terug met een rode vlek erin. Hij gaat er niet meer uit, zelfs niet met een vlekkenmiddel. En nu is hij verdomme verkleurd... wat moet ik daaraan doen?'

Sophie probeert beleefd weerwerk te bieden.

'Mevrouw Bertin, het is normaal dat kinderen vlekken maken. Maar we hebben gisteren niet geschilderd.'

'Natuurlijk, natuurlijk, het is nooit uw schuld. Kunt u niet wat beter opletten?'

Sophie doet haar mond open en... barst in tranen uit, laat alles in de steek, loopt de gang in en laat Estelle ontredderd achter bij mevrouw Bertin. Estelle neemt het geschrokken kind bij de hand, loopt naar de stomverbaasde vrouw toe en verzekert haar, terwijl ze haar zachtjes naar de uitgang duwt, dat ze voortaan heel, heel goed zal opletten, vooral op die broek. Mevrouw Bertin slikt haar woede in en vertrekt, in de overtuiging dat ze het recht aan haar kant heeft.

17

Ze loopt met driftige stappen naar haar auto, zonder meneer Bertin te zien, die haar in het café aan de overkant zit op te wachten. Drie sprongen, en het ex-echtpaar staat tegenover elkaar op het trottoir. Mevrouw Bertin deinst terug.

'Christine, ik moet met je praten.'

Ze kijkt hem strak aan en blaft hem de vraag toe die de voorwaarde is voor elk gesprek: 'Heb je het geld voor de alimentatie?'

'Nee... je weet toch hoe het er met me voor staat.'

Ze trekt een minachtend gezicht, draait zich om en loopt weg. Bertin pakt haar bij haar arm. Ze begint te schreeuwen.

'Zolang je niet betaalt wat je Sébastien en mij verschuldigd bent, krijg je hem niet te zien. Is dat duidelijk? Het is niet de eerste keer dat ik dat zeg. En laat me nu los.'

Ze duwt hem ruw van zich af. Bertin loopt haar achterna.

'Luister nou, Christine, ik heb het recht om hem te zien. Je kunt niet weigeren om...'

'Dat laat ik me geen twee keer zeggen! Jij betaalt toch ook geen alimentatie? Dat ben je verplicht. Dat is alles wat ik te zeggen heb. En bovendien zet je jezelf voor schut door me zo te achtervolgen.'

Bertin slaat een andere toon aan.

'Hoe moet ik het dan aanpakken? Ik wil geen ruziemaken waar Sébastien bij is, en als ik met je wil praten moet ik je toch eerst zien te vinden! Ik wil mijn zoon zien, dat ben je verplicht!'

'En jij bent verplicht om je alimentatie te betalen! Ik kan niet eens meer het hoognodige voor hem kopen.'

'Je weet heel goed dat ik je zou betalen als ik kon. Geef me wat tijd. Die jongen heeft mij ook nodig.' Hij schreeuwt nu. 'Maar ik heb geen geld! En jij hebt niet het recht om mijn zoon in gijzeling te nemen!'

Voorbijgangers draaien zich om. Mevrouw Bertin vervolgt haar weg en komt bij haar auto.

'Laat me los, zo is het wel genoeg!'

Ze duwt hem met verbazingwekkende kracht van zich af en stapt snel haar auto in. Ze slaat het portier voor zijn neus dicht en weet het in één moeite door te vergrendelen. Hij kan aan de hendel rukken wat hij, hij heeft de strijd verloren.

Ze trekt op. Hij moet wel loslaten. Hij rent haar achterna. Maar wat heeft het voor zin? Hij blijft verslagen op de weg staan, nog meer van de kaart.

Agnès komt haastig aanlopen van de hoek van de straat. Ze heeft het laatste deel van de ruzie gezien. Ze is een tijdje stil blijven staan en is toen weer doorgelopen. Ze weet niet dat Bertin haar uit een ooghoek heeft gezien. Hij haalt alleen zijn schouders op.

De crèche heeft zich in zichzelf teruggetrokken en na al het geren, geklaag en min of meer pijnlijk afscheid nemen van de ochtendrush is het nu weer rustig.

Estelle vergezelt Agnès op haar ochtendronde langs de afdelingen. Rondleiding door een directrice die zelfs de tijd neemt om zich voor de 'nieuweling' te interesseren.

'En heb je broers of zussen?'

'Drie. Allemaal jonger.' Estelle kan haar verbazing niet verbergen. 'Maar hebt u dat niet in mijn dossier gelezen, met de beoordeling door de school en de stagerapporten?'

Agnès lijkt totaal niet op de directrice zoals die haar tijdens haar opleiding keer op keer is afgeschilderd. 'Jullie merken het nog wel als jullie echt aan het werk gaan. Je dossier achtervolgt je overal. Opgelet dus!'

Agnès glimlacht flauwtjes.

'Ik kijk die dossiers nooit in. Ik heb echt de beoordeling van mensen die ik niet ken niet nodig om zelf een mening te kunnen vormen. Je gaat vandaag aan de slag. We hebben alle tijd om kennis te maken. Bepaal je positie. Probeer je aan te passen en wees niet bang voor je beoordeling. Het belangrijkste is je werk met de kinderen en het team.'

Estelle is sprakeloos van verbazing. Ze zou willen uitleggen waarom, maar daar komt de rest van het team al binnen. Drie nieuwe gezichten, drie nieuwe voornamen en drie nieuwe manieren van doen die ze leert kennen. Ze repeteert in zichzelf: 'Madeleine, Madeleine, Madeleine...' Een mooie, grote zwarte vrouw, aan wie Agnès *Le Monde* geeft. Madeleine stopt hem in haar tas, maar pas nadat ze zich ervan heeft vergewist dat Agnès hem uit heeft. En het gebaar van Agnès om duidelijk te maken dat ze haar niet hoeft te bedanken.

'Nathalie.' Ze heeft geen tijd om die naam te herhalen. Nathalie staat al voor haar en geeft haar een hand.

'Hoi. Ik ben Nathalie. Tot nog toe was ík de jongste van de crèche. Afgezien van de baby's natuurlijk. Ik ben vijfentwintig.'

Estelle is blij om kennis te maken met dat kleine blonde meisje dat ze op de fiets heeft aan zien komen en dat meteen zo aardig tegen haar is. Ze trekt de stoute schoenen aan, op zoek naar een beetje steun.

'Zullen we vanmiddag na het werk wat gaan drinken?'

Estelle weet niet wat ze aanhaalt. Nathalie kijkt of ze Agnès in het atrium ziet.

'Ik moet er na het werk meteen vandoor. Ik ben een alleenstaande moeder. En mijn zoon is op de crèche.'

'Hier?'

'Absoluut niet! Dat zou te makkelijk zijn. De directrice heeft principes. Geen kinderen van het personeel in de crèche. Dat geeft alleen maar complicaties. Die zijn dus voor mijn rekening. Ik ren, ik vlieg. Superhandig. Dank u wel, mevrouw Guerrimond! Maar ooit...'

Estelle zal het niet te weten komen. Agnès komt eraan en Nathalie verdwijnt naar haar dreumesen.

De enige die zich niet haast is Françoise, schuchterder dan een schaduw, die Estelle voor elke spiegel even stil ziet staan. Ze bekijkt zich heimelijk, vindt zichzelf echt veel te dik, vertrekt haar gezicht tot een ontstelde grimas, kijkt of niemand haar ziet en loopt mismoedig door.

Agnès en Estelle zijn alleen in het lege atrium. Estelle prent zich de voornamen in: 'Diplo, Maryline, Antoinette, Marguerite, Madeleine...' Ze stopt, is de rest alweer vergeten. Agnès bekijkt haar met een glimlach om de lippen. Estelle, als betrapt: 'Wat moet ik doen? Waar moet ik naartoe?'

'Waar ze je nodig hebben. Ik heb het er nog niet over gehad, maar we zijn met te veel. Dus nu eens bij de peuters, dan weer bij de baby's. Maak je maar geen zorgen, dat regelt zich vanzelf.'

'En waar moet ik mijn spullen opbergen?'

'In een van de kastjes in de personeelsruimte, net als iedereen.

Als je je tenminste een weg kunt banen tussen de vuile kopjes en de afwas. En leg je jas vooral niet op het aanrecht. De stomerij wordt niet vergoed.'

Als ze Sophie voorbij ziet komen vraagt Estelle aan Agnès: 'Wat is er met haar, dat meisje dat over de peuters gaat?'

'Met Sophie? Is er weer iets gebeurd?'

'Ik weet het niet. Ze zat daarnet te huilen.'

Agnès zucht.

'Er is één regel die je je in je hoofd moet prenten: wat je ook meemaakt, hoe ellendig ook, we zijn hier om voor de kinderen te zorgen, altijd. Onze gemoedstoestand komt daarna. Sophie heeft waarschijnlijk alle redenen van de wereld om te huilen. Bemoei je er maar niet mee... Kom! Begin maar met de keuken als je je meteen nuttig wilt maken. Martine is altijd te laat.'

Agnès' stem klinkt gedecideerd. Ze draait zich om en verdwijnt naar haar kantoor. Estelle blijft stomverbaasd en beledigd achter.

Koffiepauze na de komst van de collega's die af zullen sluiten. Wie wil komen is welkom, maar de eerste zet koffie. Dat heeft Sophie gedaan. Ze staat met een afwezige blik tegen het raam geleund. Als Antoinette in haar T-shirt uit de Antillen *made in Hong Kong* binnenkomt, verbreekt Sophie haar stilzwijgen.

'Bedankt voor daarnet!'

Antoinette weet niet waar ze het over heeft.

'Jawel... toen je tegen Diplo zei dat ze me met rust moest laten...'

'O dat! Dat was niets. We moeten elkaar toch helpen.'

'Ja, maar het was toch aardig. En bovendien stel jij tenminste geen vragen.'

Antoinette doet twee suikerklontjes in haar koffie en laat weten hoe ze erover denkt.

'Mensen geven toch nooit antwoord op vragen, behalve als ze zin hebben om te praten. Daarvóór is het te vroeg.'

Sophie is het met haar eens en laat er meteen op volgen: 'Kan ik met je praten?'

'Ik luister, als je er klaar voor bent.'

Sophie zet spoorslags haar kopje neer, rent naar haar kastje, zoekt in haar tas.

'Kijk, de uitslag van de test.'

Antoinette pakt haar bril en leest. Haar gezicht licht op. Ze springt Sophie om de hals en omhelst haar.

'Maar dat is te gek. Te gek!'

Sophie heeft een brok in haar keel. Ze aarzelt of ze het zal zeggen. Ze bedwingt haar tranen en loopt dan opeens zomaar weg. Antoinette begrijpt er niets van, drinkt in allerijl haar koffie op en haast zich naar de babyafdeling. Ze wenkt Diplo, die haar hoofd om de hoek van de deur steekt.

'Weet je het al? Sophie is zwanger.'

Diplo moppert: 'Is dat haar nieuwste truc om zich interessant te maken?'

'Nee. Ik heb de uitslag gezien. En daarom moet ze huilen.'

'Dat verbaast me niets. Ze kan ook nooit iets normaal doen. Heb je het al aan Martine verteld?'

'Nee, jij bent de eerste.'

Diplo verlaat de babyafdeling en loopt recht naar de keuken... maar geen Martine. Ze treft er alleen Estelle aan, die naar haar en Antoinette kijkt zonder iets van hun opwinding te begrijpen. Martine, de kokkin, is er nog niet. Ze komt steevast te laat. Ze krijgt het goede nieuws later wel te horen. Diplo foetert: 'Tien uur, dat is te vroeg voor mevrouw. En hoe moeten de kinderen nu eten?'

Antoinette, sussend: 'Dat is nou "het wonder van Martine".'

Diplo wil niet met de mond vol tanden staan. Ze kijkt naar Estelle en glimlacht.

'Oké, een wonder, maar Agnès heeft alles al in gang gezet.'

Het lukt Bertin niet om weg te gaan. Hoeveel kopjes cafeïnevrije koffie heeft hij al niet gedronken? Hij pakt zijn bonnetjes, telt alles uit zijn hoofd bij elkaar op, zoekt in zijn zakken en legt het gepaste bedrag op tafel. Hij gaat het café uit en steekt de straat over. Hij wil zijn zoon zien, alleen maar zien. Niet eens in zijn armen sluiten. Alleen maar even zien. Hij waagt zich tot aan de deur, kijkt om zich heen of niemand hem ziet en probeert hem dan open te duwen. De deur biedt natuurlijk weerstand. Hij kent de code niet.

Hij windt zich op, hoe zinloos dat ook is. Hij schrikt op als een vrouw hem aanspreekt.

'Wat doet u daar?'

Hij draait zich om. Martine, haar dikke buik en haar tassen versperren hem de weg. Hij stamelt: 'Ik? Niets. Ik kwam voorbij. Ik keek.'

En hij beent weg. Martine is gehaast en heeft geen tijd te verliezen. Ze tikt de deurcode in en stormt de crèche binnen.

Ze is nog niet binnen of Bertin staat alweer voor het raam. Hij gaat op zijn tenen staan, klampt zich aan het traliewerk vast en zoekt zijn zoon, vastbesloten om hem te zien maar zelf ongezien te blijven, uit angst dat zijn zoontje hem zal afwijzen. Hij staart als gebiologeerd naar de peuterafdeling. En dan opeens, als hij er het minst op bedacht is, drukt het snoetje van Sébastien zich tegen het raam. Een neusje dat zich platdrukt, twee kleine handjes als zuignappen tegen het glas. Bertin hurkt in allerijl neer om een ramp te voorkomen.

Een ramp die hij juist veroorzaakt. Sébastien heeft zijn vader voor zijn ogen zien verdwijnen, en het woedende, verlangende, driftige en wanhopige gebrul verontrust Madeleine, die er niets van begrijpt.

'Sébastien, wat is er aan de hand? Wat heb je, schatje? Kan ik je helpen?'

Niemand kan Sébastien helpen. Hij brult, gaat tekeer, stampvoet en schreeuwt: 'Papa! Papa!'

'Maar je papa is er niet.'

Madeleine aait hem over zijn handjes. Sébastien is rood van woede.

Elf uur. Etenstijd. Zoals voorzien komt Martine handen tekort. Ze maakt de dienwagentjes klaar. Onnodig om enige aanmerking te maken. Ze gaat zelf wel tekeer. Ze veegt haar handen af aan haar witte schort, en hup, daar gaat het naar de babyafdeling. Diplo krijgt de tijd niet om te kankeren, Martine heeft al naar haar uitgehaald.

'Het is niet anders, of je het nu leuk vindt of niet. Ik moest snel iets klaarmaken. Maar goede ham is altijd goed. En met een goede, gladde puree is het om te smullen!'

Maryline, die niets heeft gezegd en dat ook niet van plan was, krijgt ook een veeg uit de pan.

'Jij moet nodig kritiek hebben, jij komt altijd te laat!'

'Wat is er met je?'

Martine geeft geen antwoord. Ze duwt haar wagentje door de afdeling en kondigt trots aan: 'Heerlijke ham zonder fosfaten en puree van echte aardappelen. Jullie zullen smullen!'

Als ze Agnès ziet, die niet blij is dat ze zo laat is, blaast ze snel de aftocht.

Bij de peuters doorloopt Estelle de harde leerschool van hoe het er in de wereld aan toe gaat en niet hoe het er aan toe zou moeten gaan, als het aan haar zou liggen. Elke kind heeft een bord met eten voor zich staan. Estelle buigt zich over de kleine Mehdi en legt uit dat je niet met het toetje moet beginnen. Madeleine valt haar zonder al te kwade bedoelingen in de rede.

'Je zit er totaal naast! Het zijn onze volwassen gewoonten die dat eisen. Tafelmanieren komen later wel. Heb je het reglement niet gelezen?'

'Nee. Dat heb ik gisteren pas gekregen.'

'Dan moet je dat maar eens goed lezen. We hebben met Agnès en het hele team besloten dat de kinderen mogen eten zoals ze willen. Hartig, zoet, zoet, hartig. Trouwens geef toe, in je maag wordt alles toch door elkaar gehutseld.'

Estelle gaat ertegen in.

'Maar er zijn toch "dieetregels"!'

Een zeurderige, futloze stem klinkt op.

'Eindelijk eens verstandige taal. Zie je wel, ik ben niet de enige die daar zo over denkt. Als je ze niet een minimum aan richtlijnen geeft...'

Estelle draait zich om en ziet Brigitte, de kinderpedagoge, die in haar een bondgenote heeft gevonden. Aan de blikken die de groepsleidsters op die elegante vrouw in dure kleren en met gekunstelde manieren werpen, begrijpt Estelle meteen dat Brigitte niet erg populair is.

Madeleine geeft niet op.

'Daar heb je haar weer met haar richtlijnen! Na elke bijscholingscursus kom je weer met nieuwe! En de oude, weg ermee! Richtlijnen betekent niet dat je om de drie maanden nieuwe regels stelt.'

'Ja, maar zo "vorm" je kinderen niet!'

'Noem het wat je wilt, maar er is hier besloten dat de kinderen mogen eten zoals ze willen, in hun eigen volgorde.'

Brigitte negeert Madeleines felle toon en richt zich tot de arme Estelle.

'Het is net als met kinderen de borst geven zo gauw ze erom vragen. Daar houden ze slechte gewoonten aan over.'

Madeleine deinst er niet voor terug zich luid en duidelijk te weer te stellen, zelfs tegen een gediplomeerd pedagoge.

'Elke groep heeft haar eigen gewoonten. Kinderen in Afrika krijgen tot hun tweede de borst. En ze gaan er niet dood aan.'

Brigitte, zeer te kwader trouw: 'Ze gaan niet dood in Afrika? Je hebt helemaal gelijk, ze gaan niet dood in Afrika.'

Madeleine, geïrriteerd: 'Zo bedoelde ik het niet.'

Estelle heeft zich van de ruzie afgewend. Ze maakt nu wanhopige gebaren. De kinderen hebben het hoofdstuk in het reglement betreffende voeding in het algemeen vast niet gelezen. Ze hebben hun bladen omgekeerd en hebben de grootste pret terwijl ze hun handen in de puree dopen en zich lachend bekliederen.

Brigitte, Madeleine en Estelle snellen toe om ze te kalmeren. Sophie zit met een afwezige blik roerloos naast de tafeltjes en lijkt niets in de gaten te hebben. Madeleine schreeuwt.

'Had je niet op kunnen letten!'

Sophie schrikt op.

'Ik? Wat?'

In Agnès kantoor gaat de telefoon. Ze neemt op en trekt een korzelig gezicht.

'Ja, een moment, ik ga haar halen.'

Ze staat op, slaakt een zucht en steekt haar hoofd om de hoek van de deur.

'Sophie! Telefoon in mijn kantoor.'

Sophie komt niet aanrennen. Integendeel. Ze gaat gewoon door met het schoonmaken van Marcels gezicht, dat onder zit.

Madeleine dringt aan.

'Moet je niet naar de telefoon?'

De angstige stem van Sophie.

'Ik weet het niet.'

Ze aarzelt, kijkt naar haar handen, trekt een gezicht en neemt eindelijk een besluit. Ze rent naar het kantoor, maar wordt in haar vaart gestuit door Agnès, die haar bij de deur tegenhoudt.

'Je weet heel goed dat ik niet wil dat er continu wordt gebeld.'

'Maar ík bel toch niet!'

'Dat weet ik wel, maar er zijn betere momenten.'

Ze gaat opzij om haar binnen te laten. Sophie grijpt de hoorn.

'Hallo! Hallo!'

Haar gezicht betrekt.

'Hij heeft opgehangen.'

'Nou, hij belt wel weer terug!'

Sophie, die al naar de deur loopt, staat stil en kijkt naar Agnès. Ze kan haar wel aanvliegen.

'Nee! Hij heeft geen tijd. Denkt u soms dat hij de hele dag niets zit te doen in die vrachtwagen van hem? Hij werkt, hoor.'

Ze verdwijnt. Agnès slaat haar ogen ten hemel en doet de deur dicht om zich te beschermem tegen de onmiddellijke echo's van de korte woordenwisseling.

'Krijgt zij soms geen telefoontjes?'

'Wij zeggen toch ook niks als haar zoon haar belt, en altijd op het verkeerde moment?'

Het gebruikelijke gemopper. Het is van geen belang en het dooft langzaam uit. Het is tijd voor het middagslaapje en de pauze.

In de personeelsruimte gaat Maryline, onder het genot van een kopje koffie, volledig op in de horoscoop, die ze hardop voorleest zonder dat het haar iets kan schelen of er iemand luistert. Dan richt ze, met haar ogen nog steeds strak op de gelukspagina, het woord tot Sophie.

'Luister 's, Sophie, dit is voor jou. Te gek! "Wat de liefde betreft gaat u mooie tijden tegemoet. U zult het gevoel hebben dat u begrepen wordt. Vertrouw op uw gelukkig gesternte."'

Sophie kijkt haar smekend aan.

'Hou op.'

Maryline kijkt niet op en gaat gewoon door.

'Wat? Nou is het een keertje goed... "U zult zich totaal één voelen..."'

Maryline gaat zo op in het voorlezen dat ze geen stilte hoort vallen, niet ziet hoe alle blikken zich op een doodsbleke Sophie richten. Maryline valt dan ook bijna achterover als Sophie opeens op haar af komt stormen, het tijdschrift uit haar handen rukt en het als een furie in stukken scheurt. Maryline springt verontwaardigd op.

'Ben je gek geworden?'

Ze richt zich tot de anderen.

'Die griet is niet goed snik! Wil ze soms liever een rothoroscoop?'

Antoinette, die staat af te wassen, komt tussenbeide.

'Laat haar toch met rust.'

'Hoezo, met rust?'

Maryline weet van geen ophouden en wijst met een beschuldigende vinger naar Sophie.

'En jij bent me vijftien ballen schuldig. Maar je raapt eerst mijn tijdschrift op en plakt de stukken weer aan elkaar. Denk je dat ik zomaar vijftien ballen weg kan flikkeren?'

Antoinette grijpt Maryline met natte handen vast om een confrontatie te voorkomen. Sophie is meteen weg.

'Ben je soms blind? Je begrijpt ook niets!'

'Maar wat valt er te begrijpen behalve dat hier gekken rondlopen?'

Ze kijkt hoofdschuddend naar haar mooie horoscoop, die dít niet had voorzien.

Sophie heeft haar toevlucht genomen tot het halfduister van de slaapzaal van de kleintjes. Ze zit verslagen op de grond. Het is doodstil. De baby's slapen. Madeleine, die toezicht houdt op de peuters, komt op haar tenen aangeslopen en gaat naast haar zitten. Ze fluisteren.

'Wil Eric het niet, is dat het?'

'Ik weet het niet. Ik heb gistermiddag de uitslag gekregen, maar ik heb het hem niet durven vertellen. Ik wou hem de hele nacht wakker maken. En vanochtend heb ik bij het weggaan een briefje voor hem op tafel gelegd. Ik dacht dat hij meteen zou bellen.'

'Misschien wil hij even nadenken.'

'Schei uit! Hij wil geen kinderen. We hebben het er al honderd keer over gehad. Hij zegt dat hij er geen tijd voor heeft. En inderdaad, met die vrachtwagen van hem, hij is er nooit.'

'Nou, ik wou dat die van mij nooit thuis was. Dat zou voor mijn kinderen ook veel beter zijn, dat kan ik je wel vertellen.'

Madeleine zwijgt opeens en fronst haar wenkbrauwen.

'Maar neem je de pil dan niet?'

'Nee. Ik ben gestopt, maar dat heb ik niet tegen hem gezegd. Want als ik het van tevoren vraag, weet ik toch wel dat hij geen kind wil.'

'En denk je dat hij het zo wel zal willen?'

'Dat is het 'm nou net. Dat weet ik niet.'

Ze huilt dikke tranen.

'En als hij nou wil dat ik weer abortus laat plegen? De dokter heeft me gewaarschuwd dat ik dit keer wel eens onvruchtbaar zou kunnen worden.'

'Weet Eric dat? Heb je hem dat verteld?'

'Ik zeg steeds tegen mezelf dat ik het hem moet vertellen, omdat dat hem misschien toch wel aan het denken zal zetten.'

Ze wordt onderbroken door het geluid van gedempte voetstappen. Maryline komt op haar tenen aanlopen.

'Neem me niet kwalijk, Sophie. Ik heb het net gehoord. Ik kon het niet weten.'

Sophie droogt haar ogen en wil haar excuses niet aanvaarden.

'Het gaat je ook niets aan!'

Als de kat van huis is, dansen de muizen niet op tafel. Agnès is weg en de crèche loopt gesmeerd – een conclusie die Estelle geruststelt. Ze zit in de stoel van de directrice, omdat die haar daar heeft neergezet. Een rotstreek, zij het niet kwaad bedoeld.

'Je neemt de telefoon aan en je schrijft alles in dit schrift op.'

Estelle bladert het door. Agnès heeft er het adres van het gemeentehuis en het telefoonnummer van de zustercrèche in opgeschreven, voor het geval dat. Estelle bedankt haar collega's in gedachten dat ze hun lunch met haar hebben gedeeld en haar om twaalf uur niet aan haar lot hebben overgelaten. Stom, ze had er niet aan gedacht om iets mee te nemen. Ze zal iets terugdoen. Ze kijkt naar de foto op het bureau. Ze schrikt op. De telefoon gaat.

'Ja... Ja... Een moment. Ik ga haar halen.'

Ze is in een paar seconden op het speelplein.

'Sophie! Sophie! Telefoon voor je, snel!'

Sophie komt aanrennen.

'Val je even voor me in?'

Estelle heeft geen tijd om 'ja' te zeggen. Ze valt in bij de peuters die op driewielertjes in de rondte rijden onder het toeziend oog van Madeleine.

Sophie heeft de deur van het kantoor achter zich dichtgedaan. Je kunt niet horen wat ze zegt.

Als de kat van huis is, doen de muizen waar ze zin in hebben. Maryline heeft haar afdeling en Marguerite haar dweil in de steek gelaten. Ze gaan bij de deur staan. De een weet het nog beter dan de ander.

'Dat zeggen ze allemaal, in het begin, dat ze geen kind willen, maar als ze het eenmaal zien...'

'Trouwens, zij gaat toch voor dat kind zorgen? Ik snap dus niet waar hij zich mee bemoeit. Hij is de vader, oké, maar zij draagt de baby.'

Maryline is nog veel stelliger.

'Ik zeg al vanaf het begin dat ze de verkeerde vent heeft gekozen. En zoiets komt niet zomaar vanzelf goed.'

Het is meteen stil als ze Sophie horen gillen: 'Maar luister nou, Eric. Ik zweer het je, de dokter heeft het zelf gezegd. Het kan niet meer.'

En dan is het volstrekt stil. Marguerite houdt het niet meer en doet de deur open. Sophie kijkt afwezig, haar hand op de hoorn die ze heeft neergelegd. Het duurt een paar seconden voordat ze Marguerite naast zich ziet staan. Ze schiet overeind, zet een gemaakte glimlach op en loopt heel waardig naar buiten, terug naar het speelplein.

Als de kat terug is, trippelen de muizen. Marguerite, die Agnès ontwaart, begint als een bezetene de grond te boenen, terwijl Maryline 'm smeert, voor de verandering eens zonder commentaar.

Er heerst een bedrukte sfeer. Als de kinderen op het speelplein er al iets van merken, maken ze er geen drama van. Ze doen voetje van de vloer, laten zich van de glijbaan glijden en verzinnen spelletjes waarvan ze op de opleiding voor groepsleidster nog nooit hebben gehoord.

Sophie ziet niet dat Madeleine en Estelle haar stiekem in de gaten houden. Ze glimlacht en vraagt de kinderen met breekbare stem of ze zich wel vermaken. Ze kunnen haar bijna niet verstaan. Ze buigt zich voorover en neemt een meisje in haar armen. Het kind vlijt zich geestdriftig tegen haar aan. Van haar stuk gebracht richt Sophie zich weer op, zet het kind op de grond en rent dan ineens zomaar weg. Ze duwt Estelle opzij, die in de deuropening staat, en kan, eindelijk alleen, de vrije teugel laten aan wat ze niet meer kan bedwingen: haar tranen en haar angst. Een zenuwtoeval. Ze schreeuwt dat ze het 'zat, zat, zat' is. Ze balt haar vuisten, perst haar kaken op elkaar, en de eerste de beste pop die ze in haar handen krijgt wordt op de grond gesmeten, opgeraapt en tegen muren aan gegooid. Een tot moes geslagen pop, zonder dat haar razernij tot bedaren wordt gebracht. Sophie trilt, schreeuwt, huilt, schopt tegen deuren aan en pakt de reeds verbrijzelde pop op om hem nu echt te vermoorden.

Madeleine kan de gedachte niet meer verdragen dat Sophie alleen is, zonder hulp. Ze loopt naar Estelle.

'Let jij op de kinderen. Die hebben ons niet nodig om te spelen. Ik ben zo terug.'

En Madeleine rent de crèche in. Ze probeert vergeefs een tegenspartelende Sophie te pakken te krijgen. De rust die Madeleine uitstraalt, kan Sophie-de-furie niet tot bedaren brengen.

'Kom nou, Sophie. Het komt allemaal goed. Maar het kost wel tijd.'

Sophie hoort niets, ziet niets en spaart niets.

Estelle, alleen op het speelplein, houdt de peuters nauwgezet in de gaten, maar ze voelen wel dat er iets aan de hand is.

'Waarom schreeuwt Sophie zo?' vraagt een ventje.

Estelle weet niets beters te verzinnen dan 'Ach, het is niets,' wat niemand bevredigt, behalve meneer Bertin, die al de hele dag op het speelplein loert en zojuist zijn Sébastien in het oog heeft gekregen. Hij loopt naar het hek terwijl hij een oogje houdt op het heftige tafereel achter de ramen, waar Agnès en Madeleine Sophie in bedwang proberen te krijgen, die langzaam maar zeker, aan het eind van haar krachten, tot bedaren komt.

'Sébastien! Sébastien!'

Bertin roept zijn zoon. Het jongetje kijkt op. Een glimlach doet zijn ogen oplichten, dan trekt hij een pruilmondje en loopt verlegen naar zijn vader. Ze pakken elkaars hand, de vingers door de spijlen van het hek.

Estelle loopt ernaartoe. Ze herkent Bertin.

'Dag meneer.'

Bertin doet zich charmant voor.

'En hoe is uw eerste dag?'

'Ik had nooit gedacht dat het zo goed zou gaan. En Sébastien is een schatje.'

Dat had ze niet moeten zeggen. Estelle weet niet dat ze haar eigen val zet. Bertin heeft zijn zoon niet losgelaten en vergewist zich ervan dat niemand in de crèche hem heeft gezien. Hij neemt Estelle in vertrouwen.

'Het enige nadeel van de crèche, maar ik zeg dat niet om kritiek te uiten, is dat ze wel wat star zijn. Ik ben nu bijvoorbeeld bij mijn zoon, maar ik mag hem niet meenemen, al heb ik er nog zo'n zin in. Ik moet tot half vijf wachten. Maar ik heb zo'n zin om hem eens lekker te knuffelen. En hij ook, kijk maar.'

Estelle ziet wel wat Sébastien ervan vindt. Ze glimlacht. Bertin stelt voor: 'Zou u hem naar de deur kunnen brengen, zodat ik hem een echte zoen kan geven?'

'Waar?'

'Daar.'

Hij wijst naar de deur die op straat uitkomt.

'Waarom niet?'

Estelle kijkt achterom. De kinderen zijn niet ver en ze zijn aan het spelen. Ze pakt Sébastien bij de hand en leidt hem naar de zware deur, die alleen van binnen open kan – veiligheid verplicht.

Ze drukt op de deurstang, waar kinderen niet bij kunnen. De deur gaat open.

'Heel even maar, want ik heb alle peuters onder mijn hoede. Hier, Sébastien, geef je vader maar een zoen.'

Ze slaat geen acht op de grimas van een peuter die zijn vader al twee maanden niet heeft gezien. Ze stelt zich tevreden met het stralende gezicht van Bertin, die zijn zoontje met tranen in zijn ogen omarmt. Haar aandacht wordt afgeleid door Julien, die aan Amélies haar trekt. En daar weer mee ophoudt zonder dat ze tussenbeide hoeft te komen. Ze draait zich om naar Bertin en ziet nog net hoe hij het met zijn zoon in zijn armen op een hollen zet. Ze roept: 'Wacht! Wacht!'

Ze is zo verbaasd dat ze pas na enkele seconden de achtervolging inzet. Maar hij heeft al zo'n twintig meter voorsprong en de afstand wordt steeds groter. Ze kan schreeuwen wat ze wil, maar er is niets dat de waanzinnige wedloop van Bertin nog kan stuiten. Als ze bij de hoek van de straat komt, is hij nergens meer te bekennen. Estelle moet opgeven, machteloos, buiten adem. Ze kijkt nogmaals om zich heen, haalt diep adem en rent terug naar de crèche. De deur naar het speelplein staat wagenwijd open, ze rent naar binnen, roept om hulp en stuit op het onbegrip van Madeleine en Agnès, die druk bezig zijn met Sophie.

Estelle kan stotteren wat ze wil dat hij 'ervandoor' is, maar niemand begrijpt waar ze het over heeft. Agnès windt zich op.

'Maar wie dan, verdomme!'

'Meneer Bertin. Hij heeft zijn zoon meegenomen.'

Er valt een doodse stilte. Agnès heeft nog geen idee van de omvang van de ramp. Dat een vader er met zijn zoontje vandoor is, is rampzalig – maar dat een paar hummeltjes, alleen gelaten op het speelplein, op hun dooie gemakje naar de deur zijn gelopen en de straat op zijn gegaan is pas echt catastrofaal. En zijn ze tenminste nog op de stoep gebleven? Nee. Ze zijn argeloos de weg aan het verkennen en trekken zich niets aan van auto's die remmen en om het hardst claxonneren, van woedende automobilisten en radeloze voorbijgangers die er niets van begrijpen.

Redden wat er te redden valt. Agnès en Madeleine, gevolgd door Maryline en Françoise, die op het hulpgeroep zijn afgekomen, proberen de kinderen heel voorzichtig weer te vangen om ze niet aan het schrikken te maken. En de kindjes lijken het spel van die volwassenen wel leuk te vinden. Vooral omdat er ook voorbijgangers meedoen, wat de feestvreugde alleen maar verhoogt. Negen kleine kuikentjes die uit de hoenderhof zijn ontsnapt, lachen zich een kriek en zetten het op een lopen zodra men ze wil pakken.

Estelle maakt zich niet erg nuttig. Hoe zou ze door haar tranen ook de kinderen kunnen zien? Bij wijze van hulpbetoon put ze zich uit in verontschuldigingen. Een refrein dat Diplo hogelijk begint te irriteren. 'Ja, goed, het is jouw schuld! Dat heb je nu al twintig keer gezegd. Maar daarmee hebben we de kinderen niet binnen. Hou eens op met snuiven en help een handje.'

Dat is net wat Estelle nodig heeft. Ze kan nu niets meer en barst opnieuw in snikken uit.

Terwijl ze af en aan lopen, een kind naar het speelplein terugbrengen terwijl een ander net weer naar buiten gaat, wisselen de groepleidsters hun overtuigingen, veronderstellingen en angsten uit.

Maryline weet het zeker.

'Ik kan jullie wel vertellen: als die vent zijn kind zomaar heeft meegenomen, laat hij het zich echt niet meer afnemen.'

Françoise is er net zo zeker van dat het afgesproken werk is en dat Bertin 'm naar het buitenland zal smeren.

Madeleine probeert hem te verontschuldigen.

'Met die ex van hem kon hij bijna niet anders.'

Maryline vindt dat Madeleine nu toch werkelijk overdrijft. Agnès zegt niets, maar denkt er het hare van. En als het laatste kind terug is, alle kinderen zijn geteld en iedereen weer adem kan halen, barst ze los: 'Hou op met onzin kletsen en kalmeer. Maar stel eerst de kinderen gerust.' Ze rent naar haar kantoor en pakt haar jas. 'Ik ga. Ik denk dat ik wel weet waar hij is.'

Françoise waagt het erop: 'Weet u het zeker?'

'Zeker? Nee. Maar hij kan niet ver zijn, hij heeft geen auto.'

Ze loopt naar de babyafdeling.

'Michelle, bel de coördinatrice! Nu meteen! Probeer uit te leggen wat er aan de hand is, maar zonder haar in paniek te brengen, als het kan. Mocht er zich nog een catastrofe voordoen, neem dan contact op met de zustercrèche.'

Diplo knikt. Agnès gaat er op een holletje vandoor.

Bij het hek staan een paar buurtbewoners na te praten over het ongelooflijke schouwspel van daarnet. In de crèche heeft men de kinderen vrij snel weten te kalmeren. Madeleine heeft een spelletje met water georganiseerd en legt uit waar de kinderen absoluut niet mogen komen.

'De deur is verboden. De deur is verboden,' herhaalt de kleine Fatima als een papegaai terwijl ze haar handen in het water doopt en zachtjes tegen elkaar aan wrijft.

De groepsleidsters verkeren nog steeds in grote opwinding. Estelle, die nog altijd in tranen is, loopt van de een naar de ander.

'Het is mijn schuld. Ik weet niet wat me bezielde.'

Sophie troost haar: ze wou alleen maar aardig zijn.

'Hou toch op. Niemand verwijt je iets.'

'Ik baal ervan. Ik kan niets. Het is altijd hetzelfde. Mijn vader heeft gelijk.'

Sophie, die inmiddels gekalmeerd is, neemt haar apart.

'Jij kunt er niets aan doen. Het is mijn schuld.'

'Nee. Jij hebt problemen. Ik had het zekere voor het onzekere moeten nemen.'

'Normaal hou ik werk en privé-leven gescheiden. Maar nu...'

Schijnbaar van de hak op de tak springend stelt Sophie een vraag die als inleiding zou kunnen dienen tot eventuele ontboezemingen.

'Heb jij een vriendje?'

Wat een vraag.

'Waarom vraag je me dat? Ja... nou ja, zo'n beetje. Maar ik ben zo bang dat ik mijn stage niet af mag maken, dat het mislukt. Ik weet niet wat ik tegen mijn vader moet zeggen. Ze verwachten zoveel van me.'

Sophie toomt haar eigen wanhoop in en probeert Estelle gerust te stellen.

'Je hebt niets te vrezen, want het is mijn schuld. Het belangrijkste is dat Agnès met Sébastien terugkomt. Als hij terug is, kun jij weer lachen.'

Estelle is niet overtuigd.

34

'Ja, maar dan mag ik nog steeds mijn stage niet afmaken. Stel je voor, met zo'n blunder beginnen... Zelfs als ze het kind terugvindt...'

Ieder zijn probleem. Dat van Diplo lijkt schijnbaar eenvoudiger. Hoe de coördinatrice te bereiken als haar telefoon steeds in gesprek is? Mevrouw Képler, coördinatrice, schrikbeeld van de groepleidsters, vertegenwoordigster van de overheid. Bibberatie verzekerd als ze er is. Je kunt maar beter je gram halen als ze er niet is – de beste manier om de sluipende angst te bezweren. Ze hebben er allemaal schuld aan dat Sébastien weg is. Als Agnès hem maar snel terugvindt. En misschien is het wel een gelukje dat ze mevrouw Képler niet kan bereiken.

'Als ze in gesprek is, kunnen we dat als excuus gebruiken dat ze niet op de hoogte is gesteld. En als we kunnen vermijden...'

Brigitte, de pedagoge, staat altijd aan de kant van het Gezag. Ze ís het Gezag als Agnès er niet is. Ze is pedagoge, geen groepsleidster. Ze heeft een bul, geen vaag diploma kinderverzorging. Zij en de groepleidsters komen niet van dezelfde planeet. En dat laat ze hen goed voelen, op hautaine toon.

'Vinden jullie niet dat jullie niet al genoeg stommiteiten hebben uitgehaald? Mevrouw Képler moet op de hoogte worden gesteld, punt uit. Agnès heeft het gevraagd. Anders overtreden jullie de regels.'

De uitvluchten zijn meelijwekkend.

'Je overtreedt de regels niet als je het hebt geprobeerd maar het niet is gelukt!'

Brigitte is een vrouw van orde en gezag.

'Ze moet op de hoogte worden gesteld. Daarvoor is ze aangesteld. Bovendien begrijp ik niet wat jullie tegen haar hebben.'

Dat laatste had ze niet moeten zeggen. Onder de ongelovige blik van Estelle breekt nu openlijk oorlog uit. Françoise, het dikkerdje, treedt plotseling uit de schaduw. 'Logisch dat jij haar verdedigt. Jullie zetten samen je huwelijksadvertenties. Daarom is ze altijd in gesprek.'

'Hoe kom je erbij? Ik hoef echt geen advertenties te zetten om een man te vinden!'

'Is dat soms een steek onder water?'

35

Madeleine komt tussenbeide.

'Vinden jullie dit nu echt het goede moment?'

Françoise gilt: 'Reken maar! Mevrouw is beter dan iedereen. De eerste de beste is voor haar, als hij maar poen heeft en 'r kan onderhouden. Waar koopt ze al die sieraden van? Niet van haar salaris, dat is zeker.'

Het komt bijna tot een handgemeen. Madeleine brengt de gemoederen tot bedaren.

'Omdat we allemaal zo ongerust zijn, hoeven we elkaar niet van alles naar het hoofd te gooien. De kinderen gaan voor, en ik maak jullie erop attent dat ze naar ons kijken.'

En inderdaad staan een paar kinderen, onder de indruk van het geschreeuw, met grote ogen toe te kijken. Dit argument geeft de doorslag. De strijdende partijen gaan uiteen. Estelle barst opnieuw in tranen uit als Diplo het kantoor uit komt.

'Schei uit, Estelle. Ik heb goed nieuws. Ik heb iemand weten te bereiken die iemand zal bellen die de coördinatrice zal informeren. Ik heb gezegd dat er geen haast bij was, en voordat ze haar hebben bereikt is Sébastien vast alweer terug. En tegen de tijd dat Miss Képler arriveert, is alles geregeld. Is er iets gebeurd? Nee. Wij weten van niks.'

'Maar als Agnès hem nou niet kan vinden?'

Diplo, heel vriendelijk: 'Geloof me, dat kun je wel overlaten aan Agnès.'

Agnès, buiten adem voor een deur op de derde verdieping van een flat in de buurt, zou dat graag willen geloven. Ze belt een paar keer achter elkaar aan. Geen reactie. Ze belt weer aan en fluistert dan door de deur: 'Meneer Bertin, ik ben het, Agnès Guerrimond. Ik weet dat u er bent. Ik weet het zeker. Doe open, we moeten praten. Ik wil u geen kwaad doen, alleen maar helpen. Doe alstublieft open. Ik begrijp u.'

Haar woorden zijn vergeefs. Alles blijft stil binnen. Agnès doet er ontmoedigd het zwijgen toe. Ze aarzelt even en roept dan weer: 'Sébastien, het is Agnès. Hoor je me, Sébastien?'

Nog steeds niets. Ze laat haar armen zakken, kijkt nog één keer naar de deur en gaat dan langzaam de trap af. Als de deur van de conciërgewoning opengaat, krijgt ze geen kans om er een woord tussen te krijgen. Meneer Pereira en zijn lichte accent begroeten haar allerhartelijkst.

'Mevrouw Guerrimond, wat een verrassing! Emilio had het gisteren nog over u!'

Agnès houdt zich beleefd in. Ze voelt zich gedwongen om naar Emilio te vragen. Hij is al zo groot, zit op de kleuterschool en gaat van de zomer mee naar Portugal om de familie te bezoeken. Agnès glimlacht werktuiglijk. Dan valt ze hem in de rede: 'Is meneer Bertin niet thuis?'

'Hij is uit. Ik heb hem vijf minuten geleden nog gezien.'

'Met zijn zoontje?'

'Ja. U boft niet, hè?'

'Waar is hij heen gegaan?'

'O, dat weet ik niet, mevrouw Guerrimond.'

Agnès reageert verslagen.

'Had hij een koffer bij zich?'

'Nee. Een koffer, hoezo? Hij is net terug uit het buitenland. Hij heeft niet gezegd dat hij weer wegging. Anders zou hij wel een envelopje hebben achtergelaten.'

Agnès weet niet of ze opgelucht of ongerust moet zijn. Ze loopt naar buiten. Meneer Pereira komt achter haar aan.

'U ziet er niet zo goed uit. Is er iets?'

'Ja, hij mag niet bij zijn zoontje zijn.'

Meneer Pereira begrijpt het verkeerd.

'Jawel, jawel, hij had hem bij zich, ik weet het zeker!'

Agnès laat zich gaan. 'Dat weet ik ook wel! Hij heeft hem stiekem meegenomen, uit de crèche. Vandaar.'

Ze heeft er meteen spijt van. Te laat.

'Hoezo? Meegenomen? Ontvoerd? Verdomme! Ik snap het. Eén moment.'

Meneer Pereira verdwijnt naar binnen, sluit zijn woning af en komt terugrennen.

'Ik ga met u mee. We vinden hem wel.'

'Dank u wel, maar...'

'Nee, nee. U hebt zoveel voor Emilio gedaan. Nu kan ik iets voor u doen.'

Agnès kan protesteren wat ze wil, maar meneer Pereira heeft besloten het onderzoek in eigen handen te nemen.

Ze lopen zij aan zij door de winkelstraten van de buurt. Als ze bij een kruidenierswinkel komen, gebaart Pereira dat Agnès even moet blijven wachten. Ze weet niet wat ze moet doen. Ze kijkt gespannen om zich heen en wil al doorlopen als Pereira haar roept en op de Vietnamese kruidenier wijst, de 'buurt-Chinees'.

'Wacht even. Hij heeft hem ook gezien. Had het jongetje een groene jas aan?'

Agnès knikt. Pereira barst opeens uit: 'Wat een klootzak!'

Agnès wil het voor Bertin opnemen, het uitleggen. Haar woorden gaan verloren in gestamel.

'Welnee, hij...'

Pereira is al een andere winkel binnengegaan. Hij komt meteen weer naar buiten, samen met de krantenverkoper, die een straat in wijst. En als je achter een smeerlap aan zit, kun je maar beter met velen zijn. Hij gaat voor.

Agnès moet wel volgen. Zij zullen haar bij Bertin brengen. Ze heeft geen keuze.

Diplo wel. Ze kiest spontaan haar stijlregister.

'Die trut. Ze is er sneller dan we dachten.'

Sophie, zachtjes, blijft in hetzelfde register: 'We zitten diep in de stront!'

Estelle wil alleen maar weten wie de furie is die opgewonden op de voordeur staat te trommelen.

'Mevrouw Képler natuurlijk! Komt alleen maar kankeren en ons de huid vol schelden. En wedden dat ze wel tien keer zegt dat ze de districtscoördinatrice is?'

Estelle verbleekt. Haar woordenschat schrompelt ineen.

'Godverdomme!'

Iedereen is het daar mee eens, behalve de zalvende Brigitte, die naar de deur toe rent en zonder een moment te verliezen haar versie van de feiten geeft.

'Hij heeft gewoon misbruik gemaakt van een moment dat het hier een chaos was.'

Mevrouw Képler deelt haar mening.

'Dat verbaast me niets. En wie had de kleine Bertin onder haar hoede?'

Madeleine is zo eerlijk om haar hand op te steken: 'Ik. Ik lette even niet op en daar heeft hij misbruik van gemaakt.'

Képler-de-zedenpreekster barst los.

'U moet altijd opletten. Daar wordt u toch voor betaald? En bovendien moet íemand toch de deur voor hem hebben opengedaan... De kinderen kunnen dat niet, die deur is beveiligd.'

Estelle stapt bedeesd naar voren, tot verbazing van alle groepsleidsters.

'Ik. Ik dacht dat ik er goed aan deed.'

'U? Maar wie bent u. Ik heb u nog nooit gezien.'

'Nee, mevrouw... ik ben Estelle Duigon. Ik ben stagiaire, ik zit in mijn proeftijd.'

'Sinds wanneer?'

'Sinds vanochtend, mevrouw.'

Mevrouw Képler kijkt haar verbijsterd aan.

'U begint wel goed... En heeft iemand de politie gebeld?'

Diplo probeert haar hoge toon te temperen.

'Dat is niet nodig. Agnès is hem aan het zoeken...'

Op nog hogere toon: 'Maakt u een grapje?'

Doodse stilte. Niemand heeft zin om grapjes te maken. En Diplo doet er nog een schepje bovenop.

'Ze vindt hem vast en zeker.'

Mevrouw Képler stampvoet en komt eindelijk met haar titel op de proppen.

'Hoe durft u zoiets te zeggen, en dat tegen mij, de districtscoördinatrice! Het is ongelooflijk. U bent verantwoordelijk. Hoort u, verantwoordelijk. Weet iemand wel wat dat woord betekent? U had meteen de politie horen te bellen en ik had graag gezien dat iemand de tegenwoordigheid van geest had gehad om dat eerder te doen dan ik!'

Ze licht haar hoge hakken en sluit zich zonder dat iets of iemand haar kan tegenhouden op in Agnès' kantoor.

Meneer Pereira zet in de straten van de wijk een bizarre mensenjacht in. Hij heeft inmiddels een derde handlanger gerekruteerd, die mevrouw Guerrimond maar al te graag een dienst wil bewijzen.

'Natuurlijk. Zonder u zou ik nooit een plaats voor mijn twee jongens hebben gekregen. Het is geven en nemen.'

Agnès balt haar vuisten.

'Echt, ik red me wel. Nu ik weet dat hij niet ver is, kan het niet meer zo erg zijn. Ik dank u zeer.'

Niets te danken. Als ze wil doorlopen, volgen ze haar op de voet. Het is een marteling voor Agnès, die het schuim van alle buurtcafés aan haar zijde moet dulden. Ze biedt slechts een zwijgend verzet, dat niets uithaalt. Ze kent die types wel van als ze hun kinderen komen inschrijven voor de crèche. Daar kan ze zich doof houden. Maar hier, op straat, bezeten van de gedachte dat ze Sébastien moet vinden, is ze overgeleverd aan opmerkingen als: 'Er is niets erger dan kinderen ontvoeren', 'Op de politie hoef je niet te rekenen, die kunnen niet eens een Arabier vinden!', en andere uitlatingen die ze niet dagelijks pleegt te horen.

Het groepje rukt op en geeft nu de schuld aan pedofielen alvorens de aanval in te zetten op vaders die ontucht plegen met hun kinderen. Dat is ook al het ergste wat er is. En het wordt hoe langer hoe erger als ze bij de slagerij komen, waar meneer Bertrand aan een half woord genoeg heeft om te begrijpen dat de jacht geopend is en dat hij twee minuten de tijd krijgt om mee te komen.

Agnès kan haar paniek niet langer verbergen. Ze bijt op haar lippen en sluit haar ogen.

Meneer Bertrand wrijft in zijn handen en onthult op gedempte toon zijn aanvalsplan.

'Die vent van u zit in de kroeg. En ik kan u vertellen dat hij zich niet moe maakt. Ik kom er net vandaan. Ik moest geld wisselen. We geven hem een pak rammel, maar dat kind zal hij teruggeven.'

Hij loopt voorop, in de richting van een modern café op de hoek van twee boulevards. De bestrijders van onrecht dromen er al van om die vent eens flink op zijn bek te slaan en zijn dan ook stomverbaasd als ze, aangeland bij het café, een vrouwenstem horen gillen: 'Wacht, wacht even!'

Ze waren Agnès helemaal vergeten, die de dingen graag weer in eigen hand wil nemen.

'Luister eens. Ik ben u heel dankbaar voor uw hulp, maar nu moet u niets meer doen.'

Meneer Bertrand wil er absoluut op los slaan.

'We slaan hem op zijn bek, en daarna praten we.'

'Geen sprake van. Er is een kind bij.'

'En als hij gewelddadig is? Je weet het maar nooit met zulke types.'

Agnès trekt aan zijn mouw.

'Wacht even, alstublieft.'

Meneer Bertrand is stomverbaasd dat een vrouw hem tegenspreekt. Hij doet wat ze zegt. Agnès kijkt door de ramen van het café. Bertin zit, alsof er niets aan de hand is, op zijn dooie gemak aan een tafeltje met Sébastien, die gulzig een ijsje zit te eten. Hij zit heel stil, met zijn kin in zijn hand, en kijkt strak naar zijn zoon. Agnès weet niet goed wat ze moet doen. Ze kijkt naar Pereira en fluistert: 'U moet me alleen laten. Het komt wel goed. Maar als hij ervandoor wil gaan, moet u hem tegenhouden. Goed? Laat u niet zien. Alleen in het geval van problemen. Belooft u dat u niets zult doen?'

Pereira trekt een gezicht.

'Goed, goed. U verstaat uw vak, ik kan niet anders zeggen. Maar u kunt me niet verhinderen om die Bertin van u eens goed de waarheid te vertellen.'

'Nee, meneer Pereira. Alstublieft.'

Ze kijkt hem smekend aan, verscheurd tussen haar haast om naar binnen te gaan en de noodzaak om hun gewelddadigheid te beteugelen. De mannen kijken elkaar onderzoekend aan. Meneer Bertrand haalt zijn schouders op met een blik van 'ach, die vrouwen ook'.

'U kunt op ons rekenen, mevrouw Guerrimond,' verzekert meneer Pereira met tegenzin.

Agnès is opgelucht.

'Bedankt. Heel erg bedankt allemaal.'

Ze draait zich naar de deur van het café. Ze voelt zich nogal onzeker van zichzelf en vraagt zich af hoe ze het moet aanpakken zonder dat ze het kind aan het schrikken maakt. Ze duwt de deur open, kijkt om zich heen en ziet wat vrouwen, op dit uur van de dag alleen achter een kopje koffie, een paartje dat heftig zit te zoenen en, achter de ramen, meneer Pereira en zijn vrienden die verdekt staan opgesteld 'voor het geval dat'. En God mag weten hoezeer ze daarop hopen, op dat fameuze 'geval dat'.

Ze blijft even in de deuropening staan, aarzelt en loopt dan stilletjes op Bertin en zijn zoontje af. Maar die gaan zo op in hun hervonden intimiteit dat ze niet eens meer weten dat er een Agnès Guerrimond bestaat. Het heeft wat tijd gekost om de verbroken banden te herstellen. Maar een fractie van een seconde is genoeg om Agnès, nadat ze in haar vaart bijna een tafeltje omver heeft gestoten, Bertins geluk te laten verstoren. Ze pakt Sébastien bij zijn arm, uit angst dat hij haar alsnog ontglipt. En het kind, dat er niets van begrijpt, zet het op een brullen, doodsbang voor die tierende vrouw.

'Bent u helemaal gek geworden! Ik ben u al een uur aan het zoeken! Ik had aangifte moeten doen. Iedereen is in paniek, en u...'

'En u doet Sébastien pijn. Laat hem los.'

Bertin is kalm, zeer kalm. Iedereen kijkt naar Agnès, ze voelt zichzelf voor gek staan. Ze laat het kind los, dat in de armen van zijn vader vlucht.

'Neem me niet kwalijk, Sébastien, maar je vader...'

'Hij wou je alleen maar even zien, mijn jongen.'

Het kind heeft zich aan de borst van zijn vader vastgeklampt.

'Misschien, maar hij zou nu in de crèche moeten zijn, onder mijn verantwoordelijkheid.'

'Jawel, maar het is mijn zoon.'

'Wie heeft het tegendeel beweerd? Maar ik kan het niet helpen dat ik niet het recht heb om hem aan u mee te geven.'

Bertin aait over Sébastiens haar.

'Ik heb het recht in eigen handen genomen.'

Agnès wordt boos.

'Dan ga ik naar de politie!'

'Om wat te doen?'

'Om te doen wat ik moet doen.'

Bertin glimlacht.

'Ga maar, als u daar zin in hebt. Maar tegen de tijd dat ze hier zijn, ben ik weg.'

Bertins kalmte brengt Agnès van haar stuk. Ze verliest haar zelfbeheersing en begint weer te schreeuwen.

'Daar hebt u het recht niet toe. Dat is kidnapping. Ik waarschuw u, ik ga... Sébastien, kom met me mee, kom.'

En ze probeert Sébastien tegelijkertijd aan zijn arm mee te trekken terwijl zijn vader hem stevig tegen zich aan drukt. Het radeloze kind, dat heen en weer wordt getrokken, brult nu nog harder dan Agnès.

Bertins kalmte valt des te meer uit de toon.

'Rustig maar, Sébastien. Mevrouw Guerrimond wil je geen kwaad doen. Ze is alleen maar boos op mij, niet op jou. Droog je tranen, schatje.'

Hij kijkt naar Agnès en heft zijn ogen ten hemel.

'Ik breng hem terug. Wees maar niet bang. Geef ons een uurtje. Eén uurtje maar. Vindt u dat hij er ongelukkig uitziet, met zijn vader?'

Hij staat met Sébastien in zijn armen op en probeert een stap te zetten. Agnès heeft het kind nog steeds niet losgelaten. Ze is gekalmeerd.

'Daar gaat het niet om, om ongelukkig of niet. Maar hoe dan ook, ik laat u niet gaan.'

'Dat is belachelijk.'

'Het is niet anders.'

'Als u erop staat. Dan moeten we de middag maar met zijn drieën doorbrengen. Maar ik ben bang dat het voor u niet erg interessant zal zijn.'

Bertin gaat weer zitten. Agnès volgt zijn voorbeeld. Ze voelt zich lichtelijk belachelijk omdat ze het kind niet los wil laten. Ze zucht.

'Goed. Als het niet anders kan, blijven we hier maar met zijn drieën.'

Ze zwijgt, maar raakt geïrriteerd door de glimlach op Bertins gezicht. Ze probeert het initiatief aan zich te trekken.

'Ik moet de crèche op de hoogte stellen.'

'Stoort u zich niet aan mij.'

'Nee, ik bedoel... ik moet bellen. Ik moet ze geruststellen.'

43

Bertins reactie is onthutsend.

'De telefooncel is beneden.'

'Het spijt me zeer, maar ik kan u niet loslaten.'

'Niets aan te doen.'

Bertin zendt haar een gedesillusioneerde glimlach toe. Dan staat hij samen met Sébastien op en ze gaan gedrieën naar beneden. Agnès laat het jongetje los, ervan overtuigd dat Bertin er niet vandoor zal gaan. Hij luistert maar kijkt afwezig.

'Hallo... Madeleine? Ik heb hem gevonden. Stel iedereen maar gerust. We zijn er over een uur of twee... Mevrouw Bertin komt toch meestal tegen zessen? We zijn er voor die tijd... Ik leg het zo wel uit... Tot straks.'

Sébastien is in de armen van zijn vader in huilen uitgebarsten. Bertin en Agnès begrijpen niet waarom. Ze kijkt hem vragend aan.

'Misschien komt het omdat u hem zijn ijsje niet hebt laten opeten.'

Madeleine gaat rustig rond om het goede nieuws te vertellen: keuken, linnenkamer, babyafdeling, peuterafdeling. Op de gezichten van de groepsleidsters: een opgeluchte glimlach. De laatste die het nieuws te horen krijgt, is mevrouw Képler, die voor de dreumesafdeling in een druk gesprek is verwikkeld met Brigitte, de populaire pedagoge. Deze zet de situatie van de Bertins uiteen en schroomt daarbij niet om uitleg te geven van iets waar ze zo goed als niets van af weet.

Madeleine, één en al glimlach, kucht. Mevrouw Képler draait zich om.

'En daar moet u om lachen?'

Madeleine knikt.

'Ja. Agnès heeft het kind gevonden en alles is goed.'

'Zijn ze er?'

'Nee. Nog niet. Ze komt over een uur terug. Dat zei ze door de telefoon.'

Mevrouw Képler stuitert.

'Over een uur? Gaat ze soms uit wandelen of zo?'

Madeleine neemt een bedaard aanmatigende toon aan.

'Daar heeft ze zich niet over uitgelaten. Het belangrijkste is dat ze ons gerust heeft gesteld.'

'Nou, ik ben pas gerustgesteld als de kleine Bertin hier is... of liever in de armen van zijn moeder.'

Mevrouw Képler, die wel voelt dat haar repliek wat zwak uitvalt, draait zich om en begint aan een algehele inspectie, gevolgd door Brigitte de waakhond.

Mevrouw de inquisiteur doet haar werk. En terwijl de crèche weer als normaal functioneert, heerst er op alle afdelingen een beklemmende stilte. De groepsleidsters voelen de tocht van een denkbeeldige kogel die langs scheert, en de kinderen, die even ontvankelijk zijn, lijken net te doen of ze spelen. De schijn is gered. Alleen Estelle doet niet mee aan het schijnheilige gedoe. Ze zit ineengedoken in een hoekje. Mevrouw Képler gaat naar haar toe.

'Ik zal een rapport moeten opmaken.'

Estelle, met een snik: 'Ik weet het. Dat is logisch.'

Mevrouw Képler zwijgt besluiteloos. Dan springt ze op. Achter haar rug hebben Diplo, Madeleine en Nathalie, die een kind in haar armen heeft, het tafereeltje gadegeslagen. Diplo neemt het als eerste voor Estelle op. 'Weet u, mevrouw Képler, het is nu de kleine Estelle overkomen, maar het had ieder van ons kunnen overkomen.'

Mevrouw Képler klemt haar lippen op elkaar.

'Dat is precies wat ik u kwalijk neem.'

'Ze wist het niet. Ze heeft er zich geen rekenschap van gegeven,' legt Madeleine uit.

Mevrouw Képler, die steeds geïrriteerder raakt, kijkt hen strak aan.

'Het is heel verstandig van u om met zijn allen op een kluitje om me heen te gaan staan. Als de kinderen ondertussen weer zin krijgen om naar buiten te gaan, kunnen ze tenminste rustig hun gang gaan!'

Niemand verroert zich. Tot ieders verbazing neemt Brigitte het op haar beurt voor Estelle op.

'Mevrouw, een stagiaire mag fouten maken. Wie heeft die niet gemaakt? Je loopt stage om ervaring op te doen.'

Estelle glimlacht bedeesd. Mevrouw Képler licht haar hielen.

Dergelijke bureaucratische bekrompenheid is verre van meneer Bertin, die naast Sébastien en tegenover Agnès op een bankje zit. Zijn stem klinkt vermoeid.

'Nee, ik kan geen alimentatie betalen. Maar Christine wil dat maar niet begrijpen. Als ik kon... maar ik zit al een halfjaar zonder werk.'

'U bent toch architect?'

'Jawel! Een vrij beroep. Daarom heb ik geen recht op een uitkering. Ik had zelfs een geweldig contract. Stel u voor, ik mocht een hele nieuwe wijk bouwen, in Senegal. Een prijsvraag voor architecten die ik eerlijk had gewonnen. Ik heb me er met hart en ziel op gestort. Ik heb Sébastien nauwelijks zien opgroeien. Ik kwam om de vier, vijf maanden naar Parijs. Ik herkende hem haast niet. Een zoen en... Weet u wat dat is, een "echtscheiding op ingewilligd verzoek"?'

Agnès schudt haar hoofd.

'Nou, ik wel inmiddels. Door schade en schande. Ik dacht dat het om een echtscheiding met wederzijdse instemming ging. Dat hadden we besloten. Zij zou alles regelen. Ik had er geen tijd voor. Bij de rechter heb ik met alles ingestemd. Ik vertrouwde haar. Nu ben ik alles kwijt. Zij heeft de voogdij over het kind en ik bezoekrecht en de alimentatie die ik moet betalen. Weet u wat het betekent dat zij de voogdij over het kind heeft?'

Agnès, heel zachtjes: 'Ja, dat u de ouderlijke macht kwijt bent. Dat zij alle beslissingen neemt wat de opvoeding van Sébastien betreft.'

'En vindt u dat rechtvaardig?'

Agnès kijkt naar Sébastien, die zijn vingers in zijn gesmolten ijsje doopt en er zijn gezicht mee bekliedert.

'U kunt de rechter altijd verzoeken om u in de ouderlijke macht te herstellen. U hebt daar niet eens een advocaat voor nodig. Een brief is genoeg. U krijgt een oproep.'

Bertin kijkt haar aan. Een glimpje hoop dat even snel weer dooft.

'Maar voorlopig heb ik alleen bezoekrecht... op voorwaarde dat ik betaal. En dat is chantage over het hoofd van dit knulletje. Ik ben zonder een cent teruggekomen. De opdrachtgever was failliet gegaan. Ik heb nog zes maanden salaris te goed. Ik wil best betalen, maar ik kan niet. Het gaat slecht in de bouw. Ik begrijp haar niet. Waarom een kind verbieden om zijn vader te zien?'

Agnès wendt haar hoofd af. Haar ogen zijn vochtig. Bertin veegt het gezicht van zijn zoontje af. Agnès weet niet wat ze moet zeggen. Bertin, opeens op hoge toon: 'Weet u wat ze tegen hem zegt? Dat ik een klootzak ben. Dat het mijn schuld is als hij iets tekortkomt. Ik ben stront voor mijn zoon, stront!'

Hij zwijgt verward. Sébastien kijkt hem aan. Hij weet dat zijn vader ongelukkig is. Dan troost hij hem spontaan, met een kinderlijk gebaar. Hij pakt zijn hand, drukt hem heel stevig en legt hem dan op de hand van Agnès.

Een lang verward moment. Agnès durft haar hand niet weg te halen. Bertin wordt rood. Ze kijken elkaar aan zonder iets te zeggen. Bertin geeft als eerste toe. Hij mompelt: 'Geeft u me de tijd om een cadeautje voor hem te kopen?'

'Dat kan ik niet. Het spijt me. Ik moet...'

'Maar ik wil dat hij iets van mij heeft. Ik wil niet dat hij gelooft wat zijn moeder zegt. Het is niet eerlijk. Ik ben zo terug.'

Bertin staat vastbesloten op.

'Vijf minuutjes maar. Snel heen en weer naar de winkel. Sébastien, jij blijft bij mevrouw Guerrimond. Ik ben zo terug. Verroer je niet. Tot zo.'

Hij loopt weg zonder op antwoord te wachten. Hij haast zich. Agnès beschikt niet over de tegenwoordigheid van geest om hem te waarschuwen dat er buiten drie mannen op hem staan te wachten. Hij gaat naar buiten. Sébastien is op het bankje gaan staan om zijn vader na te kijken. Agnès grijpt hem vast zodat hij niet valt. Ze ziet hetzelfde als wat het kind ziet: drie dreigende gestalten die rond Bertin gaan staan. Ze neemt hem in haar armen en leidt zo zijn aandacht van het tafereel af.

'Kom mee, we gaan terug naar de crèche.'

'En papa dan?'

Agnès drukt het hoofd van het jongetje tegen zich aan. Ze doet de deur open, gaat naar buiten en zonder zich naar het groepje mannen om te draaien loopt ze haastig weg.

De eerste ouders die binnenkomen hebben er geen flauw idee van dat de crèche ternauwernood aan een ramp is ontsnapt. Alleen een geoefend oog zou zich kunnen afvragen wat de aanwezigheid van die dame in vol ornaat op dit tijdstip te betekenen heeft. Maar waarom zou je daar aandacht aan schenken als het tijd is voor het weerzien en voor vragen over het verloop van de dag? Of hij heeft geslapen, gegeten, en waar komen die rode plekjes op zijn billetjes vandaan? Een kort gesprekje, een dikke zoen en tot morgen. De eerste buggy's begeven zich weer op weg naar huis, en wat maakt het uit of een peuter aan de rok van een volwassene trekt en stamelt: 'Sébastien is er niet. Sébastien weg.'

Een verzinsel van een kind. Een brede glimlach als enig antwoord.

Maryline, die gekleed is als een popster, aarzelt of ze weg zal gaan. Ze ijsbeert heen en weer voor de deur, één en al paniek van binnen en één en al glimlach vanbuiten. Ze hoeft zichzelf geen geweld aan te doen om een kindje te zoenen dat wordt afgehaald. Dat doet ze graag. En ze hoeft zichzelf evenmin geweld aan te doen om in paniek op Nathalie af te stormen als ze een vrouw op de crèche af ziet komen.

'Ze komt eraan!'

Nathalie, opgelucht: 'Ha, fijn!'

'Nee, het is niet wat je denkt. Het is mevrouw Bertin. Hoor je me, mevrouw Bertin.'

Nathalies gezicht vertrekt.

'Wat moeten we doen?'

'Weet ik veel. Verzin maar wat, zoek het maar uit. Agnès komt zo. Zuig maar iets uit je duim.'

Nathalie raakt de kluts kwijt.

'Dat kan ik niet. Dat zal ik nooit leren. Vraag het maar aan Madeleine.'

Maryline rept zich naar de peuterafdeling terwijl een beleefd glimlachende mevrouw Bertin een moeder begroet die haar dochtertje een biscuitje voorhoudt. Ze vervolgt haar weg, maar wordt staande gehouden door Madeleine.

'Goedemiddag, mevrouw Bertin.'

'Goedemiddag.'

'Wat die vlek op Sébastiens broek betreft, dat spijt ons werkelijk.'

Mevrouw Bertin lijkt het niet te horen.

'Ik zie Sébastien niet.'

'Klopt, hij is even weg.'

'Weg?'

'Ja, met mevrouw Guerrimond.'

Mevrouw Bertin trekt een gezicht.

'Wat zullen we nu krijgen? Kom ik eens wat vroeger dan normaal zodat ik wat meer tijd met mijn zoontje kan doorbrengen, en dan is hij is er niet?'

Madeleine blijft heel geloofwaardig.

'Ja hoor, en u bent niet de enige die dat overkomt.'

'Komen de kinderen overdag dan buiten de crèche?'

Mevrouw Bertin is Madeleine ongewild te hulp geschoten.

'Ja natuurlijk. U hebt er zelf voor getekend. Er is een vergadering over geweest. Het staat in het reglement. We gaan met één of twee kinderen, om hen de buurt te laten verkennen, wat boodschapjes doen: een tussendoortje, brood... Ze zien de winkeliers, praten met ze... De crèche staat ook open voor de buitenwereld, en Sébastien is bij mevrouw Guerrimond.'

Mevrouw Bertin spert haar ogen open.

'Hebt u daar het recht toe?'

Een gebiedende stem klinkt op.

'Dat is onzin!'

Mevrouw Bertin draait zich verbijsterd om.

'Wat?'

'Wat Madeleine u daar vertelt, is in het onderhavige geval niet waar. Ik ben mevrouw Képler, de districtscoördinatrice van alle kinderdagverblijven. We hebben in werkelijkheid een probleem gehad.'

Madeleine onthoudt zich van commentaar op de fijngevoeligheid van de coördinatrice, maar mevrouw Bertin verbleekt.

'Is er iets met Sébastien gebeurd?'

Ze probeert zich tevergeefs vast te klampen aan een blik. Ze voelt zich duizelig worden en laat zich in een reflex tegen de muur aan vallen. Mevrouw Képler stelt haar op haar manier gerust.

49

'Maakt u zich maar geen zorgen. Het is allemaal al geregeld. Het gaat hierom: uw man, of liever uw ex-man, is hier vanmiddag geweest en heeft uw zoontje meegenomen.'

Mevrouw Bertin wordt rood van woede en hervindt haar stem: 'Maar daar heeft hij het recht niet toe! Ik heb de voogdij!'

'Dat weten we. We weten heel goed dat hij daar het recht niet toe heeft. Maar er is niets aan de hand. Mevrouw Guerrimond heeft hem gevonden. Ze komt hem zo terugbrengen. Uw ex-man heeft simpelweg misbruik gemaakt van een moment dat de crèche niet goed functioneerde.'

Mevrouw Bertin kan haar, eenmaal van de schrik bekomen, wel aanvliegen. Mevrouw Képler neemt een boetvaardige houding aan. 'Er is geen enkel excuus, al was ik er zelf niet bij.'

'Wat kan mij het schelen of u er wel of niet bij was? Ik breng mijn kind 's ochtends in goed vertrouwen naar de crèche en 's avonds...'

Ze maakt haar zin niet af. Agnès komt buiten adem, uitgeput, met Sébastien in haar armen op haar aflopen. Mevrouw Bertin stormt op haar af, rukt het kind uit haar armen en drukt het zo stijf tegen zich aan dat het bijna stikt. Ze is dolblij en overlaadt het met kussen. Dan kijkt ze Agnès minachtend aan en zegt met klankloze stem: 'En dan te bedenken dat ik u vertrouwde!'

Er valt een pijnlijke stilte. Niemand durft elkaar aan te kijken. Agnès vermant zich, tovert een armzalig glimlachje op haar gezicht en prevelt tegen mevrouw Bertin: 'Ik zou u even willen spreken.'

'Ik luister,' blaft mevrouw Bertin.

'Nee. Alleen, alstublieft.'

'Vindt u dat nu het juiste moment?'

Agnès kijkt haar smekend aan.

'Het is belangrijk, echt.'

Mevrouw Bertin gaat bij zichzelf te rade. Wat wil de directrice van haar? Ze heeft niets te verliezen en niets te winnen. Ze volgt Agnès mopperend naar het kantoor. Mevrouw Képler volgt hen op de voet. Agnès draait zich om, ze is zeer vastberaden.

'Ik wil mevrouw Bertin graag alleen spreken.'

'Maar...'

'Ik zei "alleen"!'

Mevrouw Bertin en Sébastien zijn al in het kantoor. De deur slaat dicht voor de neus van de districtscoördinatrice, die zo'n vernedering niet licht opvat. Enkele gelegenheidsglimlachjes naar ouders die langslopen, kunnen hun verbazing noch de woede van mevrouw Képler wegnemen.

Arme Maryline, die allang weg had moeten zijn en nog steeds staat te wachten. Met een blik op de generaalshouding van de ziedende coördinatrice maakt ze zich uit de voeten en ze roept tegen Sophie: 'Goed, niet om het een of ander, maar ik smeer 'm.'

Wat haar een vernietigende blik van mevrouw Képler oplevert, die haar outfit en kapsel uitvoerig in ogenschouw neemt: een aanslag op de goede smaak. Maryline gaat niet in op de o zo vriendelijke opmerking die haar naar de uitgang begeleidt.

'Inderdaad, dag juffrouw... De overheid betaalt geen overuren.'

Maryline is stil blijven staan bij Sophie, die alles in een nevel van droefheid lijkt te hebben gevolgd. Ze pakt haar bij haar schouder.

'Gaat het wel met je?'

Sophie antwoordt slechts met een geruststellend bedoelde glimlach en een paar gestamelde woorden waaraan ze zich vast lijkt te klampen.

'Het belangrijkste is dat Sébastien terug is.'

Maryline weet niet of Sophie haar wel heeft gehoord. En ze fluistert terwijl ze haar hartelijk omhelst: 'Je zult zien, met jou komt het ook allemaal weer goed.'

In het kantoor van Agnès speelt zich een dialoog tussen doven af. Sébastien, die op zijn moeders schoot zit, is misschien de enige die begrijpt wat Agnès laat doorschemeren.

'Uw ex-man wil alleen maar zijn zoon zien.'

'Dan moet hij alimentatie betalen. Daar heb ik recht op. Het is niet zo ingewikkeld wat ik van hem vraag.'

'Ik begrijp u.'

'Nee. U kunt het niet begrijpen. Als je het niet zelf mee hebt gemaakt.'

'Ik héb het zelf meegemaakt, op mijn manier, maar vooral in het belang van mijn zoon.'

Mevrouw Bertin kijkt haar met open mond aan en gaat dan opnieuw in de aanval.

'Uw manier is de uwe en mijn manier de mijne. Toen meneer in Afrika zat, moest ik me maar zien te redden. En ik ben bij niemand uit gaan huilen.'

Agnès geeft geen antwoord. Ze kijkt naar de grote ogen van Sébastien. Dan fluistert ze een vraag.

'Maar als hij nu echt niet kan betalen? Echt niet?'

Mevrouw Bertin haalt haar schouders op.

'Gelooft u dat nou echt?'

Agnès blijft heel kalm.

'Ja, absoluut. En als je niet betaalt, betekent dat nog niet dat je ophoudt vader te zijn.'

De toon wordt harder. Mevrouw Bertin windt zich op.

'U zegt het.'

Voor de glazen deur van de crèche zegt meneer Bertin helemaal niets. Het kan hem weinig schelen dat ouders die naar buiten komen verbaasd blijven staan. Hij is vastbesloten om terug te gaan en niemand zal hem daarvan kunnen weerhouden. Met zijn gehavende kleren, de bloeduitstorting op zijn gezicht en de reusachtige pluchen pandabeer die hij in zijn armen houdt, lijkt hij op een droevige clown. Het zal hem een zorg zijn. Hij zoekt Sébastien. Dat is alles.

Als Madeleine hem ziet, snelt ze op hem af.

'U moet hier niet blijven, meneer Bertin.'

Hij doet net of hij haar niet begrijpt.

'Is mijn zoon al weg? Ik werd opgehouden en...'

'Nee, hij is in het kantoor van de directrice.'

Bertin kan weer glimlachen.

'Ik ga ernaartoe.'

Madeleine houdt hem tegen. Zijn gezicht vertrekt van de pijn.

'Ga er niet heen, meneer Bertin. Hij is bij zijn moeder.'

Zijn gezichtsuitdrukking verandert meteen. Daar had hij niet aan gedacht. Hij zoekt een uitweg.

'Kunt u de directrice roepen? Haar vragen of ze heel even naar buiten komt? Ik wil haar dit geven.'

Hij wijst op de reusachtige pandabeer met zijn kogelronde ogen. Voordat Madeleine antwoord kan geven, komt mevrouw Képler tussenbeide.

'Meneer Bertin, u hebt al genoeg schade aangericht.'

Hij is stomverbaasd.

'Wie bent u?'

'De districtscoördinatrice van alle kinderdagverblijven. Ik heb kostbare tijd verloren door al dat gedoe met u. Ik heb de politie op de hoogte moeten stellen. Ze komen eraan, en als ik u een goede raad mag geven, zou ik hier niet blijven als ik u was.'

De venijnige, dreigende toon is niet erg geschikt om Bertin te kalmeren. En als ze zijn arm pakt om hem naar buiten te trekken, duwt hij haar weg.

'Wilt u me loslaten! Wie denkt u wel dat u bent? Ik wil de directrice zien, nu. Anders...'

Mevrouw Képler, rood van woede, zal nooit weten waaraan ze is ontsnapt. Want Bertin ziet Agnès, die, gealarmeerd door het lawaai, op hem af komt lopen. Eindelijk iemand die hem zal begrijpen. Zijn teleurstelling is des te groter. Agnès vraagt hem weg te gaan.

'Maar ik wil dit alleen maar aan Sébastien geven.'

'Dat is onmogelijk, meneer Bertin.'

'Hoezo onmogelijk? Het is een cadeautje voor hem.'

'Daarom juist.'

Bertin begrijpt niets van haar vijandigheid. Die vrouw die naar hem heeft geluisterd en zich nu tegen hem keert. Zou alles wat in het café is gezegd, niets dan huichelarij zijn geweest? Bertin is helemaal overstuur. Hij drukt haar hardhandig het pluchen beest in de armen.

'Geef hem dan zelf maar, als ik het niet mag!'

Agnès voelt zich totaal belachelijk met de panda in haar armen. Maar ze kan Bertin niets uitleggen waar mevrouw Képler bij is, die hogelijk gerriteerd is. Zeggen dat zijn vrouw...

En natuurlijk is mevrouw Bertin met Sébastien in haar armen het kantoor uit gekomen. Ze ziet haar ex-man staan en valt hem meteen aan.

'En je hebt ook nog het lef om terug te komen? Heb je vandaag niet genoeg stommiteiten uitgehaald?'

Bertin slaat een verzoenende toon aan.

'Christine, er is niets ernstigs gebeurd. Ik wilde Sébastien even zien, een uurtje bij hem zijn.'

Een ruwe beweging van zijn moeder, en Sébastien, die naar zijn vader staarde, zet het op een brullen.

'Niets ernstigs? Zie je niet dat je je zoon overstuur maakt? Vind je niet dat je hem niet genoeg hebt aangedaan? Met zo'n vader!'

'Daarom wil ik ook met je praten.'

En de vertoning gaat door. Dezelfde woorden, dezelfde zinnen, dezelfde intonatie, dezelfde argumenten die geen argumenten zijn: hetzelfde refrein van afgezaagde, herkauwde verwijten die ze elkaar naar het hoofd slingeren. Maar nu is er publiek bij. Enkele ouders zijn blijven staan.

'Ja, ik weet het, je wilt met me praten. Om me te vertellen dat je me niet kunt betalen. Dat weet ik nou wel, dank je wel.'

'Ik kan niet betalen! Ik kan het niet! Ik kan het niet! Begrijp je dat? Ik kan het niet!'

Gebruld, geschreeuwd. En het geschreeuw lokt geschreeuw uit. Uit onverwachte hoek. Kinderen die op het punt staan om te vertrekken, beginnen mee te brullen. En hun ouders willen niets van het concert missen. Agnès, met de panda stevig in haar armen geklemd, moet haar partijtje wel meeblazen en om stilte brullen. Wat haar geweldig goed afgaat.

'Zo is het wel genoeg! Hou op met dat geschreeuw! Als u ruzie wilt maken, moet u dat maar ergens anders doen. We staan hier niet op de markt. Als meneer Bertin dus zo vriendelijk wil zijn om weg te gaan aangezien hij hier niet mag zijn, en mevrouw Bertin, dit heeft hij me gevraagd om aan uw zoon te geven...'

Ze reikt mevrouw Bertin de reusachtige pluchen beer aan. Bij wijze van dank ziet ze de panda door de gang heen vliegen. Een afkeurende stilte. Blijven of weggaan? De ouders blijven liever. Wat een boeiend schouwspel, zo'n paar dat elkaar afmaakt! En die arme, radeloze vader die langzaam naar het pluchen beest loopt, het opraapt, afstoft en opnieuw in de aanval gaat.

'Waarom gooi je hem weg? Ik heb mijn laatste centen uitgegeven voor een cadeautje voor Sébastien.'

'Je had beter kunnen sparen!'

'Maar het is mijn zoon, het is voor hem. Zodat hij weet dat ik aan hem denk.'

'Dat had je maar eerder moeten bedenken. Je hebt je nooit een flikker van je zoon aangetrokken!'

Dat had ze niet moeten zeggen. Meneer Bertin klemt zijn kaken op elkaar en balt zijn vuisten, hij heeft zichzelf niet langer in bedwang. Hij loopt op zijn ex-vrouw af, die gillend achteruitloopt, met haar zoon bij wijze van bescherming tegen zich aan.

Bertin blijft staan en kijkt naar zijn zoon, die begint te huilen. De toeschouwers krijgen waar voor hun geld. Dan komt Agnès opeens tussenbeide.

'En Sébastien? Denkt u wel aan hem? Denkt u aan uw zoon? Denkt u soms dat die stompzinnige ruzies van volwassen mensen goed voor hem zijn? Kom, ga vooral door!'

Het schouwspel eindigt in een zwijgende confrontatie, de tranen van een kind en een uitgeputte Agnès, die met een blik op de voordeur mompelt: 'Dat ontbrak er nog maar aan.'

Dat? Twee jonge politieagenten, vermomd als jongeren in spijkerbroek, tennisschoenen en leren jasje. Mevrouw Képler snelt op hen af.

'Ik had u gebeld. Mevrouw Képler, districtscoördinatrice van alle kinderdagverblijven. Het kind is terug.'

In de veronderstelling dat ze weer eens voor niets zijn gekomen, glimlachen de agenten elkaar vermoeid toe. Een van hen kijkt op een blaadje dat hij in zijn hand heeft.

'En de dader... meneer Bertin, is 't niet... is ervandoor?'

Hij heft zijn ogen ten hemel.

Niemand geeft antwoord. Zelfs mevrouw Bertin niet. De komst van de politie heeft een schokeffect teweeggebracht. Mevrouw Képler kijkt naar Agnès en vervolgens naar mevrouw Bertin, die naar Sébastien kijkt, en die weer naar zijn vader, die zich op zijn beurt realiseert dat niemand hem wil verraden.

'Dat ben ik. Ik ben meneer Bertin.'

Zelfs de politieagent voelt zich niet op zijn gemak.

'En u hebt dus de kleine Sébastien Bertin ontvoerd?'

'Ja. Het was geen echte ontvoering. Ik wilde alleen mijn zoon even zien.'

55

'En u bent uit de ouderlijke macht ontzet, is dat 't?'

'Ja.'

De agent haalt zijn schouders op.

'Dan moeten we u meenemen en uw vrouw zal later worden opgeroepen.'

Bertin is volkomen gelaten.

'Ik sta tot uw beschikking.'

Een vaag afkeurend gemompel. Maar niemand reageert echt. Het protest van de laffen. Alleen Agnès laat haar stem horen.

'Luister, het is allemaal in orde gekomen. Er is niets ernstigs gebeurd.'

De agent voelt zich aangevallen en veegt het argument weg van tafel.

'Geachte mevrouw, het is niet aan u om te beslissen wat wel of niet ernstig is en of er al dan niet sprake is van een overtreding.'

Bertin valt hem in de rede.

'Ik ben klaar om met u mee te gaan... Laten we gaan. Dan hebben we dat tenminste gehad.'

De agent werpt hem een illusieloze blik toe. En in een verbijsterde stilte loopt Bertin met de twee agenten mee. In de hal draait hij zich nog even om naar Sébastien, in de hoop op een glimlachje.

Een korte aarzeling. Mevrouw Bertin begeeft zich naar de peuterafdeling en pakt de spullen van haar zoon.

Sophie heeft van een afstand toegekeken, met een emotieloze, starre blik. Ze staat op, trekt haar jasje aan en loopt als een automaat naar de deur. Ze komt langs Diplo, die haar staande houdt.

'Wat ga je doen?'

'Naar huis. Waar moet ik anders heen?'

'Nee, ik bedoel... met je baby?'

Sophie kan haar tranen niet bedwingen.

'Je hebt die ouders gezien. Ze maken elkaar af. Dus ik... De vader wil het niet, ik kan het niet houden.'

'Weet je het zeker?'

'Wat moet ik anders doen?'

Diplo weet niet wat ze moet antwoorden. Sophie loopt wanhopig de crèche uit.

Mevrouw Képler gaat naar Estelle in de personeelsruimte. Haar toon en houding zijn veranderd. Ze fluistert.

'Wat een rottige manier om te beginnen.'

'Ja. Maar het is niet anders. Een jaar schoolgeld voor niets.'

'Hoezo "voor niets"?'

'Omdat ik ontslagen word. Logisch!'

Mevrouw Képler pakt haar bij haar schouder. Estelle maakt zich los.

'Wat heb ik daaraan als ik toch een rapport aan mijn broek krijg? En bovendien het ik het nog verdiend ook.'

Mevrouw Képler controleert met een snelle blik of niemand haar kan horen.

'Ja, inderdaad, ik ga een rapport schrijven. Maar een rapport is maar een rapport. Je rapporteert feiten, dat is alles. Daarna doe je er iets mee of niet. Dat hangt ervan af.'

Estelle kijkt de coördinatrice aan zonder echt te begrijpen wat ze bedoelt. Als ze 'dank u wel' wil zeggen, is het te laat. Mevrouw Képler is al weg.

Mevrouw Bertin komt met Sébastien aan de hand de peuterafdeling uit. De crèche is verlaten. Agnès heeft de panda in haar armen. Ze wil hem overhandigen. Mevrouw Bertin duwt hem met een zuur gezicht van zich af.

'Sébastien zal de eerstkomende dagen niet komen. Ik red me wel. Tot ziens, mevrouw.'

Agnès antwoordt met een machteloos gebaar. Ze kijkt haar na.

Op het moment dat ze de deur uit gaan, draait Sébastien zich om. Hij kijkt strak naar de panda. Hij glimlacht naar Agnès, naar de panda. Naar allebei? Dat weet hij alleen.

2 Een kind te veel

De dag is goed verlopen. Er hoeft alleen nog maar te worden afgesloten. De crèche is verlaten. Alleen het atrium is verlicht. Toch
staan ze daar nog met zijn drieën op de laatste ouder te wachten.
Met zijn drieën, plus een klein meisje van tweeënhalf, warm aangekleed, die zich zorgen maakt en niets zegt. Ze kijkt naar de
straat. Ze wacht op haar moeder.

Nathalie rookt gespannen sigaret na sigaret, waarvan ze zorgvuldig de rook naar buiten blaast terwijl ze de deur met haar voet
op een kier houdt.

Madeleine houdt de kleine Lisa in de gaten, die van het ene op
het andere been springt en haar nu vragend aankijkt.

Françoise kijkt op haar horloge en begint te foeteren.

'Ja hoor, ik heb mijn trein van 19 uur 33 gemist. Mijn moeder
gaat zich zo'n zorgen maken...'

Nathalie kan niet achterblijven.

'En wij dan? Maken wij ons geen zorgen? Mijn kind zit ook op
de crèche. En daar zitten nu drie arme sukkels net als wij op mij te
wachten en te kankeren omdat ze zich aan zo'n achterlijk reglement moeten houden!'

Françoise, nuchterder: 'Wat wil jij dan? Er moet toch iemand
blijven?'

'Eentje, ja. Maar waarom drie? En bovendien, geef toe dat het
ietsje simpeler zou zijn als ik mijn kind op "mijn" crèche zou kunnen doen.'

'Nee, wat dat betreft ben ik het met Agnès eens, of je dat nu leuk
vindt of niet. Als je kind op je eigen crèche zit, is dat niet goed voor
het kind en ook niet voor jou.'

'Jij hebt makkelijk praten met je mooie theorieën. Je kunt wel zien dat jij geen kinderen hebt.'

En om haar misnoegen te benadrukken keilt Nathalie haar sigaret met een driftig knipgebaar in de goot en doet de voordeur dicht.

Madeleine heeft zich afgewend van het geruzie. Ze is neergehurkt en heeft haar handen op Lisa's schouders gelegd.

'Maak je maar geen zorgen, schatje. Je mama komt zo. Ze zit vast in een file. Dat gebeurt, weet je. Ze zal het straks wel uitleggen. In ieder geval zijn wíj d'r.'

Nathalie houdt het niet meer uit. Ze ijsbeert door het atrium.

'Neem me niet kwalijk, meiden, maar ik zit echt in de knel. Mijn kind wacht op me. Ik moet weg. Ik weet dat het niet volgens de regels is, maar jullie begrijpen toch wel...'

Madeleine blijft heel rustig.

'Ja, natuurlijk, ga maar. Het is niet de eerste keer en het zal ook niet de laatste keer zijn dat we hier met een kind in de kou blijven staan. Kom, ga maar.'

Nathalie staat al op straat. Ze draait zich om en steekt in een vriendschappelijk en dankbaar gebaar haar hand op. Madeleine haalt haar schouders op en glimlacht. Françoise kan haar ogen niet van haar horloge afhouden.

'Ja, hoor, die van 19 uur 50 kan ik ook schudden. En de volgende is pas om 20 uur 34! Die moeder van haar gaat echt te ver! Ze kan toch wel bellen? Denkt ze soms dat we niets anders te doen hebben? En wat doen jouw kinderen nu?'

Madeleine straalt een indrukwekkende rust uit, waarvan Françoise niets begrijpt. Ze is er eerlijk gezegd ook ongevoelig voor, zozeer is ze met haar gedachten bij de dienstregeling van de spoorwegen.

'Wat denk je dat ze doen? Die zijn uit school gekomen en zijn nu alleen. Ze zitten op me te wachten. De oudste let op de jongsten. En dat wil zeggen dat ze nu met zijn drieën voor de televisie hangen. En verder halen ze alle stomme streken uit die bij hun leeftijd horen.'

'Maar vind jij het dan niet vervelend dat de moeder van Lisa ons zo lang laat wachten? Ze zou toch... ik weet niet...'

'Als je het niet weet, moet je je mond houden, vooral waar zij bij is.'

59

De kleine Lisa kijkt op. Françoise loopt beledigd weg en schopt woedend tegen de muur.

Ze wordt gered door de telefoon. Ze rent naar Agnès' kantoor. Madeleine pakt er een stoel bij, gaat zitten en werpt een blik op Lisa, die een toren van lego bouwt. Ze bladert door *Le Monde* van gisteren, die Agnès zoals altijd voor haar heeft bewaard.

Françoise schreeuwt: 'Kom gauw, het is je oudste zoon! Snel, ik heb gezegd dat hij het niet te lang mag maken omdat dat de lijn bezet houdt.'

Madeleine staat rustig op. Françoise trappelt van ongeduld. Ze loopt de crèche uit, gaat weer naar binnen, kijkt op haar horloge. Madeleine komt met een bedrukt gezicht terug.

'Mijn man is thuisgekomen. Het oude liedje!'

'Godver! Ik dacht dat...'

'Hij is de jongste in elkaar aan het timmeren. Sorry, ik moet weg.'

Madeleine vouwt zwijgend haar krant op, geeft Lisa een dikke zoen en gaat ervandoor, Françoise totaal verbouwereerd achterlatend. Die staart even wezenloos voor zich uit en barst dan opeens uit in een onbeheerste woedeaanval tegen Lisa, die doodsbang opkijkt.

'Wat kan het mij verdommen wat er met je moeder is gebeurd! Alles komt altijd op mij neer. Kan ik het soms helpen dat ik geen kinderen heb? Nee, dat ligt aan die kerels en ik snap niet waarom ik daarvoor moet opdraaien! Jij vindt me vast ook dik en lelijk, zeg het maar! Maar dat laat ik niet op me zitten!'

Lisa heeft tranen in haar ogen. Ze kijkt Françoise niet-begrijpend aan. Die loopt weg, gaat Agnès' kantoor in, doet een la open, pakt de map met kaarten, loopt ze door, haalt er één uit, bekijkt hem en legt hem neer. Ze stormt op Lisa af.

'Misschien is die moeder van jou je wel totaal vergeten! Maar als ze denkt dat we gaan zitten wachten tot ze eindelijk wakker wordt! Kom, vooruit! En mocht ze hier aan komen zetten als we er niet zijn, dan zal dat een goede les voor haar zijn. Ze zoekt het maar uit!'

Ze pakt Lisa zonder een woord op, zet haar in haar buggy, maakt haar vast, gooit haar bijna naar buiten en doet de deur op slot.

En hup, daar gaat het naar Lisa's flat. En weer terug – er was niemand. Het is al donker. Françoise is weer terug bij de crèche, ze kijkt om zich heen of er iemand langs is geweest en een briefje heeft achtergelaten. Ze doet de deur van de crèche open en ontsteekt het licht. Ze maakt Lisa los en zet haar op de grond. Ze spreekt haar zachtjes toe, als om zichzelf gerust te stellen.

'Luister eens, Lisa, je mama is onderweg, dat is zeker. Het is heel ver, weet je, waar ze werkt. Zit er maar niet over in.'

Haar woorden blijven in de lucht hangen. Haar oog is zojuist op het knipperende lichtje van het antwoordapparaat op Agnès' bureau gevallen. Ze snelt erop af en drukt de toets in.

Een zielloze stem.

'Goedendag. Met het politiebureau. Wilt u zo snel mogelijk contact opnemen met inspecteur Manci, nummer 01... Dank u wel.'

En klik.

Zonder Lisa uit het oog te verliezen luistert Françoise het bericht opnieuw af en ze noteert het nummer, dat ze meteen draait. Wachten, dan haar gejaagde stem.

'Kunt u me doorverbinden met inspecteur Manci, alstublieft? O! En wanneer is hij er dan weer? Nee, ik bedoel, ik bel vanuit de crèche, hij heeft een bericht achtergelaten. Ja, inderdaad. Ja, een klein meisje: Lisa Salvaing. Wat? Maar dat kan niet, en wat moet ik nou doen? Wacht. Goed, oké, ik ga er wel heen.'

Alle emoties zijn op Françoises gezicht te lezen. Onbegrip, ongeloof, angst, moedeloosheid. Ze heeft de hoorn nog in haar hand. Ze legt neer, kijkt naar Lisa en dwingt zich om te glimlachen. Ze neemt haar in haar armen en geeft haar een zoen.

'Het komt allemaal in orde, kleintje. Maak je maar geen zorgen, oké? Dat doe ik toch ook niet?'

Lisa vlijt zich tegen Françoises boezem aan.

De avond is gevallen. Nog drie treden en Françoise, die Lisa als een schild voor zich uit houdt, is het metrostation uit. Een blik in het rond. Een enorm plein en de hekken van het gerechtsgebouw. Françoise stuit op de afkeurende blik van een gendarme die de wacht houdt. Wat moet een jonge vrouw met een kind in haar armen hier zo laat op de avond? En dat is ook precies wat de portier vraagt als ze bij hem aanklopt omdat er licht is. Maar een stuk minder vriendelijk.

'Wat moet u?'

Françoise verontschuldigt zich.

'Ik ben op zoek naar mevrouw Salvaing.'

De portier heeft wel voor hetere vuren gestaan.

'Wie, Salvaing? Weet u wel hoe laat het is?'

'Jawel, maar de politie heeft gezegd dat ze hier vandaag is voorgeleid.'

'Bij welke rechter-commissaris?'

'Dat weet ik niet. Inspecteur Manci heeft...'

'Als u de naam van de rechter-commissaris niet weet wordt het moeilijk, en bovendien zijn we gesloten. Dus...'

Françoise dringt aan.

'Wat moet ik dan doen?'

'Komt u morgen om half negen maar terug. En probeer erachter te komen welke rechter-commissaris u zoekt, want die hebben we hier genoeg.'

Françoise heeft tranen in haar ogen.

'Nou bedankt, daar heeft dit kind wat aan.'

'Met of zonder kind, we zijn gesloten.'

En ze zijn echt gesloten. De deur slaat dicht.

Op het verlaten plein klampt Françoise zich vast aan het licht van een café. Ze veegt met de binnenkant van haar mouw over haar ogen en gaat naar binnen. Ze loopt met Lisa tegen zich aan naar de bar.

'Neem me niet kwalijk, meneer, maar kan ik hier bellen?'

De cafébaas kijkt niet op en gromt: 'En wat wilt u drinken?'

Ze stamelt: 'Ik weet niet, doe maar een koffie.'

'De telefooncel is onder aan de trap, naar rechts.'

De cafébaas kijkt op. Hij ziet de zwarte ragebol van Lisa, de rode ogen van Françoise. Hij verandert van toon.

'Met die kleine kunt u beter de telefoon van de bar nemen. Dat is praktischer. Normaal wil ik dat niet hebben, maar het is al zo laat...

Françoise bedankt hem met een armzalig glimlachje. Ze weet

niet goed hoe ze het aan moet pakken. Dan zet ze Lisa op de bar en terwijl ze haar met één hand vasthoudt, pakt ze met de andere een boekje uit haar tas. De cafébaas schiet te hulp.

'Ik hou die kleine wel vast. Ga uw gang.'

Françoise slaat het boekje open, zoekt een nummer en begint het te draaien. Haar vingers trillen, haar stem ook.

'Hallo, mevrouw Guerrimond? Met Françoise. Neem me niet kwalijk, ik weet dat het laat is, maar daarom juist. Het gaat om de moeder van Lisa, ze heeft haar dochtertje niet opgehaald omdat ze bij de rechter-commissaris was. Ik weet niet welke. Ze hebben haar "voorgeleid". Weet ík veel. Er was alleen een bericht van inspecteur Manci, van de politie.'

Met zijn arm rond Lisa luistert de cafébaas gretig mee, tot het moment dat de jonge vrouw in tranen uitbarst.

'Ik weet niet wat ik moet doen!'

Ver weg, in haar keuken, net de draadloze telefoon in de holte van haar schouder geklemd, is Agnès zich er terdege van bewust dat ze in de bechamelsaus moet blijven roeren. Uit heel haar houding spreekt irritatie over het feit dat ze lastig wordt gevallen.

'En waarom heb je de directrice van de zustercrèche dan niet gebeld, in haar dienstwoning? Die neemt nu waar. Luister, met huilen schiet je niets op. Ik weet wel dat je weet wat je had moeten doen. Ik vraag alleen waarom je het niet hebt gedaan.'

Agnès luistert amper naar het antwoord. Ze kijkt ontgoocheld naar de eetkamer. Er zitten drie gasten op haar te wachten. Een stelletje en nog een man. Ze zucht en beveelt dan op barse toon: 'Blijf waar je bent, ik kom eraan. Waar zit je precies?'

De drie gasten eten in stilte van hun voorgerecht en vermijden elkaars blik. Ze zitten diep over hun bord gebogen of verbazen zich vol bewondering over de enorme hoeveelheid boeken die Agnès bezit. Die komt met een pollepel in de hand en een strak gezicht naar hen toe.

'Denken jullie dat jullie zelf kunnen opscheppen? En dat ik jullie even alleen kan laten?'

Ze zijn verbijsterd. Het stel, Jeanne en Pierre, staat op.

'Heeft je zoon weer een van zijn streken uitgehaald?'

'Nee, dit keer niet. Althans, ik geloof het niet. Maar ik moet even weg, niet lang, hoop ik. Ik leg het wel uit als ik terug ben, oké?'

Pierre vraagt of ze hulp nodig heeft. Agnès, op schijnbaar opgewekte toon: 'Nee, nee. Eet smakelijk. En zo kunnen jullie tenminste nog achter mijn rug kritiek leveren als het eten niet zo geweldig is.'

Ze pakt haar jasje, steekt haar hand op en loopt weg. Jeanne en Pierre werpen elkaar een blik van verstandhouding toe als de derde gast naar Agnès toe loopt die al in de hal is. Mathias is totaal overrompeld. Hij mompelt: 'Wacht even, je organiseert een etentje om me aan je vrienden voor te stellen, en nu laat je me zitten?'

Agnès zucht, pakt zijn hand, leidt hem terug naar de eetkamer en zegt tegen Jeanne en Pierre: 'Ik vertrouw jullie Mathias toe, ga maar door met de kennismaking. Wees wel aardig tegen hem, hij is erg verlegen als hij je niet kent. Tot zo.'

Ze draait zich om. Niemand ziet hoe kwaad ze is. Haar avondje bedorven door een stomme trut van de crèche. Terwijl ze juist nooit een dienstwoning heeft gewild om haar privé-leven te beschermen. Maar aan de crèche valt niet te ontsnappen.

En haar auto verdwijnt in de nacht om een dom wicht met geen greintje gezond verstand te zoeken en een klein verloren meisje op te halen aan wie ze uit moet leggen wat niet uit te leggen is. Om de situatie onder de tl-buizen van een politiebureau nogmaals uit te moeten leggen aan een inspecteur die tergend traag van begrip en onverschillig is.

'Manci? Maar die is d'r niet! Die is naar huis, naar de film, of weet ik veel. Hij heeft ook een leven. Er heeft vanavond al iemand voor hem gebeld. Het leek wel of de wereld zou vergaan.'

Agnès probeert kalm te blijven.

'Ik weet het. En die "iemand" is nu thuis. En dat zou ik ook wel willen zijn.'

'Mevrouw, legt u alles nu eens rustig uit, anders zie ik niet hoe ik u kan helpen.'

Agnès begint resoluut opnieuw, waarbij ze zeer nadrukkelijk articuleert.

'Het is van het grootste belang dat ik inspecteur Manci te spreken krijg. Tenzij u me kunt vertellen hoe ik de rechter-commissaris kan bereiken die kennelijk over de zaak van de moeder van dit kind gaat. Ik weet alleen maar dat ze is voorgeleid bij de rechter-commissaris, en verder niets. Ik weet niet waar ze is of wat ze heeft gedaan!'

'Ik ook niet, want ik zeg u toch dat ik hier vanmiddag niet was!'

Agnès staat met een ruk op en zegt op hoge toon: 'En u bent niet in staat om een van uw collega's te vragen waar mevrouw Salvaing is?'

De inspecteur, onverstoorbaar: 'Het heeft geen zin om u zo op te winden.'

'Nee, ik geef toe, dat heeft geen zin! Een kind waarmee je zit opgescheept, de moeder spoorloos, een idioot tegenover je en je mag je niet opwinden! Hier!'

Ze zet Lisa met een bruusk gebaar op het bureau en ze pakt de telefoon.

'Pas op dat ze niet valt. Dan maakt u zich tenminste nuttig terwijl ik de nachtdienst van de kinderbescherming bel.'

De inspecteur maakt geen stoere indruk met een kind in zijn armen dat zich brullend verzet terwijl Agnès aan de andere kant van de lijn op eindeloos gerinkel stuit. Ze gooit de hoorn erop, rukt Lisa uit de armen van de inspecteur en beent driftig weg. Ze draait zich om.

'En mocht u iemand te spreken krijgen die mevrouw Salvaing wél kent, zeg dan dat haar dochter in goede handen is.'

Agnès doet de deur van haar woning achter zich dicht. Ze zet Lisa op de grond. Het kind valt om van vermoeidheid. De tafel is afgeruimd. Pierre, Jeanne en Mathias luisteren naar muziek, ze hebben zich met een kopje koffie op de leren bank geïnstalleerd. Agnès heeft kringen onder haar ogen. Zodra Mathias haar ziet, staat hij op.

'Wie is dat?'

Het antwoord is explosief.

'Vraag het haar zelf.'

Pierre en Jeanne kijken elkaar zwijgend aan, slecht op hun gemak, en houden zich koest. Agnès redt hen van hun verwarring.

'Neem me niet kwalijk, ik moet even bellen.'

Ze wendt zich tot Mathias, die er totaal beteuterd bij staat. Ze wijst op Lisa voordat ze de eetkamer uit loopt.

'Als je je nuttig wilt maken!'

Hij staat sprakeloos voor het dik ingepakte kind, dat er niets van begrijpt en hulp zoekt. Die niet komt. Lisa begint te snikken. Jeanne springt op en knielt neer voor het kleine meisje. Ze begint haar dikke jack uit te trekken en probeert haar gerust te stellen.

'Let maar op, zo heb je het niet zo warm. Hoe heet je?'

Lisa verzet zich, gilt, wil niet luisteren en niets zeggen. Jeanne gaat voorzichtig door met kleren uittrekken totdat ze zich realiseert dat het kind kletsnat is. Ze roept Pierre te hulp.

'Wil je een handdoek voor me halen?'

Pierre rent naar de badkamer, komt terug met een handdoek en overhandigt die aan Jeanne. Mathias staat midden in de eetkamer toe te kijken hoe Jeanne het kind voorzichtig afveegt en de kletsnatte luier in elkaar rolt. Ze geeft hem aan Pierre, die ermee naar de keuken snelt.

'Ik ga je helemaal uitkleden, en als Agnès klaar is doet ze je in bad.'

Agnès is klaar. Ze heeft haar jasje uitgedaan en staat zwijgend naar Lisa te kijken. Het kind huilt niet meer, maar klampt zich vast aan de glimlachende blik van Agnès. Ze doet een stap naar haar toe, maar wordt in haar geestdrift gestuit door de commandotoon van Pierre.

'Als je ons zou willen uitleggen wat er aan de hand is, laat je dan vooral niet tegenhouden!'

Agnès negeert hem. Ze pakt Lisa op, legt haar jasje over haar heen, ademt diep in en zegt dan: 'Ik zal het simpel houden. Als er 's avonds een kind in de crèche overblijft, is de procedure dat je de kinderbescherming belt. Maar om acht uur 's avonds is er niemand meer. Ik heb net geprobeerd om de coördinatrice te bellen, maar die heeft ook het recht om uit te gaan. De laatste mogelijkheid is het tehuis.'

Agnès drukt Lisa heel stevig tegen zich aan en vervolgt op heftige toon: 'Maar daar is geen sprake van! Zien jullie dit schatje al in het Saint-Vincent-de-Paul? Hallo, ik kom een kind brengen. En een verzorgster die haar overneemt: "Zeg maar dag tegen die me-

66

vrouw." En daar staat ze dan, verloren en moederziel alleen. Geen enkel bekend gezicht. Zoek het maar uit, kleintje, dat is de wet. Moet ik dat soms doen? Nee hoor, ik hou Lisa hier.'

Agnès is buiten zichzelf. Ze zwijgt opeens, en de gasten, die niets van haar woede begrijpen, kijken elkaar aan. Het is nu net of ze in zichzelf praat.

'Lisa is niet in gevaar en er is geen brand. We zullen morgen wel zien. Hè, Lisa? Je krijgt je moeder heel gauw weer te zien.'

Agnès, die zichzelf nu weer in de hand heeft, wendt zich tot haar gasten.

'Ik weet het, onze avond is verpest, maar ik heb geen keuze.'

Mathias is verbijsterd. Agnès gelast hem een drogist te vinden die nog open is.

'Koop een pak luiers. Dat is alles. Ik heb nog bodymilk. Of nee, neem ook nog twee potjes van het een of ander mee, als toetje. Nee, toch maar niet, dat is onzin, ik heb nog fruit hier.'

Mathias heeft geen stap verzet.

'Hé, word eens wakker. Het kan toch geen kwaad om een handje te helpen? Zie je niet dat we zwaar in de stront zitten? Nou ja, vooral Lisa.'

Mathias maakt zich zonder een woord uit de voeten terwijl Agnès Lisa naar de badkamer brengt.

'Kom, we gaan lekker douchen.'

Lisa laat het allemaal over zich heen gaan. Agnès wikkelt haar voorzichtig in een enorme badhanddoek.

Met haar voet duwt ze de deur van een tienerkamer open, waar de opruimende hand van Agnès en de weer overhoophalende hand van een jonge filmliefhebber te herkennen zijn. De posters aan de muren spreken duidelijke taal. Een smaak op zoek naar zichzelf.

Jeanne snelt op haar af.

'Kan ik je helpen?'

Agnès schudt haar hoofd.

'Het spijt me van het etentje. Ga maar, laat jullie babysitter maar niet te lang wachten.'

Pierre heeft een hand op de schouder van zijn vrouw gelegd.

'Goed, dan gaan we maar.'

Agnès is de kamer van haar zoon in gegaan. Ze draait zich om.
'Neem niet kwalijk dat ik jullie niet uitlaat.'
Jeanne wil haar geruststellen, maar pakt het wat onhandig aan.
'Zit er maar niet over in, ik bel je wel. En bovendien is Mathias echt aardig, weet je.'
Agnès verwaardigt zich niet om te antwoorden. Ze legt Lisa op het bed. De deur slaat dicht. Agnès gaat op de grond zitten, naast het kind. Ze aait over haar handjes en spreekt haar zachtjes toe.
'Het leven is niks, hè? Het is niet anders, wen d'r maar vast aan. Morgen zien we je mama weer. Wacht maar, alles komt goed. En eigenlijk heb je nog geluk. Je bent niet alleen en je slaapt in het bed van Julien. Dat is mijn zoon. Op een dag zul je groot zijn, net als hij, en ga je ook het huis uit. Maar je zult altijd een mama hebben die aan je denkt.'
Lisa heeft zich naar Agnès toegekeerd. Twee grote ogen die langzaam dichtvallen. Agnès kust het meisje op haar voorhoofd. Lisa slaapt.
Agnès mompelt in zichzelf: 'Ik zal zo je bed in orde maken.'
En ze blijft ontroerd naar de slapende Lisa kijken. Als de bel gaat, springt ze op. Ze rent naar de deur. Het is Mathias. Agnès beduidt hem dat hij stil moet zijn. Lisa slaapt. Mathias verontschuldigt zich in gebarentaal. Hij heeft een enorm pak luierbroekjes in zijn hand. Agnès, ontsteld: 'Heb je voor een hele maand gehaald?'
Mathias is geïrriteerd.
'Ja, luister eens, ik heb mijn best gedaan. Maar als ik ze weer terug moet brengen...'
Ze pakt de luiers en brengt ze naar de kamer van Lisa. Mathias glipt achter Agnès naar binnen, en opgelucht bij de aanblik van het slapende kind slaat hij zijn armen om haar heen. Ze duwt hem vriendelijk maar gedecideerd van zich af.
'Sssst!'
Mathias, beledigd: 'Maar ik zei niets!'
Hij kijkt naar Agnès, doet een stap opzij en buigt het hoofd.
'Goed, ik geloof dat ik beter kan gaan.'
Hoort Agnès het wel? Ze heeft haar ogen op Lisa. Mathias dringt niet aan. Hij gaat de kamer uit. Agnès pakt lakens, een dekbed. Verderop gaat zachtjes een deur dicht.

Agnès heeft slecht geslapen. Ze is voortdurend opgestaan, en als Lisa 's ochtends wakker wordt, is ze aan haar zijde om haar gerust te stellen. Het ontbijt staat klaar. Lisa wil niks. Agnès dringt slechts voor de vorm aan.

'Wil je geen lekkere beker met chocolademelk?'

'Nee, ik wil mijn mama.'

Het verbaast Agnès niets. Ze verbergt alleen haar ontroering.

Als Agnès haar auto voor de crèche parkeert en het achterportier opent om de riemen van Lisa los te maken, kan ze niet bevroeden dat ze wordt bespied. Madeleine staat voor het raam. Ze draait zich onmiddellijk om naar haar drie pikzwarte kinderen: Baba van tien, Youssouf van negen en Adama van zeven.

'Snel, ga mee.'

Madeleine brengt hen naar de linnenkamer, waar Marguerite het zo druk heeft dat ze amper opkijkt.

'Nee, Madeleine, ik heb al gezegd dat het niet kan.'

'Maar het is maar voor een kwartiertje, zodat ik het aan Agnès kan uitleggen.'

'Een andere keer is prima, dat weet je best, maar nu moet ik al het linnengoed vouwen en rondbrengen.'

Madeleine bedwingt haar woede en wendt zich tot haar kinderen.

'Kom mee, snel.'

En ze rent naar de keuken. De kinderen volgen haar zonder er al te veel van te begrijpen.

De keuken is verlaten. Madeleine bedenkt snel een spelletje dat geen spelletje is.

'Jullie blijven hier, Martine de kokkin komt pas over meer dan een halfuur. Jullie moeten vooral heel zoet zijn en nergens aankomen. Nergens, oké? En jullie geven geen kik tot ik terugkom om jullie op te halen. En Baba, jij houdt ze in de gaten.'

Ze geeft ze een knipoog en gaat er als een haas vandoor.

Agnès, die met Lisa in haar armen de crèche binnengaat, heeft geen idee van de problemen die haar te wachten staan. Ze krijgt er zo'n voorgevoel van als ze haar kantoor betreedt. De eerste die haar aanspreekt is een zeer opgewekte Martine, die wel uit bed moet zijn gevallen, want ze is nog nooit zo vroeg geweest.

'Zo, mevrouw Guerrimond, doet u vanochtend dienst als schoolbus?'

Agnès geeft geen antwoord. Dat is ook niet nodig, Martine vervolgt haar weg.

Agnès zet Lisa op de grond.

'Ik ga eerst met jou naar Madeleine toe en daarna ga ik me met je mama bezighouden. Wil je dat?'

Lisa begint tegen te sputteren.

'Wil niet!'

Agnès zet grote ogen op.

'Maar we hebben het er onderweg over gehad.'

'Wil niet. Wil Michelle.'

Lisa begint te snikken. Agnès, heel liefdevol: 'We gaan er niet moeilijk over doen. Als jij naar de baby'tjes wilt, is dat goed. Kom maar, schatje.'

Het gesnik houdt onmiddellijk op, en Lisa dribbelt voor haar uit naar de babyafdeling.

Françoise loopt rood aan als ze Agnès ziet. Ze loopt naar haar toe om een verontschuldiging te stamelen.

'Ik was gisteravond...'

Agnès werpt haar een afwerende blik toe en loopt naar Diplo toe. Ze wijst op Lisa, die de baby'tjes al inspecteert.

'Dag Michelle, vandaag krijg je er Lisa bij. Doe maar net of ze een baby is.'

Diplo is verbaasd: 'Wat is er aan de hand?'

'Niets, ze heeft alleen rust nodig, en bovendien zul je haar hulp goed kunnen gebruiken.'

Diplo begrijpt er niets van. Agnès geeft Lisa een zoen.

'Ik kom zo terug.'

Françoise, nog roder, gaat opnieuw in de aanval.

'Ik wou nog zeggen over gisteravond...'

'Dat het allemaal goed is afgelopen? Dat klopt, ik was er zelf bij.'

Agnès draait haar de rug toe en staat opeens oog in oog met Marguerite, die haar stilletjes wenkt. Ze moet haar iets zeggen, maar onder vier ogen. Ze fluistert.

'Neem me niet kwalijk. Er was een advocaat die naar u heeft gevraagd.'

'Ja, en waar is hij?'

Marguerite corrigeert haar.

'Zij!'

Agnès snapt er niets meer van. Marguerite houdt vol: 'Een zij! De advocaat is een vrouw.'

'Een advocate dus? Waar is ze?'

Marguerite, als een ijverige leerling: 'Ze heeft tegen me gezegd dat je altijd "advocaat" zegt. Ze is alweer weg. Ze heeft ook gevraagd of Lisa er al was, maar die was er toen nog niet.'

Agnès verliest haar geduld.

'Ja, goed! Heeft ze iets achtergelaten? Een briefje? Haar kaartje?'

'Nee, ze zei dat ze terug zou komen.'

'Nou, dan zien we het wel.'

De telefoon gaat in Agnès' kantoor, en ze snelt erop af. Haar gezicht verstrakt.

'Hallo, meneer Manci? De inspecteur? Mooi zo. Ja goed, ik wacht.'

Ze wacht en ze wacht. Dan komt Marguerite haastig teruglopen.

'De advocaat! De advocaat! Ze is terug!'

Agnès, kortaf: 'Waarom laat je haar dan niet binnen?'

'Omdat ze dubbel geparkeerd staat. Ze wil dat u naar buiten komt.'

Agnès aarzelt. Dan besluit ze om niet langer op inspecteur Manci te wachten en hangt op. Ze rent de crèche uit. Een vrouw van een jaar of dertig staat te trappelen van ongeduld, naast haar auto, waarvan de motor nog draait. Agnès gaat naar haar toe.

'Mevrouw Guerrimond?'

Agnès knikt. Ze schudden elkaar kort de hand en de advocate barst meteen los.

'Nou nou! U bent nog moeilijker te pakken te krijgen dan een officier van justitie! Goed, ik vertegenwoordig mevrouw Salvaing. Ik ben hier gisteravond om acht uur langs geweest, maar de crèche was dicht.'

Ontstemd over deze inleiding betaalt Agnès haar met gelijke munt terug.

71

'En ik ben bij het gerechtsgebouw langs geweest. Maar naar alle waarschijnlijkheid, en overigens terecht, is men daar eveneens van mening dat de avond bestemd is om uit te rusten.'

'Niet echt. In ons vak werkt men 's avonds vaak door. En zelfs 's nachts, als het moet.'

'Wat wilt u, wij zijn maar ambtenaren!'

Enigszins uit het veld geslagen door die valse opmerking komt de advocate terug op haar onderwerp.

'Ik deel u mede dat mevrouw Salvaing zich in voorlopige hechtenis bevindt.'

'Is het ernstig? Wat heeft ze gedaan?'

'Helemaal niets. Een rechter-commissaris die aan het ijlen is geslagen, en dat komt vaker voor dan men denkt. Welnu, mijn cliënte maakt zich zorgen om haar dochter.'

Agnès, die de advocate niet kan uitstaan: 'U meent 't?'

'U vindt misschien dat dat uw ironie verdient? Mevrouw was niet in staat om te bellen en daarom ben ik hier gisteravond langsgegaan.'

'Terwijl ik aan het feesten was, ik weet het.'

Het is een levendige woordenwisseling. Maar de advocate kaatst de bal niet terug. Ze houdt zich in.

'Ik wou alleen maar weten, om de moeder gerust te stellen, waar het kind is ondergebracht.'

'Hier.'

'Hier?'

'Hier!'

Deze afwisseling van affirmatieve, interrogatieve en exclamatieve toonhoogten brengt de advocate buiten zichzelf.

'Maar ik heb me laten vertellen dat ze verplicht...'

'Dan hebben ze u onzin verteld. Dat komt voor! Net zo vaak als ijlende rechters-commissarissen. Wilt u een bewijs?'

Ze schrikken op van luid getoeter. Een bestelwagen kan niet voor de crèche parkeren omdat de auto van de advocate in de weg staat. Een bezorger brult: 'Ik heb niet alle tijd van de wereld!'

Agnès stelt de advocate voor om haar auto een stukje naar voren te zetten.

'Ik ben zo weg. Ik moet naar de rechtbank. Wat denkt u wel?'

'Ik denk niks. Maar ik weet zeker dat meneer hier dozen met luiers komt afleveren.'

De advocate wil er niets van weten. De bezorger heeft geen zin meer om te wachten en begint al mopperend tientallen reusachtige pakken met luiers uit te laden, die hij voor de deur van de crèche deponeert. De advocate trekt zich niets van hem aan en staat erop haar verhaal af te maken.

'Het is een misverstand. En mevrouw Salvaing zal vandaag nog worden vrijgelaten.'

'Maar wat heeft ze dan gedaan?'

'Niets, dat zei ik toch. Het is een misverstand.'

Agnès heeft haar kalmte hervonden.

'Ze komt Lisa vanavond dus ophalen?'

'Uiteraard.'

'Waarom dan al die opwinding? Geachte meester, kunt u nu uw auto verplaatsen zodat onze bezorger...'

Maar als ze naar hem wil wijzen, trekt de bestelwagen al op. De pakken versperren de ingang tot de crèche. Agnès glimlacht. Ze is niet meer geïnteresseerd in de advocate en opgetogen baant ze zich een weg naar het atrium. Lisa geruststellen. Agnès vindt het heerlijk om het doen. En de ogen van het kind geven antwoord.

'Vanavond zul je je mama weer zien. Ze komt je ophalen. En een dag is zo voorbij.'

Lisa wendt zich af. Agnès kijkt om. Françoise, die op een afstand stond mee te luisteren, stapt naar voren.

'Ik wou mijn excuses aanbieden voor gisteravond. Ik heb me als een imbeciel gedragen. Maar het viel me zo zwaar om...'

Agnès valt haar opgewekt in de rede. 'Luister eens, Françoise, het is voor iedereen zwaar geweest. Maar gisteren was gisteren en vandaag komt alles weer in orde. En ik wil graag dat het onder ons blijft.'

'Ik heb niemand iets verteld.'

Agnès, met een samenzweerderige glimlach: 'Ga daar mee door. Kan ik op je rekenen?'

Françoises gezicht licht op. De dag ook. Agnès kan opgelucht haar ronde langs de afdelingen maken.

Martine, die haar langs ziet lopen, roept vanuit de keuken: 'En hoe beviel mijn recept gisteravond?'

Agnès voelt zich zo gegeneerd dat ze een overdreven compliment maakt.

'Heerlijk, Martine, echt verrukkelijk.'

'Lekker eten helpt altijd als je een gezellige avond wil hebben. Wie dat niet weet is te beklagen. Ik zal de volgende keer een lamsragout voor u klaarmaken die u zo mee kunt nemen, u zult smullen! U zult zien, dan komen uw vrienden elke avond terug.'

'Dat is heel aardig van je, maar wat maak je vandaag voor de kinderen?'

'Gevulde tomaten en rijst, zoals op het programma staat.'

En Martine gaat weer terug naar haar keuken. Agnès vervolgt haar weg door de crèche. Madeleine komt haar tegemoet. Ze laat niets van haar emoties merken.

'Agnès, ik wou...'

'Neem me niet kwalijk, Madeleine, maar ik ben vanochtend de krant vergeten.'

'Nee, daar gaat het niet om. Ik moet u iets zeggen. Gisteravond...'

Agnès denkt dat ze weet wat Madeleine wil zeggen.

'Gisteravond was gisteravond. Vandaag is vandaag.'

'Ja, maar het is erg belangrijk voor me.'

'Ik heb me er in mijn eentje doorheen geslagen.'

Twee zielen, twee gedachten.

Madeleine, met tranen in haar ogen: 'Nee, mijn besluit staat vast!'

'Maar u hebt hier toch niets mee te maken?'

Agnès beseft opeens dat Madeleine het over iets heel anders heeft.

'Wat voor besluit?'

Madeleine krijgt geen tijd om te antwoorden. Estelle roept Agnès.

'Mevrouw Guerrimond, kom gauw. Inspecteur Manci aan de telefoon.'

Agnès maakt een verontschuldigend gebaar en haast zich naar haar kantoor. Een moment van verbijstering als ze binnenkomt.

Wat doen de drie kinderen van Madeleine daar angstig in een hoekje? Agnès aarzelt tussen haar wil om te begrijpen en de noodzaak om de telefoon te beantwoorden. Ze brult tegen de kinderen: 'Wat moeten jullie hier?' En ze pakt zonder het antwoord af te wachten de telefoon op.

'Het is niet makkelijk om u te pakken te krijgen! Ja, ik weet het van mevrouw Salvaing. Ik moest er wel zelf achter komen. Als dat alles is wat u me te zeggen hebt, dat wist ik al. Belt u me maar terug als u meer weet.'

En ze hangt flink geïrriteerd op. Ze kijkt naar de drie kinderen, die ongerust op haar reactie wachten. Die is niet wat ze vrezen. Agnès gaat naar buiten en roept Madeleine. Die meteen aan komt lopen.

'Madeleine, kun je dit uitleggen?'

'Wat?'

'Hou je me voor de gek? Jouw kinderen, in mijn kantoor.'

'Nee, niet in uw kantoor. Ze zijn in de keuken. Dat wou ik u net vertellen.'

'Helemaal niet. Ze zijn in mijn kantoor. Kom maar mee en doe je ogen open.'

Madeleine moet buigen voor de feiten. Haar kinderen zijn inderdaad in het kantoor, en ze geeft ze ervan langs, zonder zich iets van Agnès aan te trekken.

'Ik had toch gezegd dat jullie in de keuken moesten blijven!'

Baba, de oudste, verweert zich.

'Er kwam een mevrouw binnen en die heeft ons weggejaagd. We waren bang. We hebben niets gedaan.'

Agnès is van haar verbazing bekomen. Ze glimlacht en spreekt de drie kinderen vriendelijk toe.

'Laat me eens raden. Jij bent Youssouf, jij Adama en jij Baba.

Baba, perplex: 'Hoe weet u dat?'

'Je moeder heeft het heel vaak over jullie.'

Baba zet grote ogen op. Madeleine loopt naar de kleinste en haalt een hand door zijn haar. Ze kijkt naar Agnès en gebaart dat ze echt met haar moet praten.

'Willen jullie je nuttig maken?'

De drie jongetjes knikken verlegen.

'Nou, pakken jullie dan alle pakken luiers die voor de deur liggen en breng die samen met Marguerite naar het magazijn. Kunnen jullie dat?'

De kinderen van Madeleine gaan onmiddellijk aan het werk, allang blij dat ze niet bij het vast pijnlijke gesprek tussen hun moeder en Agnès hoeven zijn. Ze lopen heen en weer. Madeleine haalt diep adem.

'Mijn besluit staat vast en het is definitief, ik ga van mijn man scheiden.'

Haar stem klinkt vastberaden.

'Ik heb het hem gisteravond meegedeeld. Maar nu ben ik zo bang dat hij de kinderen weer de schuld gaat geven en ze bij het uitgaan van de school gaat op staan wachten. Ik wist niet wat ik moest doen. Daarom heb ik ze maar meegenomen. Dat was alles!'

Agnès knikt, machteloos.

'Daar heb je goed aan gedaan, Madeleine. Het enige dat ik van je vraag is dat je tegen je kinderen zegt dat ze niet in de weg mogen lopen.'

'O, dat heb ik ze al ingeprent. U kunt op me rekenen, en op hen.'

En met deze woorden maakt ze zich uit de voeten. In de gang drukt ze in het voorbijgaan haar jongste tegen zich aan en gaat dan terug naar haar afdeling.

De dreumesafdeling is naar het schijnt de enige die aan een drama ontsnapt. Op de babyafdeling zit Lisa vasthoudend op haar mama te wachten, die ze luidkeels opeist, en bij de peuters houdt Madeleine haar hart vast. Maar hier dopen de kinderen opgetogen hun handen in de verf en drukken ze plat op een mooi stuk inpakpapier. Brigitte, de kinderpedagoge, heeft een groot jasschort aangetrokken om haar elegante kleren niet vuil te maken. Maryline en Sophie staan onder het opruimen wat te babbelen. Maryline laat zich niet afschepen. Ze wil alles weten, heel tactvol.

'Maar hoe is je abortus gegaan? Heb je pijn gehad?'

Sophie geeft geen krimp. Maryline blijft doorhameren.

'Je kunt toch wel zeggen of je pijn hebt gehad of niet?'

Sophie moet wel antwoord geven. Maar ze is terughoudend, alsof het niet over haar gaat.

'Ze zijn daar tegenwoordig heel goed in, weet je. En het gaat ook heel snel.'

'En denk dat je hierna toch nog kinderen kunt krijgen?'

'Ik weet het niet, dat moeten we maar proberen.'

Maryline, die altijd zegt wat er in haar hoofd opkomt, ongeacht de omstandigheden, merkt niet dat Sophie doodsbleek wordt. Ze gaat vrolijk door.

'Nou, proberen is niet zo erg!'

'Als je soms denkt dat je grappig bent!'

'Sorry, sorry. Maar ik ga je toch vertellen hoe ik erover denk. Je laat je ringeloren. Eric wil dit, Eric wil dat. Eric wil dit niet, Eric wil dat niet. We hebben het er met zijn allen over gehad en we zijn het er allemaal over eens, behalve Françoise. Als ik jou was, had ik het gehouden!'

Sophie, opstandig: 'Nou, maak er dan zelf één, proberen is toch niet zo erg?'

Maryline stuift op.

'Hé, hé! We beulen ons af om optredens te regelen. Maar als de band eenmaal gaat lopen, dan weet ik het wel, dat zal ik je wel vertellen. Maar is die gozer van jou tenminste blij met wat je hebt gedaan?'

Sophie kijkt sip.

'Ik krijg geen drie woorden uit die vent.'

De komst van Agnès onderbreekt het gesprek. Ze legt een stapel blaadjes op het aanrecht.

'Willen jullie deze onkostenlijstjes op de kastjes plakken?'

Maryline draait zich vrolijk om.

'Nou, dan is uw kantoor vanmiddag een klachtenbureau.'

Agnès glimlacht: 'Dat ben ik wel gewend. Het is iedere maand hetzelfde liedje. Je hebt er altijd bij die het stelselmatig vergeten, het niet hebben gezien, het niet hebben gelezen of het niet wisten. Nou ja, het gewone werk.'

En ze zet haar uitdeling voort op de babyafdeling. Lisa ziet haar niet, ze heeft het te druk met een baby'tje dat ze een verhaaltje vertelt.

Agnès loopt naar Diplo.

'Je kunt tegen Martine zeggen dat ze voor tussen de middag drie extra maaltijden verzorgt.'

Diplo haalt haar schouders op.

'Dat is al geregeld. Ik ontferm me tussen de middag wel over Madeleines kinderen. Ik neem een uurtje vrij om ze mee uit eten te nemen.

En dat doet ze ook.

De drie jongetjes zitten tegenover Diplo in de McDonald's met hamburgers en cola. Ze hebben niets aangeroerd en kijken hoe Diplo haar cola opdrinkt en haar rietje aflikt. Ze zijn perplex.

'Waarom kijken jullie me zo aan? Ik ben oma, hoor. Dat heb ik van mijn kleinzoon geleerd. Kom op, eten.'

Youssouf is kieskeurig.

'Er zit te veel mayonaise op het vlees en dat is niet gezond.'

Baba schiet hem te hulp.

'En je moet sowieso "uitgebalanceerd" eten.'

Diplo neemt de tijd om een hap te nemen voordat ze aan haar 'surprise-verhoor' begint.

'Wat eten jullie dan bij julie thuis?'

Baba had het al aan zien komen, die oma met haar knotje en haar vragen.

'We eten thuis van alles. Mama maakt wat we lekker vinden en wat gezond is.'

'Maar is er nog wel iets voor jullie papa over als hij 's avonds laat thuiskomt?'

'Waarom zou er niets voor hem over zijn?'

'Nee, ik bedoel, hij komt 's avonds toch vaak laat thuis?'

Adama wil antwoord geven. Baba kijkt hem streng aan. En Adama begrijpt, net als Youssouf, dat het mondje dicht is. Diplo is niet goochem genoeg om te stoppen. Ze blijft aandringen.

'Jullie zien jullie vader toch niet zo vaak? Was hij gisteravond thuis, bijvoorbeeld?'

'Ja.'

De vraag die op Diplo's lippen brandt, komt er eindelijk uit: 'En hij slaat jullie?'

'Misschien, soms, als we iets stoms hebben gedaan.'

'Gisteren?'

Adama staat op, wringt zich in allerlei bochten en jengelt dat hij heel nodig moet plassen. Youssouf staat ook op en neemt zijn broertje onder zijn hoede. Toevallig moet hij ook heel nodig plassen. Diplo, alleen met Baba, kan haar verhoor afmaken.

'Hij slaat jullie als hij te veel gedronken heeft, hè?'

Diplo staat voor aap, want ze heeft haar vraag nog niet gesteld of Baba staat op. Hij houdt van toetjes. Hij gaat kijken wat ze hebben. Diplo pakt van teleurstelling werktuiglijk haar cola met rietje weer op, geamuseerd gadegeslagen door een paar jongeren aan het tafeltje naast haar. Ze haalt geërgerd haar schouders op en staart voor zich uit. Ze ziet niet dat Sophie is binnengekomen, om zich heen kijkt en Diplo ontdekt. Die schrikt op.

'Ik kom je aflossen. Waar zijn ze?'

'Je krijgt er niks uit. Ze zijn te slim. Ik heb echt met ze te doen zoals ze hardnekkig hun vader blijven beschermen.'

'Dat is misschien wel hun redding.'

Maar Sophie is niet echt geïnteresseerd in de kinderen van Madeleine. Ze kijkt om zich heen of niemand naar hen zit te luisteren. Ze fluistert: 'Als ik je iets over mezelf vertel, vertel je het dan aan niemand?'

'Natuurlijk niet.'

'Zweer je dat? Want in de crèche wordt zo geroddeld.'

Diplo zweert verbaasd dat ze het tegen niemand zal zeggen. Ze heeft geen idee wat er zal komen.

Sophie, met een heel klein stemmetje: 'Jij bent de enige tegen wie ik het kan zeggen. Het is niet waar dat ik abortus heb laten plegen, zoals ik tegen iedereen heb gezegd. Ik heb het ook tegen Eric gezegd, maar ik ben niet gegaan.'

Diplo is zo uit het veld geslagen dat ze er een cliché tegenaan gooit, om de tijd te hebben om zich te herstellen.

'Je moet altijd doen wat je hart je ingeeft.'

Sophie is niet meer te stuiten.

'Over vier maanden doe ik heel verbaasd en dan zeg ik tegen Eric: "Ik begrijp het niet, de dokters hebben vast een fout gemaakt. Ik kan het ook niet helpen, we moeten nu maar roeien met de riemen die we hebben."'

79

Ze stopt en kijkt Diplo smekend aan.

'Denk je dat ik er goed aan heb gedaan? Wat denk je? Is het stom van me?'

Ze pakt in paniek Diplo's arm vast, maar die buigt zich naar haar toe en geeft haar een dikke zoen.

De kinderen van Madeleine komen terug alsof er niets is gebeurd. Diplo staat haastig op. Sophie is trots op zichzelf en zegt tegen de kinderen: 'En van mij krijgen jullie een ijsje!'

De kinderen begrijpen er niets van.

De tijd van het middagslaapje, de tijd van gefluister.

Agnès heeft snel iets tussendoor gegeten. Ze steekt haar hoofd om de hoek van de babyafdeling. Lisa is op een matras in slaap gevallen.

Madeleine staat aan het eind van de gang naar haar drie jongens te kijken, die zich op de grond hebben geïnstalleerd en onder leiding van Brigitte, de eeuwige pedagoge, hun huiswerk zitten te maken. Brigitte kijkt in de schriften en knikt bemoedigend. Madeleine bedankt haar op gedempte toon.

'Niets te danken hoor, ik had nog wat tijd over en bovendien zijn je kinderen echt heel intelligent.'

Madeleine is geroerd door het compliment.

'Toch had ik dat nooit van jou gedacht. Zo zie je maar weer dat je je vaak in mensen vergist.'

Agnès knikt hen toe, vervolgt haar weg en werpt een blik in de dreumesafdeling. Alles is rustig. Antoinette en Nathalie zitten op de grond. Als Agnès weer weg is, zetten ze hun gesprek des te geestdriftiger voort, want het gaat over haar. Antoinette kijkt verontwaardigd.

'Zou jij dan willen dat Agnès zich strikt aan de regels hield?'

'Dat heb ik niet gezegd. Het is voor haarzelf. Zo krijgt ze gelazer. En als we een vervangster krijgen, is de ellende niet te overzien!'

'Had ze Madeleines kinderen dan moeten weigeren?'

Nathalie verweert zich.

'Je laat me nu alweer iets zeggen wat ik niet heb gezegd. Maar Agnès hoeft maar ergens een arme ziel te zien of ze haalt hem meteen binnen. Kijk maar naar Bertin. Die is hier nu elke dag tijdens het middagslaapje!'

'En waarom is dat zo erg?'

'Nou, stel je voor dat de moeder erachter komt!'

'Hoe zou ze daar achter moeten komen? Tenzij jij het haar vertelt...'

Nathalie moppert. Bertin, die zich verdekt heeft opgesteld naast de glazen deur van de peuterafdeling, staat inderdaad naar Sébastien te kijken, die ligt te slapen. Hij heeft tranen in zijn ogen. Agnès komt naar hem toe, en hij mompelt: 'Ik weet niet hoe ik u moet bedanken.'

'Is dit echt nodig? Het is de hoogste tijd dat u weggaat. Straks wordt uw zoon wakker, en als Sébastien u ziet, vertelt hij het aan uw ex-vrouw.'

Bertin verwijdert zich met tegenzin van het raam. Agnès laat hem uit. Hij houdt stil, kijkt haar aan, aarzelt.

'Als u eens wist hoe belangrijk u voor mij bent!'

Hij gaat er als een dief vandoor.

Ongeluksdag, geluksdag. Na het middagslaapje heerst er grote opwinding in de crèche. Waarom heeft Agnès vandaag ingestemd met wat ze uit naam van het gezond verstand altijd heeft geweigerd? De kinderen worden met zijn allen naar het atrium gebracht, de kleinsten in wipstoeltjes en op de arm. Het grote moment is bijna aangebroken. Een verrassing. Die uit de keuken komt, plechtig binnengebracht door Martine. Twee kaarsjes op een verjaardagstaart. De kleine Julie is stomverbaasd, overrompeld door het lawaai en het flitslicht dat het moment vereeuwigt waarop zij blaast. Vrolijke chaos waarin het koor van groepsleidsters 'Er is er één jarig, hoera, hoera...' aanheft en om het hardst klapt. Zelfs de baby'tjes doen mee. Ze weten wel niet waarom ze klappen, maar ze klappen toch. Sébastien, die naast Julie zit, is de enige die barst van jaloezie. Zijn gezicht spreekt boekdelen. Nee, hij neemt geen hap van het stuk taart dat Maryline voor hem afsnijdt. Hij duwt het bordje met samengeknepen lippen van zich af. Jaloezie is van alle leeftijden. Agnès staat zwijgend naar het partijtje te kijken terwijl ze Lisa uit een o-ghoek in de gaten houdt.

Lisa duwt Aicha opzij en heeft de grootste pret.

Aanhoudend gebons op de glazen deur. Mevrouw de advocate, meester Wallier-Bourbon, staat hevig te wenken. Agnès loopt achteloos naar haar toe en doet de deur open.

'Zo, meester, komt u eens kijken hoe ambtenaren werken? Wilt u een stukje taart? De moeder van Lisa is nog niet langs geweest.'

'Ik weet het. We hebben een probleem.'

Agnès' spot is niet langer gepast.

'Een probleem?'

'Ja, maar niet ernstig. Laten we het er maar op houden dat de rechter-commissaris erg onbuigzaam is en...'

'Wilt u zeggen dat ze niet is vrijgelaten?'

'Nee. De voorlopige hechtenis is verlengd.'

Agnès is even verslagen en barst dan uit.

'En u vindt dat niet ernstig! Kunt u me dan op zijn minst vertellen wat ze heeft gedaan?'

'Niets!'

'Dus de rechter-commissaris houdt haar "voor niets" vast? Neemt u me in de maling?'

'Absoluut niet. Het is idioot, maar het is de waarheid. Hij denkt dat ze iets weet en wil haar onder druk zetten. Het is een praktijk die totaal indruist tegen de geest van voorlopige hechtenis, maar zeer gangbaar.'

'Maar wat denkt hij dan dat ze weet?'

'Niets! Mevrouw Salvaing is boekhoudster. Er is een chequeboekje van haar bedrijf ontvreemd en vervolgens gebruikt, dat is alles. Maar hoe dan ook, de wettelijke termijn loopt morgen af en aangezien er geen enkele reden is om haar nog langer vast te houden...'

Agnès, verbijsterd: 'Morgen?'

De advocate schuift haar pion naar voren. Goed gespeeld.

'Precies. Daarom ben ik hier ook. Mevrouw Salvaing heeft me gevraagd om zorg te dragen voor Lisa.'

'Zorg te dragen. Maar waarom u?'

'Probeert u zich eens in haar te verplaatsen, ze dacht dat ik...'

Agnès is zichtbaar gekrenkt.

'Omdat wij geen "zorg kunnen dragen"?'

De advocate begint aan haar pleidooi.

'U moet mevrouw Salvaing begrijpen. Met wat haar nu overkomt, ziet ze haar dochter liever in een gezinsomgeving dan in de anonimiteit van een overheidsdienst.'

Dit wordt Agnès te veel.

'Zie ik er soms uit als een anonieme overheidsdienst? Hebt u kinderen?'

'Nee, maar voor één avond. En met mijn man...'

Agnès snoert haar de mond.

'Prima, gaat u maar met me mee!'

De advocate onderdrukt een zegevierende glimlach en volgt Agnès naar het atrium, waar de kinderen nog hun taart zitten te eten. Agnès is aan zet. Oog om oog, tand om tand.

'Geachte meester, u wilt het kind meenemen, ga uw gang.' En ze wijst met een weids gebaar naar de kring van kinderen en zegt op hoge toon: 'Zo, u bent dus een "gezinsomgeving" die niet eens haar eigen spruit herkent. Dat is niet zo best voor een "gezinsomgeving".'

De advocate, vuurrood: 'Alstublieft, mevrouw, dit is onzinnig.'

'Onzinnig, dat moet ik toegeven. Maar niet getreurd. Al zou u haar wél hebben herkend, dan nog zou ik haar niet aan u hebben meegegeven. En zelfs geen seconde aan uw zorgen hebben toevertrouwd. U bent officieel niet gerechtigd om haar mee te nemen. Dat is de wet. Die zelfs ergens met nummer en al in het Wetboek van Strafrecht moet staan.'

'Maar u gaat tegen de wens van de moeder in.'

'Ik doe alleen maar mijn onzinnige ambtenarenwerk.'

'Goed. We zullen zien hoe mevrouw Salvaing erover denkt.'

En meester Wallier-Bourbon beent voor de ogen van alle groepsleidsters het atrium uit. Agnès haalt haar bij de deur in.

'Doe uw werk. Zorg dat haar moeder vrijkomt. En laat ons voor de kinderen zorgen.'

De advocate, bleek: 'Een kind is geen stuk speelgoed!'

'In dat opzicht zijn we het volstrekt met elkaar eens, meester. Goedendag.'

Agnès draait zich om. De advocate slaat de deur dicht. Françoise snelt op Agnès af.

'Wat gaat u nou doen?'
Het antwoord knalt eruit.
'Wat ik moet doen!'
En Agnès sluit zich op in haar kantoor.

Schande over de keuken en de kokkin. Martine, die de restjes van het feestje opruimt, houdt open huis. De groepsleidsters grijpen van alles en nog wat aan om hun mening te geven over een situatie die hun ontgaat. En Françoise komt de eer toe het waarom van de komst van de advocate te verklaren en haar eigen optreden van de vorige avond te verfraaien.

'En daarna, toen ik zei dat we Lisa naar het tehuis moesten brengen, zei ze dat ik naar huis moest gaan. Misschien had ik haar niet met het kind alleen moeten laten. Maar het was al laat. Mijn moeder was ontzettend ongerust. Wat zou jij in mijn plaats hebben gedaan, Martine?'

Martine, die zich opeens als doctor in de filosofie ontpopt: 'Je bent nooit in iemand anders zijn plaats.'

Nathalie is toegeeflijker.

'Ik vind het al heel goed van je dat je zo lang bent gebleven.'

Martine besluit alsnog een persoonlijke mening te formuleren.

'Ach, maak je niet druk. Je hebt niets slechts gedaan. En bovendien weet Agnès heel goed wat ze doet.'

'Vind je?'

Nog voordat Martine antwoord kan geven, staat Maryline al met haar mening klaar.

'Oké, die moeder kon niet komen. Overmacht. Maar de vader? Die zien we nooit!'

Martine weet waarom.

'Ja, geen wonder, die is ervandoor! Waarschuw ons maar als je hem gevonden hebt, jij weet het allemaal zo goed!'

Maryline kijkt beteuterd na die tik op haar neus. Sophie komt langslopen met plastic bordjes, die ze in de vuilnisbak gooit, en brengt dan schuchter naar voren: 'Maar waarom zoekt Agnès het niet hogerop? Dat zou ze moeten doen als ze gedekt wil zijn.'

Maryline grijpt haar kans op revanche.

'Jij weet altijd zo goed wat anderen moeten doen. Je zou jezelf eens raad moeten geven!'

Sophie, geschokt: 'Waarom zeg je dat?'

Het snijdende antwoord van Maryline blijft achterwege. Mevrouw Képler, de districtscoördinatrice van alle kinderdagverblijven, door Marguerite met zachte kreetjes aangekondigd, komt eraan. Waarom voelt iedereen zich schuldig als de coördinatrice de crèche betreedt? Madeleine heeft zo haar redenen. Ze rent naar haar kinderen, die zich in de hal hebben geïnstalleerd en er verwoed zitten te kaarten. Ze duwt ze overeind en trekt Youssouf aan zijn mouw.

'Jongens, ik had toch gezegd dat jullie in de personeelsruimte moesten spelen? En niet ergens anders? Zien jullie niet dat jullie in de weg zitten?'

Ze glimlacht verontschuldigend naar mevrouw Képler, die zich met haar armen vol mappen naar de kinderen overbuigt.

'Zijn dit uw kinderen?'

Madeleine beaamt het, op haar hoede.

'Wat een schatjes! Hebben ze geen school vandaag?'

Baba schiet te hulp.

'Jawel, maar er is een staking. Daarom heeft mama...'

'Een staking. Vandaag?'

'Ja, alleen op onze school, want ze willen een klas sluiten!'

Mevrouw Képler, die daar geen antwoord op weet, is blij met de komst van Sophie, die Madeleine te hulp komt schieten.

'Dag, mevrouw Képler. Hebt u Agnès al gesproken?'

'Nee, nog niet. Is er iets mis dan?'

'Nee... nou ja... alles gaat prima. Dat moet Agnès u maar vertellen. Ik bedoel, dat is haar taak.'

Sophie dreigt nog meer van de wijs te raken onder de verwonderde blik van mevrouw Képler.

'Waar is ze?'

'Bij de kleintjes, geloof ik.'

Maar bij de kleintjes geen Agnès. Mevrouw Képler vraagt aan Diplo: 'Is mevrouw Guerrimond niet bij u?'

'Nee, waarom? Hebt u met haar gesproken?'

'Nog niet, maar waar zou ik met haar over moeten spreken?'

Diplo draait de rollen om.

'Ik heb geen idee. Waarom vraagt u dat aan mij?'

'Iedereen stelt me dezelfde vraag. Waar zou ik met haar over moeten spreken?'

Diplo duwt haar niet zonder leedvermaak met de neus op de feiten.

'U bent gekomen om haar te zien, dus u moet weten waarom. U moet er toch een reden voor hebben gehad.'

De reden is juist datgene waarover Brigitte, de kinderpedagoge, in het kantoor in een heftige discussie met Agnès is verwikkeld.

'Ik weet het, ik bemoei me met iets wat me niet aangaat, maar die regels zijn er juist om problemen te voorkomen. En in tegenstelling tot wat u denkt, ben ik het heel vaak met u eens. Maar dit!'

Ze zwijgt als er op de deur wordt geklopt. Mevrouw Képler steekt haar hoofd om de hoek van de deur.

'Dag. Stoor ik?'

'Helemaal niet. Als ik het me goed herinner, hadden we een afspraak.'

Brigitte maakt van de gelegenheid gebruik om ertussenuit te knijpen. Mevrouw Képler kijkt zorgelijk.

'Wat is er toch aan de hand? Iedereen maakt zo'n paniekerige indruk vandaag.'

Agnès blijft uiterlijk doodkalm.

'Paniekerig? Nee hoor, dat geloof ik niet. Eerder druk, maar niet meer dan normaal. U wilde me spreken?'

'Ja. We zouden de toelatingsdossiers bekijken. En ik had zo gedacht dat we dan meteen de agenda voor de ouderavond zouden kunnen doornemen.'

Agnès doet uitgeput haar ogen dicht.

'Luister, mevrouw Képler, ik had niet voorzien dat het zoveel tijd in beslag zou nemen. Zou u het vervelend vinden om die agenda naar een rustiger dag te verschuiven? De dossiers liggen klaar, u kunt ze bekijken, maar ik heb een moeder beloofd om haar kind naar huis te brengen.'

Ze kijkt op haar horloge.

'Zo laat al! Neem me niet kwalijk.'

En ze loopt plompverloren het kantoor uit, voor de ogen van

mevrouw Képler, die steeds meer in verwarring raakt.

Een opleving van gezag. Ze zal Agnès niet laten vertrekken voordat ze begrijpt wat er aan de hand is. Ze volgt haar zonder een woord te zeggen. Ze ziet hoe ze op de babyafdeling Lisa haar jasje aantrekt en zonder iets tegen Diplo te zeggen weer naar buiten komt. Ze volgt haar naar de keuken, waar Agnès twee of drie bananen uit het fruitkrat pakt. De coördinatrice kijkt Martine vragend aan. Maar de kokkin houdt zich van den domme en blijft druk in de weer alsof er niets aan de hand is. Dan loopt Agnès met Lisa aan de hand naar de personeelsruimte, zoent de kinderen van Madeleine en geeft de moeder een vriendschappelijke knipoog.

Maryline, Nathalie en Estelle kijken door het raam en zien stomverbaasd hoe Agnès de kleine Lisa op de achterbank van haar auto installeert, achter het stuur gaat zitten, de auto start en wegrijdt. Mevrouw Képler laat Agnès vertrekken zonder dat ze iets wijzer is geworden.

Het is avond. Agnès zit op de bank en houdt een oogje op Lisa, die zich op de onderste plank van de boekenkast heeft gestort en de boeken nu één voor één op de grond laat vallen. Ze staat vermoeid op.

'Hou op, Lisa! Dat mag jij bij mij niet. Bij jou trouwens ook niet.'

Lisa verstijft. Agnès' stem heeft haar angst aangejaagd. Een, twee seconden en Lisa zet het op een huilen. Agnès loopt naar haar toe en zegt op rustiger toon: 'We zetten ze straks wel weer terug, maar nu moet je eten. Daarnet wou je niet.'

Ze neemt Lisa in haar armen en loopt naar de keuken. Maar Lisa wil er niets van weten. Ze schreeuwt: 'Wil niet eten, wil niet eten!'

Agnès dringt niet aan. Ze brengt de huilende Lisa naar de kamer van haar zoon, gaat op bed zitten, neemt haar op schoot en spreekt haar troostend toe. Maar troost ze eigenlijk niet zichzelf?

'Oké, ik ben je mama niet. Oké, je dacht dat ze je vandaag zou komen ophalen. Ik ook! We hebben ons alletwee beet laten nemen, maar dat is nog geen reden om te huilen! Morgen komt alles goed. Zo'n voorlopige hechtenis duurt maar achtenveertig uur, niet langer. Tot dan blijf je bij me. Kom, hou op met huilen.'

Lisa vlijt zich doodmoe tegen haar aan en begint op haar duim te zuigen. Agnès aait haar traag over het hoofd, en langzaam maar zeker neemt het gehuil af en houdt dan op. Terwijl ze het gekalmeerde kind blijft strelen, legt Agnès haar in bed. Dan gaat snerpend de bel. Agnès staat werktuiglijk op en rent naar de deur. Het is Mathias.

'Mag ik binnenkomen?'

Agnès, uitgeput, weet niet meer hoe ze het heeft. Achter in de kamer klinkt geschreeuw. Ze rent naar Lisa, pakt haar op en komt terug. Mathias wil een grapje maken.

'Als ik het goed begrijp, heb je nu de crèche aan huis.'

'Ben je alleen maar gekomen om me dat te verwijten?'

'Ik verwijt je niets. Ik constateer alleen maar.'

'Vind je niet dat ik niet al genoeg aan mijn hoofd heb?'

'Maar wat is er dan?'

Lisa begint nog harder te schreeuwen en kruipt weg tegen Agnès.

'Niets. Er is helemaal niets. Zie je dat niet?'

Ze laat Mathias staan en brengt Lisa terug naar de kamer, waar ze het kind opnieuw tracht te kalmeren. Het verhaal van Goudlokje, papa Beer, mama Beer en baby Beer lijkt effect te sorteren, net als de klap waarmee de deur dichtslaat. Agnès heeft het begrepen. Ze maakt het verhaal af. Als ze met een slapende Lisa in haar armen de huiskamer in loopt, ligt er een briefje van Mathias op tafel. 'Tot morgen?' Agnès kijkt naar het vraagteken, pakt het blaadje, verkreukelt het, denkt een ogenblik na en mompelt: 'Verdomme!'

Lisa schrikt wakker. Agnès neuriet een wiegeliedje.

Het is vroeg in de ochtend. Een man van in de dertig, leren jasje, sportschoenen, ijsbeert heen en weer voor de nog gesloten crèche. Diplo, die te vroeg is, vindt hem er onbetrouwbaar uitzien en aarzelt of ze door zal lopen. Hij loopt op haar af. Ze doet een paar stappen achteruit. Een bizarre manoeuvre die ze onmiddellijk onderbreekt. Belachelijk. Waarom zou ze bang zijn voor die man? Ze ademt diep in en rent met de sleutels in de hand op de deur af, klaar om van zich af te slaan. Terwijl ze zich haast de deur open te doen, legt de man een hand op haar arm. Ze slaakt een gil. Maar de man is niet agressief.

'Bent u mevrouw Guerrimond?'

'Laat me los!'

Als de man haar niet onmiddellijk los had gelaten, zou ze om hulp hebben geroepen.

'U bent mevrouw Guerrimond niet?'

'Nee, waarom?'

Diplo kan maar niet kalmeren. De onbekende houdt een rood-wit-blauwe kaart voor haar ogen – ministerie van Justitie. Diplo is doodsbang, hoewel de man haar op haar gemak probeert te stellen.

'Ik ben Julien Platzi, jeugdbegeleider – van de Gerechtelijke Dienst Kinderbescherming. Met andere woorden, de GDK!'

Diplo heeft die afkorting niet nodig. Ze doet trillend de deur open, vlucht naar binnen en denkt aan een levensgroot gevaar te zijn ontsnapt. Maar natuurlijk is dat gevaar niet verdwenen als ze even later de personeelsruimte uit komt, waar ze zich heeft omgekleed.

'Neem me niet kwalijk. Ik kom de kleine Lisa Salvaing halen.'

Diplo spert haar ogen open.

'Maar die is er niet! Ziet u niet dat er nog niemand is? De crèche is net open. Wilt u soms in de kelder gaan kijken?'

De jeugdbegeleider begrijpt niets van die agressieve houding, waarvoor wat hem betreft geen reden is. Hij blijft maar achter Diplo aan lopen, terwijl nu ook Nathalie, Estelle en Antoinette arriveren om aan het werk te gaan. Ze slaan nauwelijks acht op die man die maar doorgaat met Diplo te sarren.

'En de directrice?'

'U boft niet, die komt pas laat vandaag. Maar wat wilt u toch van dat kind?'

'Ze valt onder onze verantwoordelijkheid, ik moet haar meenemen!'

Diplo is sprakeloos. Ze wordt nu echt boos op die jeugdbegeleider van de GDK! Ze herstelt zich en zegt bits: 'Al zou de kleine Salvaing hier zijn, dan nog zouden we haar zonder de directrice niet aan u meegeven. Als ik u was, zou ik het dus later nog maar eens proberen.'

'Hoe laat denkt u...'

'Ik denk niet. Ik werk. Ziet u niet dat u in de weg staat?'

En inderdaad verspert de jeugdbegeleider de doorgang van de buggy's. Hij verzucht: 'Goed, dan kom ik straks wel terug. Maar voor de kleine Salvaing verandert dat niets.'

Diplo, opgelucht: 'Ja goed, tot straks.'

En achter zijn rug trekt ze een lelijk gezicht naar hem.

In de personeelsruimte heeft Diplo even rust nodig om van de schrik te bekomen. Maar Maryline, die zich staat om te kleden, kletst maar door. Ze trekt haar bonte outfit uit, die nog uitbundiger is dan anders, en hijst zich in een onopvallender legging, die toch nog erg naar disco neigt. Diplo, die er met haar hoofd niet bij is, ondergaat de tornado van een verhaal dat haar niet echt interesseert.

'Echt waar, Diplo, het is een heel bekende impresario. En hij is nog gekomen ook. Hij is de man die de Leopard Kings gelanceerd heeft. Ken je hem niet? Nou, je kunt het geloven of niet, maar hij is tot het eind toe gebleven. Als dat geen goed teken is? Stel je voor dat...'

Diplo zucht.

'Wat een geluk dat jij vanochtend niet hoefde te openen.'

'Dat had ik echt niet gekund. Ik kon mijn ogen haast niet open krijgen! Wat een nacht gisteren! Zal ik je erover vertellen?'

'Denk je soms dat mijn hoofd daarnaar staat?'

Maryline, opgewonden: 'Jouw hoofd staat nooit ergens naar. Nou goed, gooi het er maar uit, zoals Sophie zou zeggen. Nee, ik hou op, het is niet grappig.'

Diplo wil het effect van haar verhaal niet laten bederven. Ze wacht nog even met vertellen.

'Zweer je dat je het aan niemand zult vertellen?'

'Hoe kan ik nou iets zeggen als ik niets weet? Nou?'

'Dat moest mij natuurlijk weer overkomen.'

'Wat moest jou weer overkomen, mijn arme mevrouwtje?'

'O, als je eens wist...'

Maryline houdt het niet meer uit.

'O jee, ik ben al zo laat. Als je er klaar voor bent, moet je het me maar laten weten.'

En ze gaat ervandoor, Diplo verbijsterd achterlatend.

Agnès' komst wekt geveinsde onverschilligheid op. Ze maakt haar ronde langs de afdelingen met een dribbelende Lisa aan de hand. Ze kijkt zoals gewoonlijk in het overdrachtsschrift: pijntjes van de een, onrustige nacht van de ander, gevonden of vermiste voorwerpen. Schijnbaar een heel gewone dag.

Op de peuterafdeling moet Sophie eraan geloven.

'Sophie, kun je vanmiddag afsluiten? Madeleine heeft vrij genomen. Ze heeft me gisteravond gebeld. Ze moet haar kinderen beschermen.'

Het verzoek laat geen ruimte voor weigering. Sophie mompelt zeer tegen haar zin dat ze het wel zal doen. Pech gehad. Agnès vervolgt haar weg, gevolgd door Diplo, die ze niet ziet en die haar aanspreekt.

'Agnès, ik moet u spreken.'

Agnès kijkt haar strak aan.

'Wel, spreek!'

Diplo maakt een gegeneerd gebaar: niet waar iedereen bij is. 'Iedereen' is in dit geval Françoise, die door een wonderbaarlijk toeval naast haar staat en niets van het gesprek wil missen. Diplo dringt zachtjes aan.

'Ik wil u spreken, maar in uw kantoor.'

'Laten we dan maar naar mijn kantoor gaan!'

Ze lopen erheen, Agnès heeft nog steeds Lisa's hand vast. Ze pakt de telefoon en draait een nummer.

'Nou?'

'Een vent, vanochtend bij het openen! Ik schrok me dood. Hij zag er zo onguur uit. Ik dacht dat hij me wou overvallen.'

Het nummer is in gesprek. Agnès draait opnieuw. Ze glimlacht flauwtjes naar Diplo.

'Goed, maar je hebt het overleefd?'

'Jawel, maar hij kwam voor...'

Ze maakt haar zin niet af en wijst met haar kin op Lisa, die met pennen zit te spelen.

Agnès, snel: 'Wie was dat, wat heb je tegen hem gezegd?'

'Niets. Ik was zo bang. Het is een jeugdbegeleider van de GDK. Hij keek niet blij.'

'En ik, kijk ik soms blij? De stommiteiten van een rechter-commissaris, een hysterische advocate die ik niet eens kan bereiken en te weinig personeel – moet ik soms staan te springen van blijdschap?'

Ze is steeds harder gaan praten. Lisa kijkt Agnès verwonderd aan. Agnès bedaart meteen.

'Michelle, neem jij Lisa mee? Ik probeer die advocate nog een keer te bellen en dan kom ik je helpen. Oké?'

Diplo knikt, pakt Lisa bij de hand en gaat het kantoor uit. Agnès steekt haar hoofd nog even om de hoek van de deur en probeert Diplo gerust te stellen.

'Maak je maar geen zorgen! Het komt allemaal goed!'

De kunst van het spioneren, die in de crèche op niveau wordt beoefend, stelt Maryline, zodra Agnès haar deur heeft dichtgedaan, in staat om de gebeurtenissen vanuit de keuken te becommentariëren, waar ze een kopje koffie zit te drinken terwijl Martine aan het koken is.

'Wil je de horoscoop van de directrice? Die ziet er goed uit!'

'Ik hoef die onzin niet te lezen om te kunnen raden wat er in die horoscoop staat.'

En Martine verzint lachend: 'Het is vandaag niet uw geluksdag. Gezien de conjunctie van Saturnus en Venus worden de zaken er voor u niet eenvoudiger op. U zult overstelpt worden door werk. Oefen geduld en wees diplomatiek. Of: "Ik zie veel kinderen om u heen."'

Maryline is verontwaardigd.

'Dat is gemeen! Het is allemaal heel wetenschappelijk! Van die impresario van de Leopard Kings hadden ze het ook voorspeld. Geloof je me soms niet?'

Martine, verzoenend: 'Ik geloof alles wat je maar wilt.'

De deurbel onderbreekt het vruchtbare gesprek. Maryline gaat snel op onderzoek uit, net als Françoise, die ook al aan komt snellen. Het is de jeugdbegeleider, die ongeduldig begint te worden en maar niet begrijpt waarom men er zo lang over doet om de deur open te doen. Maryline vindt dat hij er niet slecht uitziet met zijn leren jasje, zijn aardige gezicht en zijn knappe glimlach.

Ze klampt Françoise aan.

'Krijg nou wat, heb je dat gezien, wat een vette kans! Kom op, aanvallen!'

Françoise is beledigd.

'Wat heb ik nou weer gedaan? Ik heb genoeg van die toespelingen van jou.'

'Welnee, liefje, doe niet zo paranoia. Ik heb het over die vent. Vind je hem niet gaaf? Type...'

'Je denkt toch niet dat ik alleen maar daaraan denk?'

Maryline, op een belerend toontje: 'Wacht! Hoe wil je de man van je leven vinden als je zo'n lekker stuk niet eens ziet staan? Je grote liefde komt echt niet uit de lucht vallen. Je moet er zelf achteraan, anders...'

'Hé, laat me met rust, wil je.'

'Oké, oké, maar ik heb je gewaarschuwd. Ik ga opendoen.'

Te laat. Diplo is al naar de deur gelopen, die ze een en al glimlach opendoet.

'De directrice is er. Ik heb gezegd dat u langs bent geweest. Ik breng u wel naar haar kantoor.'

Maryline en Françoise gaan voor hen opzij. Françoise bekijkt hem schuchter vanuit haar ooghoek. Maryline glimlacht geamuseerd.

Agnès, in haar kantoor, glimlacht helemaal niet.

'Als de rechter-commissaris me iets te zeggen had, had hij dat ook zelf kunnen doen.'

De jeugdbegeleider, redelijk kalm: 'Ik kan er niks aan doen. Zo gaat het nu eenmaal. Een kind blijft alleen achter, de rechter belt ons, de GDK. Daar is niets vreemds aan. Er bestaan regels, die moeten in acht worden genomen.'

Agnès staat op en glimlacht even ironisch.

'De regels in acht nemen. Goed, laten we regels in acht nemen. Hebt u een officiële beschikking?'

De jeugdbegeleider zoekt zonder een spier te vertrekken in de zak van zijn spijkerbroek.

'Hebt u die echt nodig?'

'Ja zeker! Alleen al om de regels in acht te nemen.'

De jeugdbegeleider begint ongehaast in de zak van zijn jasje te zoeken.

'Ik weet nooit waar ik mijn spullen laat, maar ik kan u meedelen dat mevrouw Salvaing is aangehouden voor verhoor en in voorarrest zit.'

Agnès verbleekt.

'Wat?'

'Ja, zo zit dat! Hier heb ik het.'

Hij vouwt het open en geeft het aan Agnès. Het is een fax, die ze met samengeknepen lippen en een ontdaan gezicht vluchtig doorleest. Het is inderdaad een beschikking tot voorlopige uithuisplaatsing. Agnès staat verslagen op.

'Arme Lisa. En ik kan niets doen. Alleen maar gehoorzamen.'

Ze wenkt de jeugdbegeleider om haar te volgen. Haar gang naar de babyafdeling heeft niets triomfantelijks. Iedereen kijkt haar tersluiks na, in een deuropening, door een raam. Agnès doet net of ze het niet ziet. Ze heeft tranen in haar ogen als ze naar binnen gaat. Ze draait zich om naar de jeugdbegeleider.

'Ik ga het Lisa vertellen en haar aankleden. Ik wil alleen nog even met haar praten. Daar heeft ze toch wel recht op, niet?'

Ze loopt naar Lisa. De jeugdbegeleider heeft er geen enkel bezwaar tegen.

Er wordt alweer aangebeld. In de hoop een beetje tijd te winnen rept Agnès zich naar de deur. De jeugdbegeleider kijkt haar met zijn handen in zijn zakken na. Achter de glazen deur staat een grote Afrikaanse man, keurig in het pak en met een deftig voorkomen. Agnès loopt naar de intercom. Ze wil de man niet binnenlaten.

'Wat is er van uw dienst?'

'Ik wil Madeleine zien, Madeleine Traoré.'

'Wie bent u?'

'Meneer Traoré, haar man.'

Agnès is stomverbaasd. De groepsleidsters, die er als eksters op af zijn gestoven, onthouden zich van commentaar. De smaakvol geklede man komt totaal niet overeen met het beeld dat ze van Madeleines man hadden.

'Het spijt me, maar Madeleine is er niet.'

Meneer Traoré gelooft haar niet.

'Alstublieft, mevrouw. Ik heb onenigheid met mijn vrouw gehad. We moeten praten.'

'Maar ik zeg u toch dat ze er niet is!'

'Wilt u haar op zijn minst vragen of ze even naar de deur wil komen? Als ze me ziet, laat ze me wel binnen.'

Agnès windt zich op.

'Ik zeg u voor de zoveelste keer dat ze er niet is! En ik heb wel andere dingen aan mijn...'

'En mijn kinderen, zijn die er dan niet?'

'Ik weet niet waar die zijn, waarschijnlijk bij hun moeder!'

Meneer Traoré pakt een zakdoek en wist zijn voorhoofd af. Hij aarzelt.

'U zult me wel belachelijk vinden, maar wilt u tegen haar zeggen dat ik me kom verontschuldigen?'

Agnès wordt boos.

'Madeleine heeft vandaag een vrije dag. Hebt u dat begrepen? Ze is er niet! Regel uw zaken waar u wilt, maar niet in de crèche!'

Meneer Traoré, onverstoorbaar maar gebroken: 'Mevrouw, ik weet dat u haar wilt beschermen en daar ben ik u heel dankbaar voor. Maar wilt u alstublieft tegen haar zeggen...'

Hij durft zijn zin haast niet af te maken, in de wetenschap dat iedereen kan horen wat hij zegt. Dan overwint hij zijn schaamte.

'Wilt u tegen haar zeggen dat ik heb besloten om te stoppen? Dat begrijpt ze wel.'

Agnès houdt het niet meer uit. Ze haalt haar vinger van de intercom. Meneer Traoré heeft het begrepen. Hij loopt weg van de deur en laat zich tegen de muur aan vallen.

Er heerst een verbijsterde stilte in de crèche terwijl Agnès weer tot zichzelf tracht te komen. De jeugdbegeleider loopt op haar af. Hij schraapt zijn keel.

'Het spijt me, maar het is al laat...'

Het is net of Agnès uit een nachtmerrie ontwaakt. Ze loopt als een automaat naar de babyafdeling. Ze gaat naar Lisa, bedenkt zich en draait zich om naar de jeugdbegeleider.

'Waar brengt u haar naartoe?'

'Naar het Saint-Vincent-de-Paul.'

Agnès stuift op.

'Wat? Het Saint-Vincent?'

'Ja zeker. Omdat we niet weten hoe lang het zal gaan duren, heeft het geen zin om noodopvang voor haar te regelen. Dit is de beste oplossing.'

Agnès springt uit elkaar van woede.

'U wilt haar op een slaapzaal kwakken? Met vijftig andere kinderen? Is dat wat u bedoelt?'

'Welnee... En het is maar voor een paar dagen!'

Agnès stormt op Lisa af en drukt haar stevig tegen zich aan. Ze kijkt de jeugdbegeleider met onverholen woede aan. Ze lijkt een besluit te hebben genomen. Ze laat het papier zien dat de jeugdbegeleider haar heeft gegeven en dat ze nog steeds in haar hand heeft.

'Is dit een officieel document?'

De jeugdbegeleider knikt.

'Nee, ik noem 't een fax! En een fax is geen rechtsgeldig document!'

De jeugdbegeleider trekt een zuur gezicht.

'Dat klopt, maar...'

'Dat klopt dus.... Als men de dingen volgens de regels wil doen, móét men ze ook volgens de regels doen.'

'U bent niet erg behulpzaam.'

'Om een kind nog ongelukkiger te maken? Nee. Zeg maar tegen die rechter van u dat we dit kind zullen leren om zich altijd aan de wet te houden!'

Agnès zet Lisa op de grond en roept de jeugdbegeleider na: 'Kom maar terug als u een officiële verordening hebt, en niet zo'n vodje! En zeg maar tegen de rechter dat het uitstekend gaat met het kind. En dat hij, als hij er meer van wil weten of wil laten weten, vooral niet moet aarzelen om me te bellen!'

De jeugdbegeleider houdt zich gedeisd en maakt zich uit de voeten, voor de ogen van het verbijsterde personeel.

Agnès probeert op de peuterafdeling weer tot rust te komen. Waarom zou ze Lisa niet helpen met kleien? Maar ze is nog te opgewonden om de dieren goed te krijgen die ze wil maken en ze be-

96

gint overnieuw. Dan fluistert Brigitte, de kinderpedagoge: 'Dokter Le Garridec is er.'

Agnès lijkt met haar gedachten heel ergens anders.

'Yves? Nu al?'

'Ja, het is tijd voor zijn visite.'

Agnès staat haastig op.

'Brigitte, doe me een plezier en val voor me in. Zeg maar dat ik het nu te druk heb.'

De dokter heeft de dossiers al uit het kantoor gepakt en is meteen aan zijn visite begonnen. Hij is heel voorzichtig en vriendelijk een kindje aan het onderzoeken. Zijn vijfenveertig jaar en zijn charme missen ook hun uitwerking niet op het personeel. Brigitte helpt hem met een jongetje uitkleden. Le Garridec is in een opperbest humeur.

'Vervangt u Agnès omdat ze siësta houdt?'

Brigitte is verontwaardigd.

'Dat mag u niet zeggen!'

Le Garridec is verbaasd over de felle toon.

'Heb ik iets verschrikkelijks gezegd?'

'Nee, dat is het niet. Neem me niet kwalijk. Ik moet u iets zeggen. Iedereen zal wel weer over me heen vallen, maar dat is dan pech gehad. U bent de enige die met Agnès kan praten, u kent elkaar al zo lang.'

Diplo komt erbij staan, dolblij dat Brigitte het onderwerp heeft aangesneden. Nu kan ze ook een duit in het zakje doen.

'Agnès wil er niemand bij betrekken, maar één ding is zeker: ze waagt zich op verboden terrein.'

Brigitte, begripvoller: 'Ze heeft er vast goede redenen voor, maar als ze iedereen tegen zich in het harnas jaagt...'

Le Garridec onderbreekt even zijn onderzoek van een roodachtig trommelvlies.

'Als u alles nu eens duidelijk uitlegt, zodat ik er ook iets van begrijp? En rustig graag.'

Groen licht voor Brigitte en Diplo, die de situatie van Lisa, van de moeder van Lisa, van Agnès krijsend uit de doeken doen, waarbij de een overdrijft en de ander er nog een schepje bovenop doet. Le Garridecs beheerstheid slaat om in woede. Hij breekt zijn spreekuur af en rent zonder te kloppen Agnès' kantoor binnen.

'Ben je gek geworden of zo? Denk je soms dat je moeder Teresa en Abbé Pierre ineen bent? Moet je alle ellende van de wereld op je schouders nemen? Je moet nu onmiddellijk de coördinatrice inschakelen.'

Agnès zegt niets en wendt zich af. Hij pakt haar bij de arm en bedaart.

'Oké, zal ik haar dan maar bellen?'

'Zodat ik een preek moet aanhoren?'

'Nee, omdat je dat hoort te doen!'

Agnès, heel vastberaden: 'Het spijt me, maar ik heb haar volstrekt niets te zeggen.'

Le Garridec pakt de telefoon en draait een nummer. Hij kijkt recht in de ogen van Agnès als aan de andere kant wordt opgenomen.

'Mevrouw Képler? Met Le Garridec. Ik ben bij Agnès Guerrimond en die wil u graag spreken. Ik geef haar nu.'

Hij houdt Agnès de hoorn voor, die ze niet wil aannemen. Ze maakt wanhopige gebaren. Maar Le Garridec laat zich niet uit het veld slaan. Agnès moet de hoorn nu wel aannemen. Ze mompelt met tegenzin: 'Ja, goedendag, ik geloof dat ik een foutje heb gemaakt.'

De overhaaste komst van de coördinatrice maakt duidelijk dat het geen 'foutje' is. Het is schelden en tieren ten overstaan van een zwijgende Le Garridec. De coördinatrice, nog buiten adem, blijft maar boos op een verbazingwekkend kalme Agnès. En ze drukt zich uit op een manier die men niet van haar gewend is.

'Realiseert u zich wel in wat voor klotepositie u me brengt? Als ze er boven achter komen, draai ík ervoor op.'

Agnès kijkt naar Le Garridec.

'Zie je, zíj draait ervoor op.'

Dan valt ze op vlakke toon aan: 'Luistert u eens, mevrouw Képler, als er iemand in een klotepositie zit, dan is het wel dit kind. U denkt alleen maar aan uw superieuren. Het spijt me zeer, maar ik denk aan een kind!'

Mevrouw Képler beheerst zich om het gesprek niet uit de hand te laten lopen.

'Denkt u dat ík daar niet aan denk? Dat die regels zomaar uit de lucht komen vallen? Ze zijn juist gemaakt om de kinderen te beschermen! Oké, een kind mee naar huis nemen is geen misdaad, maar straks kunt u niet meer terug. Een kind heeft slechte ouders, u neemt hun taak over. De dokters bevallen u niet, u gaat zelf behandelen. En waar ligt de grens? U bent geen bestrijder van alle onrecht, maar de directrice van een crèche!'

Agnès snoert haar de mond.

'Goed, ik mag dus geen gevoelens hebben. We stoppen Lisa in een tehuis, haar moeder zoekt het maar uit en wij wassen onze handen in onschuld. Is dat wat u wil?'

'Ik snap u wel. Ik begrijp heel goed wat u tegen me zegt. Maar u moet nadenken voordat...'

'Prima. Laten we nadenken.'

Agnès zet de deur op een kier alsof ze behoefte heeft aan frisse lucht. In de gang krijgt een moeder een rondleiding van Brigitte. Agnès grijpt haar kans. Ze wendt zich met een vaag glimlachje tot mevrouw Képler.

'Als u me wilt verontschuldigen, ik moet een moeder spreken, in verband met de gewenningsperiode van haar kind. Denkt u alvast maar na met de dokter, ik weet zeker dat hij geweldige ideeën heeft. Tot zo.'

Ze gaat er als een dief vandoor en doet de deur achter zich dicht. Mevrouw Képler en Le Garridec blijven alleen achter. De coördinatrice zucht.

'Ik zeg niet dat ze ongelijk heeft, maar ze heeft ook geen gelijk.'

Gelijk of niet, Agnès heeft zich die vraag niet gesteld. En Lisa, in de kamer van de zoon van Agnès, heeft zich onder de lakens verstopt. Ze zuigt op haar duim en kan elk moment in slaap vallen. Agnès zit naast haar en aait zachtjes over haar rug terwijl ze het antwoordapparaat afluistert, dat het ene na het andere bericht afspeelt.

De schrille stem van mevrouw Képler: 'U hebt zich niets van me aangetrokken, prima. U hebt me voor het personeel voor schut gezet, uitstekend. Maar het gaat nu om u. Wat u doet is volstrekt tegen de regels. U kunt me thuis bereiken, het kan allemaal nog geregeld worden.'

Agnès glimlacht. Ze gelooft er geen woord van. Lisa is in slaap gevallen.

De vertrouwde stem van Le Garridec: 'Luister, Agnès, ik weet dat je er bent. Ik moet absoluut met je praten. Agnès?'

Ze haalt haar schouders op.

Een onbekende stem, gedecideerd en ernstig: 'Met Huchon, de adjunct-directeur van de Dienst Kinderopvang. U lijkt zich kinderachtig of zelfs onverantwoordelijk te gedragen. Ik verzoek u morgen om 11 uur naar mijn kantoor te komen. Ik heb mevrouw Képler al verzocht om eveneens aanwezig te zijn. Goedenavond.'

Lisa slaapt heel diep. Agnès geeft haar een kus op haar voorhoofd en staat op om de stekker van de telefoon eruit te trekken. Laten ze nu maar bellen. Ze kunnen allemaal naar de duivel lopen! Ze gaat op de bank liggen. Ze kan niet meer. Ze is net ingedommeld als de bel gaat. Ze springt op, kijkt naar de telefoon, maar er wordt aan de deur gebeld. Ze staat gelaten op. Doet open. Mathias. Ze omhelst hem. Hij is een en al glimlach.

'Kan het vandaag?'

Ze gebaart dat hij zich stil moet houden. Ze wijst naar de kamer waar Lisa ligt te slapen. Mathias geeft haar een bos bloemen. Ze neemt hem met een droevige glimlach aan en legt hem zwijgend op tafel. Mathias loopt achter haar aan. Hij fluistert: 'Ik heb nog een ander cadeautje.'

Ze draait zich verbaasd om. Hij geeft haar een zuigfles die gevuld is met allerlei kleuren snoepjes. Het wordt Agnès te veel. Ze werpt zich in zijn armen en weet niet of ze moet huilen of lachen. Mathias drukt haar tegen zich aan en fluistert in haar oor: 'Ik wist niet eens of het kind hier nog zou zijn.'

'Ze slaapt.'

Agnès vlijt zich nog dichter tegen hem aan. Hij trekt haar mee naar de bank. Ze zucht.

'Iedereen zit me op mijn nek. En ik heb al drie nachten niet geslapen.'

Mathias wil opstaan.

'Zal ik iets te drinken of te eten voor je maken?'

'Nee. Blijf zitten.'

Ze legt haar hoofd op zijn schoot. Mathias streelt haar zacht.

Agnès is te moe om op zijn avances in te gaan. Ze laat hem begaan. Mathias knoopt voorzichtig haar bloesje open. Ze heeft haar ogen dicht. Een moment van geluk dat teniet wordt gedaan door de voordeurbel. Agnès gaat rechtop zitten en trekt haar kleren recht; ze lijkt wel een betrapte tiener. Ze heeft al haar energie weer terug.

'Wedden dat het de coördinatrice is? Ik wist wel dat ze me niet met rust zou laten. Maar wacht maar, dat wordt me een ontvangst! Ga even naar hiernaast. Het duurt niet lang. Snel.'

Ze gaat woedend de deur opendoen. Maar het is Le Garridec, die vriendelijk naar haar glimlacht. Ze is stomverbaasd en vaart tegen hem uit.

'Zo, kom jij nu de boodschap overbrengen?'

'Welke boodschap?'

'Of heeft ze je soms gevraagd om de toestand van mijn geestelijke gezondheid te peilen?'

Hij gaat naar binnen en pakt haar nogal hardhandig bij haar arm.

'Heb je het over Képler? Luister. Ik heb haar niets te zeggen. Ze heeft volkomen gelijk dat ze woedend is, maar dat is haar probleem. Dus hou je rustig en luister naar me. Ik wil me eerst verontschuldigen. Ik had haar niet meteen moeten bellen! Oké?'

Agnès accepteert zijn excuus, maar blijft woedend.

'Ben je er eindelijk achter? Wat bezielde je? Luister je wel eens naar mensen voordat je ze de stront in helpt?'

Le Garridec blijft rustig.

'Zullen we gaan zitten en erover praten?'

Hij neemt plaats op de bank, op de plaats waar enkele seconden geleden Mathias nog zat. Agnès aarzelt of ze naast hem zal gaan zitten. Hij vervolgt: 'Maar geef toe dat het niet erg slim van je was om er zomaar vandoor te gaan.'

Agnès kijkt hem uitdagend aan.

'Hoe nam Képler het op?'

'Daar gaat het niet om. Ik heb het niet zo handig aangepakt, maar ik wou je beschermen.'

Agnès blijft vijandig.

'Je was anders niet zo zeker van jezelf toen je na die shit in het ziekenhuis naar me toe kwam om hulp te zoeken. Ik heb je toen nooit veroordeeld.'

'Ga alsjeblieft geen oude koeien uit de sloot halen. Het gaat hier niet om mij, maar om jou en het kind.'

Agnès ijsbeert door haar huiskamer.

'En jij gaat me vertellen dat ik haar in een tehuis moet stoppen. Je hebt volkomen gelijk, maar ik wil het en ik kan het niet. Het is sterker dan mezelf.'

'De tehuizen zijn veranderd, Agnès.'

Ze komt opeens naast hem zitten.

'Dacht je dat ik niet wist dat die grote slaapzaal met vijftig bedden verleden tijd is! Dacht je dat ik niet wist dat ze de muren hebben geschilderd, de kleur van de bedden hebben veranderd en dat er veel meer personeel is? Maar is dat echt een verandering? Het zijn niet de mensen of de omgeving waar het om gaat. Het gaat om een kind dat zich verlaten voelt, en al verander je het decor, het kind voelt zich even ellendig.'

Agnès is elders met haar gedachten. Le Garridec pakt haar hand. Op hetzelfde moment doet Mathias, die ongeduldig begint te worden, de deur een stukje open, neemt de situatie in ogenschouw die hij op zijn manier interpreteert en verbergt zich dan weer.

Agnès' stem klinkt schor.

'Er is geen haast bij in Lisa's geval. In ieder geval niet zo'n haast dat ze onmiddellijk in een tehuis moet worden geplaatst. Ik kan haar bij me houden totdat we weten wat er met haar moeder gaat gebeuren.'

Le Garridec staat op.

'Maar het is stom om dat in je eentje te besluiten.'

Agnès staat ook op en loopt naar de kamer van Lisa.

'Dacht je dat ik niet wist dat ik iets stoms heb gedaan? Maar na de eerste stap kun je niet meer terug.'

Ze staan met zijn tweeën in de deuropening van Lisa's kamer. Ze kijken naar het slapende kind. Agnès huilt zachtjes.

'Ik zal haar morgen wel móéten laten gaan.'

'Je kunt de rechter vragen om het kind aan jou toe te wijzen. Niet als directrice van de crèche, maar als jezelf.'

'Ja, natuurlijk ga ik hem dat vragen. Maar hoe lang zal het duren voordat hij een besluit heeft genomen?'

Le Garridec legt zijn hand op Agnès' schouder. Ze lopen langzaam naar de voordeur. Le Garridec gaat ervandoor. Agnès stelt hem nog één vraag.

'Weet jij hoe je kunt voorkomen dat bepaalde herinneringen weer naar boven komen?'

'Nee. En ik heb toch echt naar een manier gezocht.'

'Zoek maar niet te veel. En bovendien, als je echt zou kunnen vergeten, zou je nooit in opstand komen. Kom, ga maar gauw.'

Ze zoenen elkaar op de wang.

Hij gaat ervandoor. Ze doet zachtjes de deur achter hem dicht, wacht tot hij de tijd heeft gehad om de trap af te gaan en roept dan: 'Mathias. Het spijt me.'

Mathias komt eindelijk tevoorschijn, woedend en gehaast.

'En terecht. Ik moet om tien uur weg.'

Agnès, geamuseerd, ironisch: 'Word je vrouw anders ongerust?'

'Dat is gemeen. Was dat een ex van je?'

'Yves?'

Ze moet lachen om het idee.

'Nee, hoor. Gewoon een vriend. Tenminste, dat geloof ik.'

'Nogal liefhebbend voor een vriend. Wat ik ervan gezien heb.'

Agnès, opeens heel kortaf: 'Dat heb je dan niet goed gezien.'

Ze doet een stap achteruit en kijkt hem gespannen aan.

'Je hebt haast, hè?'

Stilte. Hij heeft het begrepen. Hij doet zijn jas aan.

'Dit is al de derde avond dat je me eruit gooit.'

'Nee, vanavond ga je zelf, om bij je vrouw te zijn.'

Mathias, met moeite: 'Wanneer zien we elkaar weer?'

'Ik weet het niet.'

'Is het afgelopen? Ik bedoel met ons?'

'Vind je dan dat het begonnen is?'

Hij vertrekt geen spier en loopt zonder een woord de deur uit.

Hij is nog niet weg of ze heeft spijt en maakt een loos gebaar alsof ze hem wil tegenhouden, en dan nog één, dat zoiets betekent als 'wat heeft het ook voor zin?'

De volgende ochtend, vlak voor elven, ergens in de gangen van een overheidsgebouw dat nog niet is overgegaan op de kantoortuin – potplanten, groen in alle soorten en maten en iedereen houdt iedereen in de gaten – zitten Agnès en mevrouw Képler zij aan zij te wedijveren in vriendelijkheid. Mevrouw Képler wordt boos: 'U hoeft niet zo'n toon tegen me aan te slaan!'

'Oké, laten we dan maar zwijgen.'

'Maar begrijp het dan! Als iedereen hetzelfde zou doen als u!'

'Wel, dan zou iedereen bij de adjunct-directeur moeten komen. En dat zou een probleem zijn, want er is niet genoeg plaats!'

Mevrouw Képler zwijgt, maar kan zich niet inhouden.

'Het feit dat u een kind van de kinderbescherming bent, geeft u nog niet het recht om...'

Agnès verbleekt.

'Wie heeft u dat verteld?'

'Le Garridec. Hij deed niets anders dan uw gedrag goedpraten terwijl u ons voor gek zette. Hij heeft het ook tegen het personeel gezegd.'

'Maar is hij helemaal! Waarom moest hij over mijn leven vertellen?'

'Om te voorkomen dat u in ieders ogen voor een onbezonnen gek zou doorgaan. Ik was zelfs bereid om naar u te luisteren, begrip te hebben...'

'Ik heb uw medelijden niet nodig, en als u me zo slecht opgevoed vindt, moet u zich maar bij de Raad voor de Kinderbescherming gaan beklagen.'

Mevrouw Képler klemt haar kiezen op elkaar. In het kantoor van de adjunct-directeur lijkt ze meer op haar gemak. Meneer Huchon, die zijn ambt erg serieus neemt, begint aan zijn berisping terwijl hij door Agnès' dossier bladert, dat duidelijk zichtbaar voor hem ligt.

'Mevrouw Guerrimond, ik moet toegeven dat u zeer goed bekendstaat en dat de rapporten over uw functioneren uitstekend zijn. Maar als ik het reglement toepas...'

Agnès is woedend.

'Dat reglement houdt geen rekening met kinderen!'

Meneer Huchon, zoetsappig: 'Mevrouw, als we zo doorgaan,

vinden we geen oplossing. En het is in niemands belang om opschudding te veroorzaken.'

'Daar gaat het niet om. Ziet u in uw functie wel eens een kind? Nee. U zit hier een jaar of wat en wordt daarna overgeplaatst naar financiën of de plantsoenendienst. Ik weet niet eens of u wel eens een crèche vanbinnen hebt gezien! Maar wij moeten door met de kinderen, opschudding of niet!'

Agnès' felheid stuit slechts op de onverstoorbare rust van meneer Huchon.

'Het is niet mijn taak om deskundig te zijn op het gebied van kleine kinderen, maar om ervoor te zorgen dat de regels worden toegepast. En in die hoedanigheid ben ik gedwongen uw geval aan de commissie voor te leggen.'

Agnès nestelt zich in haar stoel.

'Als het moet...'

'En ik zal een officiële berisping voorstellen. Enerzijds vanwege uw "initiatieven" met betrekking tot de kleine Salvaing, en anderzijds voor de wijze waarop u zich tegen uw coördinatrice hebt gedragen.'

Mevrouw Képler komt tussenbeide.

'Ik zal er geen melding van maken.'

Agnès kijkt haar stomverbaasd aan. Mevrouw Képler vermijdt haar blik en vervolgt: 'Overigens, als ik zo vrij mag zijn, is het feit dat mevrouw Guerrimond het kind drie nachten bij zich heeft gehouden, nu ook weer niet zó ernstig. Ze dacht dat de moeder snel zou worden vrijgelaten en was daarom van mening dat het in het belang van het kind was.'

De adjunct-directeur, verbaasd: 'Als ik het goed begrijp, is iedereen het achter mijn rug al eens geworden?'

'Zoiets, ja.'

Mevrouw Képler kijkt naar Agnès, die er niets van begrijpt en haar ogen neerslaat. De adjunct-directeur, die een mogelijke oplossing ziet: 'En wat bent u nu van plan?'

'Het is wel zeker dat de kleine Lisa op bevel van de kinderrechter vanmiddag nog aan de GDK zal worden toevertrouwd.'

Agnès gaapt haar aan.

'U kunt dat bevestigen, mevrouw Guerrimond?'

'Ja zeker. Ik zie niet hoe ik haar een halfjaar bij me kan houden als haar moeder in hechtenis zit. Maar ik ben in dat geval wel van plan om de rechter op persoonlijke titel te verzoeken het kind aan mij toe te wijzen.'

Meneer Huchon slaat Agnès' dossier dicht en staat op.

'Dat lijkt me heel verstandig.'

Agnès glimlacht flauwtjes naar mevrouw Képler.

En als ze later in haar auto stapt, zwaait ze zelfs even naar haar. Het moeilijkste komt nog: het personeel onder ogen komen. Grote goden, waarom moest Yves hun dat nou vertellen?

Ze stapt uit haar auto, kijkt naar de crèche. Ze krijgt geen voet voor de andere. Maar het moet. Ze gaat naar binnen. Alle groepsleidsters die niet met de kinderen bezig zijn, staan haar op een kluitje in het atrium op te wachten. Agnès kijkt hen verbaasd aan. Ze stoten elkaar aan en durven geen van allen te zeggen wat ze te zeggen hebben. Agnès wordt ongerust. Dan stapt Madeleine naar voren, verkrampt en slecht op haar gemak.

'Agnès...'

'Ha, Madeleine, je bent terug. Is alles opgelost?'

'Ja. Of eigenlijk nee. Mijn kinderen zijn bij mijn zus.'

'En ben je niet bang dat...'

'Ze staat haar mannetje! Maar er is iets anders.'

Agnès kijkt haar nauwelijks aan.

'De jeugdbegeleider is weer langs geweest.'

Agnès vermoedde het al, maar reageert niet. Dan stapt Françoise naar voren.

'Hij heeft Lisa meegenomen. En natuurlijk waren zijn papieren nu wel in orde.'

Agnès knikt een paar keer achter elkaar. Instemming van de wanhoop. Ze glimlacht geforceerd.

'Dat is ook normaal, nietwaar?'

Niemand durft te antwoorden. Brigitte verbreekt de beklemmende stilte.

'Neem me niet kwalijk. Meneer en mevrouw Boulhame wachten met hun baby op een rondleiding door de crèche. Zal ík ze ontvangen?'

'Nee, nee. Dank je wel, Brigitte.'

Agnès leidt de ouders langzaam rond langs alle afdelingen. Hun kind begint morgen al aan de gewenningsperiode. Ze dwingt zichzelf alles uit te leggen, maar op haar gezicht is te lezen dat ze liever niets zou zeggen. Er weerklinkt gebrul. Maryline komt aanrennen.

'Agnès! Agnès!'

'Wat nu weer?'

'Mevrouw Salvaing!'

'Hoezo, mevrouw Salvaing?'

'Ja, die is er!'

Agnès doet een paar stappen naar voren. Ze ziet mevrouw Salvaing en haar advocaat voor de deur staan. Ze geeft Maryline een duwtje.

'Waar wacht u op? Doe open!'

Ze wendt zich tot meneer en mevrouw Boulhame en excuseert zich met een 'sorry, maar het is echt zeer dringend'. En met een knikje naar Brigitte vraagt ze haar haar plaats in te nemen. De ouders begrijpen er niets van. Ze rent naar mevrouw Salvaing.

'Ze hebben u eindelijk vrijgelaten!'

Mevrouw Salvaing kijkt haar nogal onvriendelijk aan.

'Ik kom Lisa halen.'

Agnès kijkt om zich heen, op zoek naar hulp die niet komt.

'Lisa?'

'Wat is er? Vindt u dat raar?'

Agnès wil haar arm vastpakken. Mevrouw Salvaing schudt haar af.

'Lisa is hier niet meer. De Gerechtelijke Dienst Kinderbescherming heeft haar vanochtend onder haar hoede genomen.'

'De wat? Maar ze was onder úw hoede.'

'Ik weet het, maar ik kon niets doen.'

'U wilde eerst al niet dat meester...'

Hoe meer mevrouw Salvaing zich opwindt en schreeuwt, des te kalmer Agnès haar probeert toe te spreken.

'Dat kon ik niet, mevrouw Salvaing... En vanochtend, toen ik er niet was, hebben ze Lisa meegenomen.'

'Waarom? U was er niet?'

Agnès is wanhopig.

'Ik was op dat moment net...'

De arme moeder stort zich op Agnès.

'Geef mijn kind terug. Geef mijn kind terug!'

De advocate weet niet wat ze moet doen. Dan grijpt Diplo in. Ze houdt mevrouw Salvaing met al haar kracht in bedwang en probeert haar tot rede te brengen.

'Dat mag u niet tegen haar zeggen. Ze zorgt nu al drie dagen voor Lisa, tegen alles en iedereen in. Ze heeft gedaan wat ze kon. Lisa heeft bij haar geslapen!'

Agnès vraagt Michelle op te houden.

'Nee, ik hou niet op. Ze moet het weten.'

Diplo pakt mevrouw Salvaing vast en kijkt haar recht in de ogen.

'Zonder de directrice had Lisa al vanaf de eerste dag in dat tehuis gezeten!'

Mevrouw Salvaing maakt opeens een totaal verslagen indruk.

'Maar waar is ze nu?'

Agnès pakt haar bij de arm.

'Als ze weten dat u vrij bent, zullen ze haar meteen aan u meegeven. Wees maar niet bang. Kom mee.'

Agnès rijdt zo snel als ze kan. Mevrouw Salvaing zit naast haar. De advocate op de achterbank. Lisa's moeder legt uit: 'Ik nam altijd werk mee naar huis. En zo kon mijn man dat chequeboekje stelen. Ik kon dat niet weten, vooral omdat we toen al niet meer tegen elkaar praatten. Toen hij het huis verliet, heeft hij die cheques uitgeschreven.'

De advocate komt tussenbeide. 'Hij heeft dat hele chequeboekje in twee dagen opgebruikt en is verdwenen. We denken dat hij in Spanje zit.'

'Ik kon de rechter-commissaris er maar niet van overtuigen dat ik er niets van af wist.'

Agnès moet machteloos naar een gesprek luisteren waar ze helemaal geen behoefte aan heeft. Ze is al bij het tehuis. Ze heeft migraine.

'Jawel, u had hem wel overtuigd. Maar hij wou u tot het uiterste drijven. Hij dacht dat u nog invloed had op uw man. En hij gebruikte Lisa om u te chanteren. Gelukkig heeft het parket hem vanochtend in het ongelijk gesteld.'

Mevrouw Salvaing is ten einde raad.

'Ik wist niet eens dat mijn man een oplichter was. Kunt u zich voorstellen? Ik wist niet dat hij al eens veroordeeld was.'

Agnès remt voor het Saint-Vincent-de-Paul.

'Hier is het. Ga maar vast naar binnen. Ik parkeer de auto en kom zo.'

Dan vertrekt haar gezicht.

'Ik weet niet of ik wel kan opbrengen om daar naar binnen te gaan. Zo niet, dan blijf ik buiten op u wachten.'

Mevrouw Salvaing en de advocate rennen het tehuis in.

Wat later gaat Agnès er aarzelend naar binnen. Ze loopt heel langzaam en kijkt om zich heen, op zoek naar herkenning of een herinnering. De advocate komt naar haar toe.

'Het is allemaal in orde. Ze brengen haar naar haar dochter. De rechter had hen al op de hoogte gesteld.'

Ze lopen door de gangen naar waar de zalen van de kinderen zijn. Agnès praat in zichzelf. 'Ik ben hier nooit meer terug geweest. Het ziet er zo toch gezelliger uit. En ik geloof niet dat er toen zoveel personeel was. Het is inderdaad veranderd.'

'Veranderd? Sinds wanneer?'

Agnès geeft geen antwoord. Ze slaakt alleen een diepe zucht. Ze komen bij de zaal waar mevrouw Salvaing zich bij Lisa heeft gevoegd. Het is een ruimte als in de crèche: vier of vijf kinderen. Vrolijke kleuren, die Agnès verrassen. Ze horen gehuil en gebrul. Het is afkomstig van Lisa, die het bij het zien van haar moeder op een brullen heeft gezet en zich nu tegen de muur aan drukt alsof ze haar wil ontvluchten. Mevrouw Salvaing begrijpt er niets van. Ze kijkt hulpeloos achterom. Agnès maakt een bemoedigend gebaar. Mevrouw Salvaing gaat nog een stukje naar voren. Haar dochter begint nog harder te brullen.

Agnès legt de advocate op gedempte toon uit: 'Dat is normaal. Nu ze haar ziet, realiseert ze zich pas dat ze haar vier dagen niet heeft gezien, en daar laat ze haar nu voor boeten. Maar dat duurt niet lang.'

Ze wenkt nogmaals naar de moeder, die trillend een hand op

het kind legt, dat haar lijkt af te wijzen. Ze doet nog een stap naar voren, tilt haar dan op en neemt haar in haar armen. Ditmaal vlijt Lisa zich tegen haar aan. Ze komt langzaam maar zeker tot bedaren, hikt nog wat na, maar is dan eindelijk gekalmeerd. Alleen haar ademhaling is nog wat hortend. Haar moeder drukt haar stevig tegen zich aan. Lisa legt haar hoofd op haar arm. En daaroverheen richt haar blik zich op Agnès. Met een klein glimlachje.

3 Andermans schuld

Tijdens de ochtendpauze doet Maryline, gekleed in een provocerende nieuwe outfit, koffie in het filter van het koffiezetapparaat.

Françoise neemt haar verbijsterd op en vraagt vriendelijk als Maryline met haar rug naar haar toe staat: 'Schenk je ook voor mij in? Daar zal ik van opknappen!'

Maryline neemt niet de moeite om zich om te draaien.

'Van iets anders zou je veel meer opknappen.'

Françoise begrijpt het niet. Maryline, in één adem door: 'Nee, niet van koffie, maar van een kerel!'

Françoise is verontwaardigd.

'Hou op!'

'Je weet best dat ik gelijk heb. Wat heb je gisteravond gedaan? Twee films achter elkaar? Word je het niet zat?'

Het gesprek raakt verhit. Françoise verweert zich tegen die onverhoedse aanval.

'Jij denkt toch zeker alleen maar aan je muziek?'

'Nee! Ik denk aan mijn gozer, en door hem denk ik aan muziek. Een gozer! Weet je wel wat dat is? Wat heb je eraan om je tijd in de bios te verdoen? Brigitte heeft gelijk, je verstopt je in het donker. Je moet je laten zien, anders... Oké, je bent wat mollig, maar er zijn wel lelijker grieten die een vent aan de haak hebben geslagen. Denk maar niet dat je er een in het donker vindt!'

Françoise wil dat ze haar mond houdt, stormt op haar af en geeft haar een zet. Ze argumenteert op haar manier. En het is niet veel briljanter.

'Moet ik soms iets over je haar zeggen, dat je zo vaak verft dat niemand weet wat voor kleur het is?'

Dat komt aan. Maryline slikt en kalmeert. Dan reikt ze Françoise met een innemende glimlach een kopje koffie aan.

'Ik zeg het voor je eigen bestwil.'

Françoise zet het op een schreeuwen.

'Je kan die koffie van je houden!'

Madeleine, die net aan komt lopen en Françoise woedend naar buiten ziet stormen, vraagt aan Maryline: 'Wat heb je nu weer voor vreselijks tegen haar gezegd? Hou je eens een beetje in. Ben je nou helemaal!'

Maryline lacht zelfvoldaan, zich totaal niet bewust dat ze Françoise heeft gekwetst.

'Ik geloof dat ik haar dit keer echt door elkaar heb geschud. Zo moet je haar aanpakken. Ze is bang voor kerels, stel je voor! Ze slaan haar echt niet in elkaar, hoor!'

Madeleines blik wordt hard, haar gezicht verstrakt.

'Nee, je hebt gelijk, ze slaan haar echt niet in elkaar.'

Maryline realiseert zich te laat dat ze een flater heeft geslagen. Het schiet haar weer te binnen hoe de kinderen van Madeleine zich in de crèche hadden verstopt om aan het vaderlijk geweld te ontkomen. Ze probeert haar fout op acrobatische zij het catastrofale wijze te herstellen.

'Ik had het over Françoise.'

'Ik weet het.'

Maryline bijt op haar lippen en werkt zich alleen nog maar meer in de nesten als ze zegt: 'Tussen twee haakjes, afijn, ik bedoel, hoe gaat het nu met jou? Hoe vinden je kinderen het dat hun vader weer thuis is?'

Madeleine, met klankloze stem: 'Hoe bedoel je "hoe"? Het is hun vader.'

'Ja, daarom juist. Met alles wat er is gebeurd.'

Madeleine geeft geen antwoord en wendt zich af. Maryline voelt zich ellendig en maakt zich mompelend uit de voeten: 'Ik ga maar, ik moet de *bottles* nog maken.'

Madeleine schenkt zichzelf heel kalm een kopje koffie in.

Op de babyafdeling piekert Maryline nog na over de stommiteit die ze heeft begaan, terwijl ze ondertussen de flessen klaarmaakt. Diplo is druk bezig de kleine Margot te verschonen. Ze kijkt bezorgd, draait zich om naar Maryline, aarzelt, buigt zich opnieuw over Margot en mompelt dan schuchter: 'Maryline, wil je even komen kijken?'

'Wat? Kun je het niet alleen af?'

Diplo aarzelt weer, trekt Margot haar pyjamabroek aan, stopt en probeert het opnieuw, op gedempte toon: 'Maryline, alsjeblieft, kom nou kijken.'

Maryline laat haar flessen in de steek, komt erbij staan en zegt opgewekt: 'En hoe gaat het met mijn kleine Margot?'

Diplo gaat nog zachter praten.

'Daar, kijk. Wat is dat volgens jou?'

Ze wijst op de beentjes van de baby. Maryline, volstrekt argeloos: 'Dat zijn blauwe plekken.'

Diplo trekt een gezicht van 'dacht ik het niet?'.

'En zegt je dat niets, blauwe plekken?'

Maryline barst in lachen uit.

'Ja, natuurlijk zegt me dat wat. Zondag nog. Kijk maar.'

Ze doet haar T-shirt omhoog en wijst op een enorme bloeduitstorting op haar heup.

'Pijn dat het deed! Ik zit op mijn hurken, ik sta op en ik stoot me toch tegen dat drumstel! Ik weet dus alles van blauwe plekken, dank u wel!'

Diplo, die het nog steeds niet kan geloven, heeft Margot in haar armen genomen.

'Maar dit, kijk nou, dat is toch...'

Maryline maakt nu geen grapjes meer. 'Je gaat toch van een mug geen olifant maken! Kinderen vallen en stoten zich nu eenmaal, dat hoort erbij! Dat weet je toch wel? Ben je nieuw of zo?'

Ze keert terug naar haar flessen. Diplo kijkt geërgerd de gang in en roept Nathalie, die net aan komt lopen.

'Wat is er aan de hand?'

Nog voordat Diplo haar mond kan opendoen, zegt Maryline: 'Het einde van de wereld, op zijn minst! Ik weet niet wat er in de lucht zit, maar het is vandaag geen lolletje met die wijven. Ik ben de enige die in topvorm is. Oké, dat komt op maandag niet vaak voor, maar voor alles is er een eerste keer.'

Nathalie verdwijnt even snel als ze gekomen is. Diplo dringt niet aan en begint de kleine Margot in gedachten verzonken langzaam weer aan te kleden.

Het lijkt vandaag wel een schoonheidswedstrijd. Op de peuterafdeling bereidt Brigitte, de kinderpedagoge, nog overdrevener elegant gekleed dan normaal, haar schilderles voor. Ze past goed op dat ze haar keurig gelakte nagels niet vuilmaakt, die ze onophoudelijk inspecteert terwijl ze potjes verf, penselen en yoghurtbakjes in het gelid zet. Madeleine trekt de kinderen veel te lange oude overhemden aan. De kleine Arnaud wil niet dat ze zijn mouwen opschort. Ze glimlacht.

Uit Agnès' kantoor klinkt het geschreeuw van een mannenstem.

'Maar ik zeg u toch dat ik voor de gemeente werk! Ik heb voorrang bij plaatsing van mijn kind. Dat is een recht, weet u wel wat dat is?'

Agnès heeft haar deur kennelijk dichtgedaan. Het gebrul is niet meer te horen.

Nathalie komt met een grote stapel kleurboeken in haar armen de peuterafdeling in en legt ze neer. Ze zegt lachend: 'Als hij denkt dat hij door Agnès met dat soort argumenten om de oren te slaan ook maar iets verder komt, ziet het er belazerd voor hem uit!'

Madeleine knikt instemmend, maar Brigitte neemt het tegen alle verwachting voor de schreeuwlelijk op: 'Ik kan die ouders wel begrijpen. Ze moeten een plaats hebben en die is er nooit. Het is logisch dat ze zich opwinden.'

Sophie en Madeleine kijken elkaar verbijsterd aan. Madeleine gaat in de tegenaanval. 'Ja, maar jíj kunt toveren, je hoeft maar met je vingers te knippen en, hopla, er komt een plaats vrij! Kun je trouwens, nu je toch bezig bent, niet een vijfkamerwoning voor mij en mijn drie jongens regelen? Niet te duur en in de buurt van de crèche. En o ja, we willen er graag morgen al in.'

En ze knipt voor de grap met haar vingers, als een tovenaar. Brigitte voelt zich op haar nummer gezet en kijkt naar haar nagels.

Agnès kijkt in haar kantoor naar de man, die maar niet op wil geven. Een vreemde blik, tussen woede en minachting in.

'Bij het gemeentehuis sturen ze me hierheen. En u stuurt me weer naar het gemeentehuis! Denkt u soms dat de mensen achterlijk zijn? Moet ik mijn connecties soms aanwenden, is dat het?'

Agnès blijft onverstoorbaar.

'Luister, ik heb plaats voor tien baby's. Uw connecties kunnen op hun hoofd gaan staan, maar daar komt geen wieg door vrij!'

De man bedaart en kiest nu voor een nog irritantere tactiek.

'Ik ben bereid om het volle tarief te betalen, zelfs al heb ik recht op een gereduceerd tarief. Ik weet heus wel dat er kinderen zijn die plaatsen bezet houden terwijl hun ouders niet kunnen betalen.'

Agnès wordt kwaad: 'En waar haalt u die informatie vandaan? Wat is dat voor kletspraat?'

Er wordt op de deur geklopt. Het is Nathalie.

'Agnès! Snel, het is Sophie!'

Agnès laat de bedelende man plompverloren staan en haast zich naar de dreumesafdeling.

Sophie ziet er helemaal niet goed uit. Ze wordt ondersteund door Antoinette en is doodsbleek. Ze wankelt, duwt Antoinette van zich af, doet een paar stappen naar de muur en zakt krachteloos in elkaar voordat iemand te hulp kan schieten. Agnès snelt toe. Antoinette ligt al op haar knieën. Ze tikt Sophie zachtjes op haar wangen. Agnès, die wat minder bang uitgevallen is, slaat haar tot verbijstering van de groepsleidsters keihard in het gezicht. Maar Sophie doet haar ogen open en maakt een geruststellend gebaar. Ze mompelt: 'Het is niets, het is niets.'

Agnès helpt haar overeind en trekt een zuur gezicht als ze merkt dat de zeurpiet achter haar staat. Haar blik snoert hem de mond. Ze kijkt naar Antoinette en dan naar Françoise, die ook is aan komen rennen.

'Ik regel het wel. Laat de kinderen niet alleen.'

Antoinette gehoorzaamt, schoorvoetend gevolgd door Françoise. Diplo, die de deuropening van de babyafdeling staat, ziet hen voorbijkomen en zegt: 'Echt, jullie zien ook niks! Jullie hebben ook niks door!'

Maar wie kan nou weten wat Sophie haar heeft verteld? Dat ze heeft besloten haar kindje te houden?

115

Françoise protesteert: 'Zeg dan wat ze heeft, betweter dat je bent!'

Maryline steekt achter Diplo haar hoofd naar buiten. Ze heeft nog steeds de pest in.

'Heeft Sophie nu ook al van die vreemde blauwe plekken? Pas op, meiden, ze vindt straks overal blauwe plekken. Bij jullie ook, nietwaar Diplo?'

'Ach, stomme trut.'

En ze duwt Maryline opzij en gaat naar binnen.

Maryline houdt de hal in de gaten. Sophie ziet er alweer wat beter uit. Agnès dringt aan: 'Ga naar huis en rust uit. We redden het wel, echt.'

'Nee, nee, het gaat prima.'

'Geen sprake van. Je gaat naar huis. Ik bel een taxi.'

Ze zet Sophie in een stoel en gaat naar haar kantoor. Meneer de plakkerd loopt nog steeds achter haar aan. Hij kijkt toe terwijl Agnès een nummer draait, en zegt dan op kruiperige toon: 'Ik geloof dat ik u beter alleen kan laten. Het spijt me zeer. Ik had me niet zo moeten opwinden.'

'Te laat. Het is gebeurd. Maar wees maar niet bang. Als uw kind ooit een plaats krijgt, zullen we er net zo goed voor zorgen als voor de kinderen van al die ouders die niet betalen.'

Agnès is iemand die niet snel vergeet, en de man maakt dat hij wegkomt.

De taxi is er. Agnès helpt Sophie instappen. Diplo staat door het raam bezorgd toe te kijken. Als de taxi wegrijdt, kan Agnès uitblazen. Maar bij de eerste stap die ze zet vertrekt haar gezicht. Een scherpe pijn in haar knie. Ze hinkt terug naar haar kantoor.

Een strompeldag.

Een geheimzinnig uitje. Wat doet Diplo daar bij die flats in die buitenwijk, met een papiertje in haar hand, op zoek naar het juiste adres?

Ze vindt het in weerwil van een onbehulpzaam groepje jongeren dat 'oma' hun flat ziet binnengaan. Ze neemt de lift en loopt een lange gang in. Het licht gaat uit. Ze doet het weer aan, vindt tenslotte de goede deur en drukt op de bel. Er is een zekere verbazing op haar gezicht te lezen als er een man opendoet. In de dertig, in trainingspak en met de verstoorde blik van iemand die midden in een televisieserie zit die nu zonder hem verdergaat.

'Wie moet u hebben?'

Hij heeft een lijzige stem. Diplo heeft al geraden dat ze de fameuze Eric tegenover zich heeft, over wie Sophie het zo vaak heeft gehad.

'Neem me niet kwalijk, ik kom voor Sophie.'

Ze wil naar binnen gaan. Eén stap. Hij verspert haar de weg.

'Sophie? Die is er niet! Ze had vanavond een vergadering in de crèche. Alsof ze al niet hard genoeg werkt! We zien elkaar nooit!'

Diplo begrijpt meteen dat ze niet had moeten komen. Ze probeert haar fout zo goed mogelijk te herstellen. 'Een vergadering? Ach ja, natuurlijk, dat zei ze nog. Je wordt zo vergeetachtig op je ouwe dag. Neem me niet kwalijk. Kunt u tegen haar zeggen dat Diplo, of liever Michelle, langs is geweest? Goedenavond, meneer.'

En ze gaat er als een dief vandoor. Het is pikdonker buiten. Sophies petieterige silhouet trippelt langzaam langs het flatgebouw. Ze aarzelt voordat ze de paar treden neemt die naar de hal toe leiden. Plotseling gaat het licht aan. Diplo doemt voor haar op. Sophie deinst geschrokken terug voordat ze haar herkent.

'Wat doe jij daar?'

'Ik? Niets. Ik stond op jou te wachten.'

'Waarom?'

'Zomaar. Na wat er gebeurd is. Ik dacht, misschien heb je er wel behoefte aan.'

Sophie kijkt op. Dan barst ze in tranen uit en vlucht in Diplo's armen. Een paar seconden, en ze herstelt zich weer. Ze maakt zich los uit Diplo's armen, doet een stap achteruit en wijst op haar buik.

'Is het al te zien, denk je?'

Diplo trekt een pruilmondje.

'Nee, nog niet.'

Sophie is meteen ongerust.

'Op een dag moet hij het toch in de gaten krijgen.'

Ze geeft Diplo de tijd niet om haar gerust te stellen.

'Daarom durf ik niet naar huis. Als ik uit de crèche kom, neem ik me elke dag weer voor om het tegen hem te zeggen, maar ik kan het niet.'

Diplo, meteen: 'Wil je dat ik het hem samen met jou ga vertellen?'

Sophie trekt haar schouders in en bedankt haar met een bleek glimlachje.

'Nee, laat me maar. Dat is beter, laat me maar.'

Ze rent naar de lift. Diplo blijft alleen achter in de hal. Terwijl ze juist goed dacht te doen.

Morgen is er weer een dag. Een jongetje van vijf met een schooltas op zijn rug is voor de babyafdeling druk met een autootje aan het spelen, dat hij bij binnenkomst heeft opgepakt. Marguerite, de imposante juffrouw van de linnenkamer, komt aanlopen met een pak luiers in haar hand. Ze is blij om hem te zien.

'Zo Antoine, kom je ons eens opzoeken? Dat is aardig van je. Maar heb je gezien hoe laat het is? Je juf zet straks heel grote ogen op, net als een uil.'

Ze doet het voor. Antoine barst in lachen uit en begint zich meteen te verontschuldigen.

'Dat is niet mijn schuld, Pauline heeft ons veel te laat wakker gemaakt!'

Hij wijst op een meisje van een jaar of twintig dat zijn kleine zusje Margot in allerijl haar mutsje afdoet. Ze maakt een gehaaste indruk en Diplo komt haar rustig en vriendelijk te hulp, met een knipoog naar Antoine.

'Laat maar, meisje, laat maar. Antoine mag niet te laat komen.'

Dat laat Pauline zich geen twee keer zeggen. Ze pakt ijlings haar tas op, rent naar Antoine, trekt hem aan de mouw van zijn jack mee en rukt het autootje uit zijn hand. Ze foetert.

'Kom, snel! Waar heb je dat vandaan? Leg terug. Ik had toch gezegd dat je rustig moest blijven wachten? Kom, rennen, ik wil mijn college niet wéér missen!'

Pauline sleurt hem zonder pardon naar de uitgang. Antoine kijkt achterom, hij vindt het jammer dat hij weg moet. Diplo haalt afkeurend haar schouders op over zo'n liefdeloze benadering.

Na gedane arbeid is het goed rusten, en daarom is Brigitte haar

118

gelakte nagels nu ijverig van lijmsporen aan het ontdoen. De kinderen kunnen wel even wachten na alle moeite die ze zich heeft getroost om poppenkastpoppen voor ze te maken.

Agnès komt voorbij hinken. Ze blijft met een vertrokken gezicht staan en probeert de pijn te verlichten door haar knie te masseren. Maar Brigitte weet overal raad op, vooral als je er niet om hebt gevraagd. Ze snelt op Agnès af, wapperend met haar hand om de nagellak te laten drogen.

'Wilt u echt niet naar mijn osteopaat? Met zo'n meniscus kunt u echt niet doorlopen. U zou op zijn minst een acupuncturist kunnen proberen. Die doen wonderen.'

Agnès, een tikje ironisch: 'Tenzij er een wonder gebeurt, ga ik morgenmiddag onder het mes.'

Brigitte slikt en begint te betogen. 'Ik vind dat u daar verkeerd aan doet. Je moet eerst andere dingen proberen voordat je overgaat op zulke barbaarse methoden.'

'Brigitte! Mocht een van de kinderen ooit stuipen krijgen, probeer het dan alstublieft niet met handoplegging, maar bel meteen een ambulance, al zijn die broeders dan barbaren.'

Dat komt aan. Agnès sluit zich op in de beschutting van haar kantoor, pakt een buisje met homeopathische pillen uit haar tas, neemt er een uit en begint er met een kleinemeisjesglimlach om haar lippen op te zuigen.

Diplo glimlacht helemaal niet. Ze heeft een trappelende Margot op de commode gelegd, kijkt of niemand haar ziet en begint het kind te verschonen. Haar bange vermoedens worden bewaarheid. Ze draait Margot om en om, bekijkt haar van alle kanten en roept dan: 'Françoise, Françoise! Kom eens kijken! Snel! En roep Maryline. Ik wil wel eens weten wat die nu te zeggen heeft!'

Françoise roept Maryline en gaat dan naar Diplo toe.

'Wat is er aan de hand?'

Diplo doet haar uiterste best om kalm te blijven.

'Kijk daar, sporen van mishandeling, die waren er gisteren niet! Maryline mag me dan uitlachen, maar gisteren zag het er nog niet zo uit! Waar blijft ze toch?'

Françoise gebaart dat ze het ook niet weet. Diplo pakt het meisje teder op en gaat op zoek naar Maryline. Ze vindt haar in de keuken, waar ze Martine aan het helpen is met het klaarmaken van de bladen. Diplo kleedt het kindje razendsnel uit en houdt het haar voor.

'En jij wilt mij vertellen dat dit niks voorstelt?'

Ze wijst woedend op de sporen op haar beentjes. Maryline neemt de tijd en trekt een pruilmondje. 'Nee, ik blijf erbij. Ik denk dat het blauwe plekken zijn.'

'Het zijn sporen van mishandeling, of je dat nu leuk vindt of niet! En die waren er gisteren niet! Dat kun je toch zeker niet ontkennen!'

Maryline geeft geen duimbreed toe.

'Mishandeling, mishandeling. Waarom beschuldig je die ouders niet meteen? Misschien hebben ze wel een pook gebruikt.'

Maar hoe zelfverzekerd Maryline ook klinkt, ze voelt zich toch niet erg op haar gemak. Diplo heeft tranen in haar ogen.

'Ik beschuldig niemand, maar het zou me verbazen als die ouders hier niets van af weten. Het enige wat jíj kunt bedenken als je een mishandeld kind onder je neus krijgt, is om me in de maling te nemen. Was dit er gisteren soms?'

Maryline, met de uiterste zelfbeheersing: 'Nee, maar dat bewijst helemaal niets.'

Diplo vaart uit: 'Luister eens, ik werk nu al dertig jaar met kinderen! Denk je dat ik het niet weet als er ouders zijn die erop los slaan? En ik kan je vertellen dat deze er flink op los hebben geslagen!'

Maryline, nog kalmer: 'En als je het nou mis hebt? Heb je het nooit eens mis gehad?'

Diplo is sprakeloos. Maryline pakt Margot uit haar armen en begint haar te knuffelen. Diplo, geïrriteerd, wil het kind weer terugnemen. Maryline biedt weerstand. Françoise, die van een afstand toekijkt, komt schreeuwend tussenbeide. Diplo en Maryline blijven bewegingloos staan. Diplo pakt het kleintje uit Marylines armen en loopt weg.

Françoise vaart uit tegen Maryline: 'Je gaat soms echt te ver!'

Maryline speelt een kruising tussen een kreng en de professionele groepsleidster.

'Het is onze taak om kalm te blijven. Niet om de hysterica uit te hangen. Volgens mij zouden ze de leeftijdsgrens moeten verlagen.

Ze is zo verbitterd dat alle ouders op de wereld het hebben gedaan. Ik zou niets zeggen als het de eerste keer was.'

Françoise buigt het hoofd en mompelt: 'Maar als er nou echt iets aan de hand is?'

En er is inderdaad iets aan de hand. Diplo, die in weerwil van alle discretie met Margot door de crèche zeult, heeft zojuist Madeleine aangeklampt.

'Ik wantrouw die vader allang. Toen we Antoine hadden, je weet wel, haar grote broer, zag je die vader ook nooit... Vind je dat normaal?'

Madeleine, stijfjes: 'Dat komt voor.'

'Maar het kan niemand wat schelen! Toch bestaan ze, hoor, vaders die hun kinderen slaan en moeders die net doen of ze niets zien.'

Madeleine, bits: 'Waarom zeg je dat tegen mij?'

Diplo is zo door het dolle heen dat ze Madeleines reactie niet meteen begrijpt. Ze wordt beschermd door haar naïviteit.

'Jij bent de enige die naar me luistert.'

Madeleine, agressief: 'Nee. Waarom kom je dát speciaal aan mij vertellen?'

Diplo wordt rood, realiseert zich dat ze dat nooit tegen Madeleine had moeten zeggen en stamelt voordat ze zich uit de voeten maakt: 'Ik had het over Margot. Over haar ouders die niet deugen, ik bedoel vooral haar vader.'

Maryline, die van een afstand heeft toegekeken, kijkt naar Françoise en wijst naar haar hoofd. En dan, van de hak op de tak: 'Trouwens, over wat ik gisteren tegen je zei, ik wou je echt niet beledigen.'

'Maakt niet uit. Maar stel nou dat Diplo gelijk heeft?'

'Begin jij nou ook al? Maar luister, om het goed te maken neem ik je straks mee uit lunchen. Samen met Nathalie, we gaan naar een pizzeria. Een etentje voor jonge meiden onder elkaar, als je begrijpt wat ik bedoel.'

'Je hoeft niets goed te maken, Maryline. Ik neem het je niet kwalijk. En met die kerels pak ik het inderdaad niet goed aan.'

Maryline, vrolijk: 'Maak je daar maar niet druk om, liefje. Ik zie je om twaalf uur.'

Ze loopt terug naar haar afdeling, die ze veel te lang in de steek heeft gelaten.

Diplo raadpleegt de ene na de andere groepsleidster. Ze heeft nu Brigitte aangeklampt, maar die wil Margot niet eens bekijken en verwijst haar naar de specialist.

'Luister Michelle, als het om mishandeling gaat, moet je naar Françoise gaan. Die heeft daar een cursus over gevolgd.'

'Dat heb ik al gedaan. Maar die wil niet luisteren. Kijk nou even naar die beentjes. Als je dat normaal vindt, zeg ik niets meer, oké?'

Brigitte wil er niet van horen.

'Ik zeg je voor de laatste keer dat ik nergens naar kijk!'

Diplo zet beledigd haar rondgang voort. Estelle vraagt aan Brigitte: 'Heb jij al eens mishandelde kinderen gehad?'

'Nee, niet sinds ik hier werk. Maar Diplo heeft dit al eens eerder aan de hand gehad, ze wou toen dat we de ouders lieten komen, de politie waarschuwden, net als vandaag. Gelukkig had Agnès stilletjes geïnformeerd. Het kind had een ongeluk gehad.'

Diplo vindt een hinkende Agnès op haar weg. Ze weet niet goed of ze wel alarm moet slaan. Ze glimlacht, Agnès glimlacht geforceerd terug; haar knie doet echt pijn. Ze moet zich zelfs forceren om iets te zeggen.

'Michelle, ik sluit me op in mijn kantoor. Ik heb nog een uur werk. Voor ik ga wil ik alles geregeld hebben. Zeg maar dat ik niet gestoord wil worden.'

Diplo, gegeneerd: 'Natuurlijk. Maakt u zich maar geen zorgen.'

Ze ziet Agnès wegstrompelen, de deur achter zich dichtdoen.

Diplo staat er met de kleine Margot in haar armen als verloren bij. Om haar heen heerst de gebruikelijke bedrijvigheid. Ze dwaalt door het atrium, vergeet dat er nog meer werk te doen is. Iedereen laat haar maar begaan. Je kunt haar maar beter niet tegenwerken.

Als Sophie laat in de ochtend arriveert omdat zij vandaag zal afsluiten, snelt Diplo op haar af.

'Dag, hoe is het gegaan?'

Sophie omzeilt het antwoord met een vriendelijke glimlach en loopt door om zich te gaan omkleden. Diplo loopt haar achterna.

'Heb je het tegen Eric gezegd? Hoe reageerde hij?'

Sophie schraapt haar keel.

'Ik heb het hem nog niet verteld. Hij had eten klaargemaakt. Dat is voor het eerst sinds we elkaar kennen. Ik kon zijn avond toch niet bederven? Begrijp je?'

'Maar wat ga je nou doen?'

'Ik heb nagedacht. Als ik goed uitkijk, heb ik nog minstens drie maanden de tijd. Ik wacht het juiste moment af en dan vertel ik het. Ik heb me voor niets zo'n zorgen gemaakt.'

Diplo wijst naar de kleine Margot in haar armen.

'Ik ook, geloof ik. Volgens mij wordt ze mishandeld. Maar misschien vergis ik me weer. Zal ik het je laten zien?'

'Geen tijd. Bovendien heb ik er geen verstand van.'

Diplo mompelt in zichzelf: 'Als je oud bent, weet je niet meer wat je doet.'

Sophie maakt aanstalten om naar 'haar' dreumesen te gaan. Ze glimlacht gehaast. 'Dat moet je niet zeggen.'

Diplo haalt haar schouders op. En terwijl ze langzaam terugloopt naar haar afdeling, zingt ze een wiegeliedje voor Margot. Ze heeft alleen nog maar oog voor het kind. Ze begint het werktuiglijk uit te kleden, ziet dezelfde plekken, houdt het niet langer uit en begint te schreeuwen.

'Ze kunnen zeggen wat ze willen, maar voor mij is dit kindermishandeling! Ik heb er genoeg van om als een gek oud wijf te worden behandeld. Als ik niets zeg, is dat "het niet bijstaan van een persoon in levensgevaar". En als ze me moeten opsluiten om me de mond te snoeren, sluiten ze me maar op.'

Een paar groepsleidsters snellen toe. Partij kiezen? Niets zeggen? Agnès komt aanstrompelen, gealarmeerd door het lawaai.

'Mag ik weten wat hier aan de hand is?'

Het gekwebbel houdt onmiddellijk op. Diplo kijkt op en zegt op hoge toon: 'Ik weet het, iedereen denkt dat ik het mis heb, maar ik weet zeker dat Margot geslagen is. En ik zeg nog een keer wat ik al eerder gezegd heb: het zou me niet verbazen als het haar vader is, want haar vader...'

Agnès buldert: 'Stil! Wil je alstublieft stil zijn! En jullie daar, ga weer aan het werk als het niet te veel gevraagd is.'

Een moment van onzekerheid. Een drukkende stilte.

'En ik wil jóú in mijn kantoor zien, Michelle.'

Diplo kijkt om zich heen. En ze geeft de kleine Margot met een uitdagend gebaar aan Estelle, de stagiaire.

In het kantoor van Agnès kijkt Diplo strak voor zich uit als de eerste slagen op haar neerdalen.

'Denk je nu echt dat Margot erbij gebaat is om mensen te horen schreeuwen, wat er ook aan de hand is? Om haar ouders te horen beschuldigen? Denk je dat ze niet begrijpt wat je zegt? Het is geen postpakketje, het is een kind! Bovendien hoor je niet de detective uit te hangen, maar alles in het werk te stellen om haar in veiligheid te brengen, mocht er al sprake zijn van mishandeling. En ik herhaal "mocht"!'

Diplo haakt er onmiddellijk op in.

'Ja, maar "mocht" dat het geval zijn, dan moeten we er iets aan doen.'

Agnès is gekalmeerd.

'Jawel, maar altijd heel voorzichtig. Als je het al een dag of wat geleden had opgemerkt, had je me dat toch gemeld?'

Diplo mompelt een 'natuurlijk' dat niet erg overtuigend klinkt.

'Goed, we gaan dus niet in paniek raken vanwege een paar blauwe plekken die we net hebben ontdekt. Ik dacht dat je meer zelfbeheersing had, Michelle.'

'Ja, maar ik dacht bij mezelf dat ik gisteren misschien niet goed had opgelet. En als dat zo is en ik niks zeg...'

'Als er iets is, moet je dat tegen míj zeggen.'

'Ik wou u niet lastigvallen, met uw been en zo.'

Agnès reageert bits.

'Wat ik heb, heeft er niets mee te maken. Je hoort Margot niet als een kermisattractie te vertonen.'

'Maar...'

'Noch haar ouders zomaar te beschuldigen waar iedereen bij is. Hoe lang werk je nu al niet met kinderen?'

Diplo antwoordt binnensmonds: 'Ik dacht dat ik er goed aan deed.'

'Dat denken we allemaal! Maar we kennen Margots ouders toch?'

Diplo waagt een voorzichtig: 'Daarom juist.'

Agnès doet net of ze het niet heeft gehoord.

'Morgen komt de dokter. Hij zal Margot sowieso onderzoeken. Stelt je dat gerust?'

Diplo geeft geen antwoord.

'Wie komt haar vanmiddag ophalen?'

'Dat jonge meisje.'

'En morgen komt haar moeder?'

'Ja.'

'Prima. Tot die tijd houdt iedereen zich koest. Akkoord, Michelle?'

Michelle gaat misschien akkoord, maar Maryline en Nathalie weten het zo net nog niet, zij het om andere redenen. Margot is wel de minste van hun zorgen. Het is vlak voor lunchtijd, en ze hebben al een tijdje het geheimzinnige gedoe van Brigitte gevolgd, die zich sinds gisteren in haar elegantste kleren hult. Ze staan haar nu achter de deur te bespioneren, in afwachting van Françoise. Brigitte legt buiten de laatste hand aan haar make-up, stift nog even haar lippen bij, controleert nog eens haar kleding, kijkt op haar horloge, de straat in en dan opnieuw op haar horloge. Als Françoise zich bij hen heeft gevoegd, stappen Maryline en Nathalie met een heel onschuldig gezicht naar buiten. Getoeter, en een zwarte BMW stopt voor Brigitte. Een goedgeklede man van in de vijftig stapt haastig uit en omhelst Brigitte, die heimelijk controleert of het trio het wel heeft gezien. De man doet het portier voor haar open en ze stapt in. Als de auto wegstuift, wuift een verrukte Brigitte even naar haar drie stomverbaasde collega's.

Op weg naar de pizzeria geeft Nathalie uiting aan haar verontwaardiging.

'Ik woon nog liever alleen met mijn zoon! Al is het niet altijd gemakkelijk!'

Maryline moet lachen.

'Je bent jaloers. Het is heus niet zo makkelijk om je te laten onderhouden.'

'Ach wat! Je hoeft alleen maar de hoer te spelen en alles te pakken wat voorbijkomt.'

Maryline, vals: 'Ik ken er die dat nooit zouden kunnen.'

Françoise hapt natuurlijk toe.

'Doel je soms op mij?'

Maryline, heel onschuldig: 'Doe toch niet altijd zo paranoia. Ik zeg wat ik zeg, dat is alles! Trouwens, jij zou ook niet vies zijn van een vent om lekker mee te knuffelen. Soms moet je gewoon je kans weten te grijpen.'

Vreemd genoeg is Nathalie het roerend met haar eens.

'Ja, je weet maar nooit wanneer je de man van je leven tegenkomt. En als je dan toevallig de andere kant op kijkt, kun je lang wachten voordat hij weer een keertje langskomt!'

Françoise houdt wijselijk haar mond. Niet ontevreden over haar duit in het zakje werpt Nathalie Maryline een blik van verstandhouding toe, waarop deze vervolgt alsof er niets aan de hand is: 'Nou, als Brigitte zich op zalm en kaviaar laat trakteren, neem ik een quattro stagioni. Er staat zelfs een tafeltje voor ons klaar.'

Françoise, onder de indruk: 'Heb jij dat gereserveerd?'

Maryline knikt.

'Wedden dat Diplo ondertussen Margootje in de gaten houdt om te zien of ik haar niet stiekem in elkaar sla? Toch moet ik wel lachen om die obsessies van haar. En die arme Estelle, die een borrel wil geven om het eind van haar stage te vieren, die moet nu vast al die onzin over mishandeling aanhoren. Maar wij gaat het er in ieder geval van nemen.'

Het trio doorkruist de stampvolle pizzeria. Zoetige liedjes, verlichte gondels, neonlicht en verbleekte posters om je in Venetië te wanen. En sigarettenrook bij wijze van zeelucht. Maryline gaat voor.

'Ik heb een rustig tafeltje gereserveerd, achterin. Daar zitten we goed, als meiden onder elkaar.'

Maryline kijkt nadrukkelijk naar Nathalie. Dan veinst ze opeens een bekende te zien.

'Is dat niet Jean-François? Kennen jullie hem? Dat is een vriend van me.'

En ze stormt op een jongen af, die enigszins overdonderd lijkt. Ze zoent hem, fluistert iets in zijn oor en loopt dan terug naar Nathalie en Françoise, schoorvoetend gevolgd door de bewuste Jean-François.

'Vinden jullie het vervelend als hij bij ons komt zitten? Hij is helemaal alleen.'

De vraag is puur voor de vorm. Jean-François geeft Nathalie een hand, en dan Françoise, die rood aanloopt, geïrriteerd door die onverwachte ontmoeting. Terwijl ze zich naar het tafeltje begeven, fluistert Nathalie in Françoises oor: 'Ik ken die vriend van haar. Hij is te gek!'

Françoise wordt nu echt vuurrood en verkrampt. Maryline heeft niets in de gaten en is driftig bezig met het plaatsen van haar groepje. Als bij toeval belandt Françoise naast Jean-François.

'Weet je, Françoise is bijna net zo dol op pizza's als op de bios. Want weet je, ze is net als jij, ze zit elke avond in de bios, waar of niet?'

Françoise knikt, verborgen achter haar menukaart. Met de tact die haar zo eigen is, zet Maryline haar rol als koppelaarster kracht bij: 'Nou, als jullie het niet met elkaar kunnen vinden, weet ik het ook niet meer!'

De komst van de ober geeft Françoise de gelegenheid om zich te herstellen van haar blos, en Maryline om Jean-François een bemoedigende schop onder de tafel geven.

'Waar hou je van, ik bedoel, van wat voor films?'

'Van alles.'

'Ik ook. Heb je *Titanic* gezien?'

Maryline geeft de maat aan.

'Bingo, precies in de roos. Die heeft ze al drie keer gezien.'

'Nee, vier.'

'Nog beter, beste meid!'

Jean-François deinst als liefhebber van films en pizza's nergens voor terug.

'Dat kan ik me voorstellen, die is echt te gek in het genre spektakelfilm. Maar ik hou ook van films als *Marius et Jeanette*.'

Maryline jubelt.

'Maar J.-F., dat is on-ge-loof-lijk! Ze heeft het echt de hele tijd over die film. Ik denk dat jullie het wel met elkaar kunnen vinden! Wij zeggen niets meer.'

Ze richt zich tot Nathalie.

'Als we te veel zijn, horen we het wel, we moeten ze maar met

rust laten, als specialisten onder elkaar, nietwaar?'
Françoise staat met een ruk op, wit van woede.
'Denken jullie soms dat ik gek ben?'
Nathalie houdt zich van den domme.
'Hoezo?'
Françoise, buiten zichzelf: 'Hoe lang zijn jullie daar al mee bezig? Hoe hebben jullie het gedaan? Hebben jullie soms gerepeteerd?'
Nathalie staat op en wil haar tegenhouden, Françoise duwt haar van zich af en maakt zich uit de voeten. Ze komt langs de ober, die net de pizza's komt brengen. Jean-François rent haar achterna en haalt haar in bij de deur.
'Ga je weg vanwege mij?'
Ze kijkt hem met tranen in haar ogen aan.
'Wat hebben ze tegen je gezegd? Françoise heeft geen man omdat ze dik is? Geen probleem, je lult wat over films en je kunt haar neuken wanneer je maar wil. Hebben ze dat soms gezegd?'
'Helemaal niet. Je vergist je.'
'En ook nog denken dat ik achterlijk ben! Nou, zeg hun maar uit mijn naam dat vriendinnen in films tenminste echte vriendinnen zijn. En dat ik in het donker met rust wordt gelaten!'
Ze draait zich om en loopt de deur uit.

In de crèche heerst een minder bewogen sfeer. Madeleine gaat Agnès' kantoor binnen en mompelt: 'Neem me niet kwalijk', wat Agnès, die verdiept is in haar paperassen, met een knikje beantwoordt. Ze loopt naar het medicijnkastje en pakt er een tubetje uit. Agnès kijkt niet op.
'Ik heb *Le Monde* in je vakje gelegd.'
Madeleine bedankt haar met een glimlach en begeeft zich geruisloos naar de babyafdeling. Diplo houdt toezicht op de slapende baby'tjes en zit piekerend in een hoekje. Madeleine loopt naar het wiegje van de kleine Margot, die hevig ligt te woelen. Ze neemt het kindje liefdevol in haar armen, gaat zitten en legt het op haar schoot. Ze draait het tubetje open dat ze bij Agnès heeft gehaald, en smeert voorzichtig wat zalf over de bloeduitstortingen van de kleine, die meteen kalmeert.

Diplo kijkt toe en mompelt: 'Dat had ik meteen moeten doen.'

Madeleine geeft geen antwoord. Ze legt Margot terug in haar wieg, buigt zich over haar heen, geeft haar een kusje op het voorhoofd en aait over haar hoofdje. Dan gaat ze geruisloos weg.

Terug van de lunch krijgt Maryline voor de crèche opeens de slappe lach. Nathalie is minder uitbundig. Ze heeft een pizza in haar handen. Martine, die al op de uitkijk stond, snelt op hen af.

'Wat hebben jullie met Françoise gedaan?'

Maryline wil het uitleggen en ademt diep in, maar barst weer uit in de slappe lach. Ze doet haar best om tot bedaren te komen en gaat de crèche in. Ze loopt met Nathalie en haar pizza naar de babyafdeling, waar Françoise zich inmiddels bij Diplo heeft gevoegd. Maryline steekt haar hoofd om de hoek van de deur en roept zachtjes Françoise.

'Vrede sluiten?'

Françoise haalt haar schouders op. Nathalie gaat naar haar toe en geeft haar de pizza. Ze fluisteren.

'Kom op, we gooien hem niet weg.'

Françoise aarzelt en doet dan de doos open.

'Ik heb er genoeg van dat mensen zich met me bemoeien.'

Maryline komt er ook bij staan.

'Oké, zoals je wil. Ik heb 't begrepen. Maar toch zweer ik je dat het echt een gozer voor jou was. En bovendien heeft zijn vriendinnetje het net uitgemaakt.'

Nathalie gebaart dat ze haar mond moet houden en pakt Françoise bij haar schouder.

'We dachten dat het een goed idee was.'

Françoise spartelt tegen.

'Als ik een vent wil, kan ik hem zelf wel vinden.'

Dan moet ze om zichzelf glimlachen.

'Nou ja, misschien.'

Nathalie lacht, Françoise ook en Maryline heeft de grootste pret. Diplo windt zich op.

'Kunnen jullie niet ophouden? Er speelt zich hier misschien wel een drama af, en jullie, jullie...'

Maryline slaat haar klauwen uit.

'O, echt? Een drama? Je moet niet zo overdrijven. Een vent overboord is geen drama, maar een geluk bij een ongeluk!'

De drie meisjes beginnen weer te lachen, maar zo zachtjes mogelijk.

Diplo wordt boos.

'Ik had het over Margot.'

De drie houden op met lachen. Maryline zucht.

'O nee, hè? We gaan toch niet opnieuw beginnen!'

Maar de volgende dag rept Diplo zich in alle vroegte naar de crèche. Ze haast zich door de verlaten straten. Groot is haar verbazing als ze ziet dat de deur al open is, net als de luiken, en de lichten aan. En ze dacht nog wel dat ze de eerste zou zijn! Ze gaat stilletjes naar binnen en ziet in het kantoor van Agnès, waar het licht aan is, Antoinette staan met haar jas nog aan, die opschrikt als ze iets achter zich voelt.

'Hé Diplo, wat doe jij daar?'

'Ik heb vannacht in ieder geval geen oog dichtgedaan! En jij?'

Antoinette aarzelt of ze Diplo in vertrouwen zal nemen en zegt dan zachtjes: 'Ik wou mijn dagen controleren.'

Ze rent naar de computer en begint razendsnel te tikken.

'Zie je wel, zie je wel, precies wat ik dacht. Voor de overzeese departementen is het om de drie jaar vijfenzestig doorbetaalde vakantiedagen. Vijfenzestig, niet drieënzestig. Plus een duurtetoeslag. Ik weet het nu zeker, ik ga alles opnieuw uitrekenen.'

Diplo: 'Maar waarom kom je stiekem? Zo vroeg? Niemand verbiedt ons toch om te kijken?'

'Dat is het niet. Ik heb vannacht ook geen oog dichtgedaan. Ik moest het absoluut controleren. Het maalde maar door mijn hoofd.'

Opgelucht doet ze het scherm uit. Diplo trekt een niet-begrijpend gezicht, zij heeft wel iets anders aan haar hoofd. Of eigenlijk maar één ding. Als de eerste kinderen arriveren, neemt ze hen beleefd in ontvangst, maar ze is er met haar gedachten niet helemaal bij. Ze staat op de uitkijk en houdt voortdurend de voordeur in de gaten.

Eindelijk, daar is Margot. Diplo loopt naar de deur om het

kindje te verwelkomen. Ze ziet hoe Pauline, die zoals altijd ge-haast is, Antoine buiten laat staan en de buggy naar binnen duwt. Margot huilt, maar Pauline is heel vrolijk.

'Hebt u het gezien? We zijn vandaag op tijd!'

Ze maakt aanstalten om Margot uit haar buggy te tillen. Diplo duwt haar opzij en neemt het kind van haar over, dat nog steeds huilt.

'Laat maar, ik doe het wel.'

Pauline is verbaasd en loopt dan dolblij weg. Ze zet de buggy in de opbergruimte. Als ze terugkomt, is Diplo verdwenen. Ze gaat naar buiten, grijpt de hand van Antoine, en ze is weg. Margot brult. Ze spartelt tegen terwijl Diplo haar uitkleedt. Ze spreekt het kind-je zachtjes toe. Het gebrul begint opnieuw. Gebrul van pijn. Als de baby is uitgekleed, is er geen twijfel meer mogelijk. Diplo is spra-keloos van verbazing. Dan pakt ze zonder het kind los te laten het polaroidtoestel dat ze binnen handbereik op het aanrecht heeft ge-legd. Ze maakt een stuk of wat foto's. Terwijl ze wacht tot ze ont-wikkeld zijn, bekijkt ze Margot nog een keer. Ze heeft een enorme bloeduitstorting op haar schouder. Diplo bekijkt een foto die uit het toestel komt, ziet opgelucht dat dit het bewijs is en slaat alarm.

'Françoise! Antoinette!'

Ze had geen moeite hoeven doen. Ze stonden al in de deurope-ning toe te kijken. Diplo voelt zich ongemakkelijk.

'Konden ze maar zeggen dat ik gek ben! Maar dat kunnen ze nu niet meer! Zelfs Maryline niet! En niemand niet! En ga me nu niet vertellen dat die ouders er niets mee te maken hebben, al schijnen we ze dan zo goed te kennen!'

Er heeft zich een kringetje rond Margot gevormd, stil en ont-hutst. Maryline heeft tranen in haar ogen en wil haar hand op Diplo's schouder leggen om zich te verontschuldigen. Maar Diplo duwt haar en de anderen opzij. Ze pakt het fototoestel weer op en begint dwangmatig foto's te nemen.

Agnès zit met haar jas nog aan aan de telefoon. Naast haar staat haar reistas.

'Ja, snel! Luister eens, Yves, je weet best dat ik dat niet zo snel doe, maar nu... Laat dat spreekuur van je zitten en kom alsjeblieft zo snel mogelijk. Ja, ik hoop dat we het ons allemaal maar verbeelden.'

Agnès is zo van streek dat ze niet luistert naar wat Le Garridec tegen haar zegt. Ze stamelt: 'Kom, snel!' en hangt op.

De stemming in de crèche is totaal omgeslagen. Een beklemmende stilte, en gelach dat onecht klinkt. Men moet zich tenslotte met de kinderen bezighouden. Diplo heeft beslag gelegd op Margot. Ze houdt haar in haar armen, en fleemt en aait.

Als Le Garridec binnenkomt, neemt hij niet eens de moeite zijn jack uit te trekken. Hij loopt rechtstreeks naar de babyafdeling, op een afstand gevolgd door Agnès, die haast niet meer kan lopen. Diplo kan eindelijk haar wrok spuien.

'Dokter, u zult zien dat ik niet lieg.'

Le Garridec speelt het spel niet mee.

'Beschuldigen ze u daar dan van?'

'Nee, maar "ze" geloven me niet.'

Agnès, woedend: 'Michelle, zou je er bezwaar tegen hebben om "ze" in alle rust te laten werken?'

Diplo draait zich om.

'Ja, ik weet het. Ik doe het nooit goed!'

Le Garridec kan Diplo's geklaag er niet bij hebben.

'Genoeg, Michelle. En dit is dus de kleine Margot?'

Hij neemt haar uit de armen van Diplo en legt haar op de commode. Agnès helpt hem met uitkleden. Hij begint het kindje bij haar beentjes te onderzoeken. Diplo kijkt liefdevol toe. Maar ze moet haar zegje doen.

'Op haar schouder, dokter.'

Le Garridec poeiert haar af.

'Ik heb toch ogen om te zien, niet?'

Diplo trekt zich er niks van aan.

'Dat weet ik wel, maar ik bedoel dat die blauwe plekken op haar beentjes er gisteren al zaten.'

Agnès, op hoge toon: 'Stil toch eens!'

Diplo houdt het zich voor gezegd. En in een beklemmende stilte onderzoekt Le Garridec Margot. Hij heeft zijn kalmte hervonden en spreekt het kindje toe.

'Ach, schatje, wat een ellende. Wees maar niet bang, het duurt maar heel even.'

Hij wendt zich tot Agnès en trekt een bedenkelijk gezicht.

132

'Ik moet je even een beetje pijn doen. Je mag best huilen, hoor. Goed.'

Beroepsmatig stelt hij op schijnbaar kille toon vast: 'Een bloed-uitstorting op de achterkant van de schouder van vijf bij vijf centi-meter. Een oudere bloeduitstorting op het linkerbeen ter grootte van een hazelnoot. Op het linkerbeen hetzelfde, zij het van recen-tere datum. Geen andere zichtbare huidaandoeningen. Algemene toestand uitstekend. Niet bleek of onvolgroeid. Psychomotori-sche ontwikkeling normaal.'

Na zich gedwongen afzijdig te hebben gehouden komt Diplo er nu weer bij staan. Ze vangt net het laatste woord op.

'Normaal? Vindt u ouders die hun kind slaan normaal?'

Le Garridec kijkt haar verbaasd aan.

'Er is niets wat erop wijst dat het de ouders zijn.'

Diplo wordt woedend.

'Welja! Er komt 's nachts een spook langs om de kleine af te tui-gen terwijl de ouders slapen! Gaat u dat gezin niet rapporteren?'

Agnès komt bedaard tussenbeide: 'Michelle, voor het geval je het niet weet: je "rapporteert" geen gezin maar een vermoeden van mishandeling van een kind.'

Diplo, vasthoudend: 'Misschien, misschien, maar als het nou de ouders zijn die...'

·Le Garridec, nog steeds heel kalm: 'Wij kunnen vaststellen, rapporteren, maar het is niet aan ons om een onderzoek in te stel-len of de schuldige aan te wijzen zonder ook maar het geringste bewijs. En jou val ik verder niet meer lastig, schatje. U kunt haar weer aankleden.'

Hij tilt Margot op en geeft haar aan Diplo, die rood ziet van woede.

'Als het zo weinig indruk op u maakt.'

Le Garridecs gezicht vertrekt. Hij wil een scherp antwoord ge-ven maar houdt zich in.

Eenmaal in Agnès' kantoor barst hij uit, loopt heen en weer en laat zich helemaal gaan, terwijl Agnès beurtelings opstaat en weer gaat zitten.

'Geen sprake van dat je die operatie afzegt. Je zou al in het zie-kenhuis moeten zijn. Heb je gezien hoe laat het is?'

'Ik moet eerst die ouders bereiken!'

'Is het jouw schuld soms dat ze onbereikbaar zijn?'

'Ik wil het niet achter hun rug gaan rapporteren. Ik weet niets, jij weet niets, niemand weet iets.'

Le Garridec probeert de situatie zo kalm mogelijk uiteen te zetten.

'Luister, er is geen reden voor paniek, het kind is niet in onmiddellijk levensgevaar. Ik begrijp je heel goed, als ik vroeger die ellende in het ziekenhuis niet had gehad, zou ik net zo reageren als jij. We zouden alle tijd nemen, samen met Képler een evaluatie maken en wachten tot we de versie van de ouders hadden gehoord.'

'Dat is precies wat ik bedoel.'

Le Garridec kan zich niet langer inhouden.

'Ja, maar de bureaucratie heeft me geleerd om me als een klootzak te gedragen. Ik denk bureaucratie, ik ben bureaucratie – ik dek me in. Vermoeden van mishandeling? Rapporteren! Het is aan de officier van justitie om te beslissen en aan de rechter om te beoordelen. Oké, ik geef je nog één kans om die ouders te bereiken, maar alleen omdat jij het bent!'

Hij gaat met zijn armen over elkaar voor Agnès staan die het nummer draait en de speaker aanzet. Een antwoordapparaat. Een bandje dat loopt. En Agnès die aarzelt.

'Als ik een boodschap inspreek, raken ze in paniek, en op hun werk, dat kan niet.'

Ze legt droevig neer. Le Garridec glimlacht en begint op opzettelijk stupide toon op te dreunen: 'Als men bovendien van oordeel is dat men het kind van een gevaarlijke ouder dient te scheiden, is men verplicht om ziekenhuisopname te verordenen – krachtens de wet d.d. 27 juni 1990 in het Wetboek van Volksgezondheid. Zie je wel wat een klootzak ik ben! Ik ken zelfs de artikelen van het wetboek!'

Hij houdt op met zijn toneelstukje, dat hem niet amuseert.

'Kom. De rechter zal de ouders horen. Het is stom, maar het is niet anders. En jij gaat je rustig laten opereren.'

Hij pakt Agnès' tas op en duwt haar die in de armen. Dan neemt hij het overdrachtsschrift en leest hardop voor: 'Absent vanaf 11.30 uur. Contact opnemen met de zustercrèche.' Zie je wel? Het is half twaalf, jij bent hier niet meer. Ik neem het over. Je hebt jezelf niets te verwijten, je hebt me gebeld. Ik doe de rest.'

Hij duwt haar zachtjes naar de deur. Ze biedt nog weerstand. Maar niet lang.

'Wil je me alsjeblieft nog één dienst bewijzen? Haal dat kind bij Diplo weg. Geef haar aan Madeleine. Die blijft tenminste rustig.'

Le Garridec glimlacht en vergezelt haar met tas en al naar buiten. Agnès gaat met tegenzin weg, ze durft niet naar het personeel te kijken. Le Garridec doet de deur voor haar open.

'Ik hou je in ieder geval op de hoogte. Nu moet je voor jezelf zorgen. En ik voor de crèche.'

Bij wijze van spreken. Voor de personeelsruimte speelt zich een drama af. Estelle wil de deur opendoen; hij zit op slot, vanbinnen. Ze dringt aan.

'Doe open! Françoise heeft me gevraagd om u te halen. Ze kan het niet alleen af.'

Diplo's stem antwoordt van achter de deur: 'Nee, als ik nergens voor deug, deug ik nergens voor. Dan ga ik wel in een hoekje zitten en rust ik tenminste uit!'

'Dat kunt u niet doen. Françoise kan het toch niet helpen wat de dokter heeft besloten? Kom nou, Diplo!'

Ze laat zich nog een tijdje bidden en geeft dan uiteindelijk toe. Ze doet de deur open, met een kopje koffie in haar hand.

'Ik ben hier te veel! Ze moeten hier niets hebben van oudere vrouwen.'

Estelle, het jonkie, probeert haar te paaien.

'U moet zich niet zo opwinden. Er is niets aan de hand.'

'O nee? Is er niets aan de hand? Vind je dat? Hij komt in de pauze naar me toe en deelt me mee dat hij Margot aan Madeleine geeft! Denk je dat hij naar mijn mening vraagt? Dat hij luistert naar wat ik te zeggen heb? Terwijl ik het als eerste allemaal doorhad, ja toch? En al die tijd kon het niemand een barst schelen.'

'En Madeleine? Wat zei die?'

'Madeleine?'

Diplo aarzelt en neemt dan opeens een besluit. Ze duwt Estelle haar kopje in de handen en rent naar de peuterafdeling. Ze gaat pontificaal in de deuropening staan en wijst met haar vinger naar Madeleine.

'Jij, als ik me niet zou inhouden...'

Madeleine loopt rustig op haar af.

'Diplo, het spijt me zeer, maar als ze me vragen om voor een kind te zorgen, weiger ik meestal niet.'

Diplo begint te schreeuwen.

'Maar ík hoor voor Margot te zorgen!'

Madeleine trekt een gezicht.

'Dat weet ik niet, hoor. Le Garridec vindt dat je te geagiteerd bent.'

'Ik, geagiteerd? Is hij gek geworden?'

Gebulder in de gang. Brigitte steekt haar hoofd om de deur.

'Ssst!'

Nathalie doet er nog een schepje bovenop.

'Jullie gaan toch geen ruziemaken? We zijn hier om voor de kinderen te zorgen.'

Diplo is in tranen.

'Waarom zeg je dat? Dat wou ik ook, voor de kinderen zorgen.'

Gealarmeerd door het geschreeuw komt Le Garridec Agnès' kantoor uit.

'Wat heeft dat lawaai te betekenen?'

De rust is bij toverslag weergekeerd. Diplo veegt haar ogen af en valt aan. 'Ik wil u één ding zeggen. Mocht u ooit de foto's nodig hebben die ik van Margootje heb genomen, dan kunt u heel lang wachten voordat u die krijgt.'

Le Garridec spert zijn ogen open.

'Ik heb niets nodig.'

Hij wendt zich tot Brigitte.

'Brigitte, is hier nog ergens een greintje gezond verstand?'

Ze loopt glimlachend op hem af. Nathalie is verontwaardigd.

'Waarom zij?'

Brigitte, uit de hoogte: 'Ik ben kinderpedagoge en als Agnès er niet is...'

Le Garridec probeert te midden van alle gekwetter, gewichtigdoenerij en kleingeestigheid zijn kalmte te bewaren. Met opzet richt hij zich tot niemand in het bijzonder.

'Laat iedereen die hier aanwezig is luisteren en doorgeven wat ik heb gezegd. Ik heb in mijn medisch rapport alleen opgeschreven wat ik heb vastgesteld, het is niet anders, dat is wat de wet vereist. Ik heb zojuist met het hoofd van de medische dienst gesproken. Hij zal de officier van justitie inlichten en die zal de zaak aan een rechter voorleggen.'

Nathalie onderbreekt hem.

'Een rechter?'

'Een kinderrechter, ja. En zolang die niet van zich laat horen, doen we niets.'

Diplo, ontdaan: 'Maar als de ouders nou komen? Moeten we Margot dan meegeven en onze mond houden? Bedoelt u dat?'

Le Garridec, kortaf: 'Dat is precies wat ik bedoel!'

Een geschrokken stilte. Le Garridec schraapt zijn keel, temeer omdat hij de opkomende haat moet sussen.

'Ik ga met de ouders praten, maar u doet niets. En ik herhaal, niets! Daar bent u niet toe bevoegd, en we gaan niet voor eigen rechter spelen. Ondertussen ga ik naar het gemeentehuis om de coördinatrice op de hoogte te stellen, ze is continu in gesprek.'

Maryline barst in lachen uit. Le Garridec kijkt haar aan.

'Dat hadden we u wel kunnen vertellen.'

Le Garridec gaat weg zonder ook maar iets van de geheimen van het kippenhok te begrijpen, en de sfeer wordt meteen ontspannener.

Niemand is nog komen opdagen, er zijn geen instructies gegeven en Le Garridec is nog altijd niet terug als de gebruikelijke drukte van het einde van de dag begint. Er hangt een sfeer van gespeelde vrolijkheid, van onderhuidse spanning die Brigitte irriteert.

Ze loopt langs Maryline en fluistert zachtjes: 'We moeten zo normaal mogelijk doen, anders...'

'Ik ga niet toneelspelen, hoor!'

Brigitte verwaardigt zich niet om te antwoorden. Ze loopt van de ene ouder naar de andere, praat veel te snel en veel te hard en denkt dat ze het goede voorbeeld geeft. Een fiasco.

In de beschutting van de linnenkamer geeft Marguerite onder het sorteren van het linnengoed haar mening aan Antoinette. Madeleine staat op een afstand mee te luisteren en zegt helemaal niets.

'Echt, het kan best zijn dat die er moeder niets van af weet. Die vader heb ik altijd vreemd gevonden. Al in de tijd van Antoine. Als hij kwam, deed hij geen mond open.'

'Misschien. Maar als zij het nou is? Met die nieuwe baan moet ze voortdurend op haar tenen lopen. En vanwege de stress wordt ze gek van haar dochtertje, dat heb ik eens een keer op de televisie gezien. Maar het is toch te gek dat wij niets mogen zeggen. En Diplo, die alles heeft ontdekt en in het kantoor van Agnès op een telefoontje van de rechter zit te wachten, eigenlijk zouden we onze hoed voor haar af moeten nemen, vind je niet, Madeleine?'

Madeleine schrikt op uit haar overpeinzingen en mompelt: 'Wat? Neem me niet kwalijk, ik moet erheen.'

Diplo springt op en loopt naar de deur van Agnès' kantoor, die op een kier staat. Ze heeft zojuist een jonge vrouw van vijfendertig zien binnenkomen, goedgekleed, levendig en gehaast, haar armen vol pakjes: de langverwachte vijand, de vrouw die verpletterd moet worden. De moeder van Margot draaft naar de babyafdeling zonder aandacht te besteden aan Nathalie, Sophie en Brigitte, die zwijgend voor haar opzij gaan. Het valt haar ook niet op dat het Madeleine is die Margot tegen de gewoonte in in haar armen houdt.

De jonge vrouw legt haar pakjes neer en strekt haar armen uit om haar dochtertje over te nemen. Madeleine aarzelt haars ondanks om haar het kind te geven. Ze maakt wat onbeholpen gebaren en geeft Margot dan aan haar moeder, die het kindje vrolijk omhelst.

'Dank u wel dat u haar hebt aangekleed. Ik heb het zo druk tegenwoordig! Maar ik klaag niet, hoor.'

Ze raapt haar pakjes op en maakt aanstalten om weg te gaan. Madeleine begint aan een 'mevrouw', dat ze meteen weer inslikt. Diplo komt het kantoor uit als de moeder van Margot zich de crèche uit rept. Hoewel ze vlak langs haar loopt, ziet ze haar niet eens. Madeleine houdt het niet meer uit. Ze gaat haar achterna, duwt Diplo opzij en rent de straat op. Jammer dan van die instructies die nog niet zijn gearriveerd. Jammer dan voor Le Garridec, die met de moeder zou praten en er nog steeds niet is. Madeleine heeft niets te schaften met starre instructies. Het gaat hier om een kind dat mishandeld wordt.

De moeder van Margot loopt met kwieke tred achter het wagentje van haar dochter, die naar haar zit te lachen. Madeleine haalt haar in en pakt haar bij de arm. Het hardhandige gebaar van de een stuit op het totale onbegrip van de ander. Madeleine valt meteen aan: 'Waarom hebt u dat met haar gedaan? Waarom?'
'Waarom wat?'
'Met welk recht?'
'Waar hebt u het toch over?'
'Dat weet u best.'
De moeder van Margot, op hoge toon: 'Kunt u zich nader verklaren? Waarom valt u me zomaar lastig op straat? Wat denkt u wel?'
'Is het uw man dan?'
'Wát mijn man? Verklaart u zich nader!'
'Als hij het is, moet u er een eind aan maken, ik smeek het u!'
Madeleine wordt onderbroken door de stem van Antoinette, die haar achterna is gelopen en roept dat ze terug moet komen. Madeleine lijkt zich te realiseren dat ze beter haar mond had kunnen houden. Ze blijft even bewegingloos staan, draait zich dan om en keert op haar schreden terug. De moeder van Margot is perplex. Ze keert de buggy. Nu is zij degene die Madeleine achtervolgt.
'Ik begrijp er niets van. Kunt u uitleggen wat er aan de hand is?'
Madeleine mompelt: 'Kijk maar naar Margot. Haar schoudertje en haar beentjes. Als u daar niets van weet, moet híj het hebben gedaan!'
De moeder van Margot blijft staan, laat Madeleine gaan en kijkt haar met een blik van totaal onbegrip hoofdschuddend na.

Diplo en Madeleine hebben vannacht waarschijnlijk niet geslapen. Maryline ook niet, zij het om andere redenen. Maar de volgende ochtend zitten ze alledrie op hun paasbest op een bankje in een gang van het gerechtsgebouw.

Maryline fluistert tegen Diplo: 'Maar toen je gisteren met de rechter sprak, had hij het toch maar over één personeelslid...'

'Ja, maar ik wou niet alleen gaan! Ik heb je meegevraagd om me te steunen. Maar je moet wel je mond houden.'

'Waarom?'

'In het begin wilde je me niet eens geloven! Madeleine weet tenminste waar ze over praat.'

Zo tactvol, die Diplo. Madeleine buigt met tranen in haar ogen het hoofd. Maryline stoot Diplo aan.

'Slim hoor! Maar je hebt de dokter toch wel ingelicht?'

'Uiteraard. Het staat allemaal in het overdrachtsschrift. Hij weet waar hij ons kan vinden. En ik heb de foto's meegenomen. Hier.' Ze graait in haar tas, overhandigt de polaroids en mompelt: 'En dat is maar goed ook.'

Maryline bekijkt de foto's en proest het uit. Diplo is verontwaardigd.

'Vind je dit het moment om te lachen?'

'Als je deze aan de rechter geeft, sta je voor paal!'

Diplo rukt de foto's uit haar handen en kijkt.

'O, neem me niet kwalijk, dat is mijn kleinzoon!'

Ze blijft ontroerd naar de foto kijken.

'Hij is zo schattig, je hebt geen idee. Dit was op vakantie.'

Maryline kan het nooit laten om te provoceren.

'Kampeer jij nog op jouw leeftijd?'

Diplo, verontwaardigd: 'Dat doen we al jaren. Samen met vrienden die dezelfde caravan hebben als wij. Kijk, met een luifel. Dat is me een verbetering!'

Ze wil losbranden als ze de afkeurende blik van Madeleine ziet. Ze zegt niets meer. De stilte wordt drukkend. Gelukkig komt er een man uit zijn kantoor: de rechter. Hij kijkt verbaasd naar de drie vrouwen die de parketwachter aanwijst en die tegelijkertijd zijn opgestaan. De rechter trekt een misnoegd gezicht.

'Ik wist niet dat u met zijn drieën was, maar...'

Hij breekt zijn zin af. Van het eind van de gang komt een heftig gebarende vrouw aanrennen. Het is mevrouw Képler. Ze roept: 'Meneer de rechter!'

Ze zitten nu dus met zijn vieren in het kantoor van de rechter.

Deze uit zijn onvrede door stampend heen en weer te lopen.

'Neem me niet kwalijk, maar iets dergelijks heb ik nog nooit meegemaakt. Als de officier van justitie me hoogstpersoonlijk thuis opbelt, moet u wel over dekselse privileges beschikken. En dat alles voor een in feite nogal banale kwestie. En dan krijg ik ook nog een heuse delegatie op bezoek. Wat is dit? Politiek?'

De vier vrouwen wisselen verbaasde blikken. Diplo begint: 'Het gaat om een kind dat in gevaar is, meneer de rechter.'

'Dat weet ik wel.'

'Een kind dat door haar ouders mishandeld wordt.'

'Laten we niet op de zaken vooruitlopen, alstublieft.'

Diplo wil hem zelfverzekerd de foto's overhandigen.

'Jawel! Hier zijn de bewijzen.'

De rechter duwt ze weg zonder er zelfs maar naar te kijken, tot grote verontwaardiging van Diplo.

'Ik heb een medisch rapport van dokter Le Garridec ontvangen. Ja, er zijn sporen van mishandeling. Maar dat is nog geen bewijs. En die mevrouw Képler die niet te bereiken is, heeft die met de psychologe, met de ouders gesproken?'

De groepsleidsters kijken alledrie naar de coördinatrice, die van de wijs raakt.

'Ik ben mevrouw Képler, ík.'

De rechter kijkt verbaasd, maar zegt niets.

'Ik had het gisteren vreselijk druk, maar ik heb me inmiddels op de hoogte gesteld. De psychologe is met vakantie, en ik dacht dat we beter uw oordeel konden afwachten voordat we met de ouders zouden gaan praten.'

Ze vermijdt de blikken van de drie groepsleidsters. De rechter besluit te gaan zitten.

'Goed. Ik zal me beheersen. Maar waarom die haast?'

Hij begint de paar documenten te herlezen die voor hem liggen. Madeleine onderbreekt hem met zachte stem: 'Meneer de rechter, Margot is een kind dat mishandeld wordt. Er is spoed bij, en dan weten we nog niet eens wat haar ouders vannacht met haar hebben gedaan. We zijn bezorgd, begrijpt u?'

'Er bestaat een 06-nummer voor kinderen die mishandeld worden.'

Madeleine houdt het niet meer uit.

'O ja? Ziet u Margootje de telefoon pakken om te vertellen dat ze mishandeld wordt? Ze is elf maanden oud!'

Mevrouw Képler werpt haar een moorddadige blik toe, maar de rechter knikt.

'U hebt gelijk, neem me niet kwalijk. Is het al eens eerder gebeurd?'

Hij heeft de neiging om zijn vragen tot mevrouw Képler te richten, maar het zijn de groepsleidsters die antwoorden, Diplo voorop.

'Niet dat we weten.'

'Kent u de ouders?'

Madeleine, op haar beurt: 'Alleen de moeder.'

Ze aarzelt en vraagt dan onder de dekmantel van Margot, maar in feite ten behoeve van zichzelf, zonder dat iemand dat in de gaten heeft: 'Stel dat de vader Margot mishandelt, wat kan de moeder dan doen?'

'Aangifte doen bij de officier van justitie of een rechter om bescherming van het kind te vragen.'

'Maar dat kost tijd.'

'Ja, er moet wel een onderzoek worden ingesteld. Als we elke aanklacht zouden geloven...'

'En hoe bescherm je daarna een kind tegen de vader?'

'Men kan de vader uit de ouderlijke macht ontzetten, maar dat kost ook tijd.'

Madeleine windt zich op zonder dat ze het zelf in de gaten heeft.

'Maar wat kan er nu onmiddellijk worden gedaan?'

De rechter schraapt zijn keel.

'Nu onmiddellijk? Ik ga de politie vragen om de ouders naar het bureau te laten komen.'

Terwijl hij het nummer draait, legt hij uit: 'Het respect voor de wet is wat burgers beschermt.'

'Jawel, maar als we allemaal een verklaring afleggen, kan het dan niet wat sneller?'

De rechter heeft geen tijd meer om te antwoorden. Hij praat in de telefoon.

'Met Verdier, de kinderrechter. Ja. Ik wil dat u meneer en mevrouw Le Forestier met spoed naar het bureau laat komen. Jeanne en André, ja, precies, dat is het adres.'

Op het gezicht van de rechter is verbijstering te lezen. De agent schijnt de ouders van Margot te kennen.

'Hè? Wacht, kunt u dat herhalen? Langzaam, alstublieft?'

De rechter drukt op de toets van de speaker. De vrouwen luisteren gretig.

'Ja hoor. Die zitten hier tegenover me. Met een baby'tje. Ze willen aangifte doen. Hun kindje zou zijn mishandeld in een crèche. In een crèche, stelt u zich voor!'

De vier vrouwen kunnen hun oren niet geloven. Diplo staat op. Maar de rechter maakt een afwerend gebaar. Dan zet hij de speaker uit en richt zich op bitse toon tot zijn gespreksgenoot op het politiebureau.

'Goed, wel, noteer hun aanklacht maar en laat ze onmiddellijk naar mijn kantoor komen. Ik wil hun versie van de feiten wel eens horen.'

In een modern ingerichte afgeschoten ruimte zit een agent in burger achter zijn computer tegenover een echtpaar: de moeder van Margot en meneer Le Forestier, de vader, die de kleine op schoot heeft. De agent is stomverbaasd.

'Mensen klagen altijd over de trage rechtsgang, maar bij u gaat het echt in sneltreinvaart. De rechter verwacht u zodra we hier klaar zijn. Goed, laten we verdergaan. U kunt geen aanklacht indienen tegen een crèche.'

Meneer Le Forestier windt zich op. Hij kleedt Margot uit en wijst op de bloeduitstortingen.

'En dit? En dat? Zijn dat geen bewijzen dat ze is geslagen? We krijgen ons kind vol met blauwe plekken terug van de crèche en we hebben niet het recht om een aanklacht in te dienen tegen diezelfde crèche? Dat is de overheid die de overheid beschermt.'

De politieagent probeert kalm te blijven.

'Was u erbij toen het gebeurde?'

'Nee, natuurlijk niet!'

'Dan kunt u een aanklacht indienen tegen x. Ik kan het niet anders noteren.'

Meneer Le Forestier, buiten zichzelf: 'Ik dien een aanklacht wegens mishandeling in tegen de crèche! U noteert het maar zoals u wilt!'

De politieagent probeert uit te leggen dat het niet aan de aanklager is om de aanklacht te omschrijven. Meneer Le Forestier wil er niets van horen. De agent blijft kalm en verwijst hem beleefd naar de rechter.

'U wordt verwacht. U moet het verder maar met hem uitzoeken.'

En met zijn ogen strak op het toetsenbord van zijn computer begint hij met twee vingers razendsnel te typen.

De terugkeer van de drie groepsleidsters naar de crèche verdient een onderscheiding op het festival der woede. Een gegriefde Diplo zet tegenover Françoise haar mening uiteen.

'Goed gedaan, ouders! Bravo! De klassieke truc. Je doet iets en je beschuldigt een ander! Je spuugt in de lucht en je zegt dat het regent! Ze zien sporen van mishandeling, en wij hebben 't gedaan! Ik hoop maar dat de rechter ze het vuur na aan de schenen legt.'

Françoise is verbijsterd.

'Maar denk je niet dat we Agnès moeten waarschuwen? Want dit...'

Mevrouw Képler grijpt bliksemsnel in.

'Absoluut niet! De rechter doet zijn werk, en u bent hier om uw werk te doen, en niet om te zaniken.'

Diplo kan er niet tegen om na haar heldendaden weer op haar plaats te worden gezet en gooit haar kont tegen de krib.

'We mogen ons verhaal toch wel vertellen? Want als ik er niet was geweest... En dat is dan je dank!'

Mevrouw Képler kan er niet onderuit om Diplo een droog compliment te maken. 'Uw beloning is dat u als een echte prof wordt beschouwd.'

Diplo gaat te ver. 'Wat heb ik daaraan als u dat vindt?'

Mevrouw Képler, beledigd: 'Ga onmiddellijk aan het werk, anders...'

Anders niets. Le Garridec komt met een kind in zijn armen te hulp schieten.

'Neem me niet kwalijk, mevrouw Képler, maar ík zou Michelle graag willen feliciteren en bedanken. Maar dit terzijde, natuurlijk.'

Mevrouw Képler, die in een crèche zonder directrice aan gezag inboet, probeert het onmogelijke.

'Over terzijde gesproken, u wordt op dit moment in een andere crèche verwacht.'

De degens worden gekruist.

'Precies, verwacht. Maar ik wilde u graag bedanken voor de vriendelijke woorden die u over hebt gehad voor de moeite die ik me heb getroost. En wel om tegen al mijn principes in aan wat touwtjes te trekken teneinde de procedure te versnellen terwijl u het zo druk had.'

Hij wendt zich tot Diplo en Françoise. 'Het gehele personeel van de crèche wil u overigens bedanken dat u het zo warm voor hen heeft opgenomen toen hun naam door het slijk werd gehaald. Ik ben maar een invaller, dus ik ben weg. Tot ziens.'

Hij overhandigt het kind aan Diplo en beent driftig weg. Mevrouw Képler loopt hem achterna. Hij negeert haar. Ze roept hem. Hij geeft geen antwoord.

In de linnenkamer is de sfeer ogenschijnlijk minder gespannen. Marguerite zit te verstellen en vraagt aan Madeleine, die haar net vuile handdoeken is komen brengen: 'Maar heeft die rechter jullie vragen gesteld? Hij heeft toch wel vermoedens? Hij weet toch wel dat wij het niet hebben gedaan?'

'Een rechter doet zijn werk. Zo'n zaak is niet in een paar minuten geregeld. Het gaat niet als op de televisie.'

Marguerite, verwonderd: 'Jij blijft altijd zo rustig. Is het waar wat ik van de meisjes heb gehoord dat je man daar in jouw land minister van justitie was?'

Madeleine aarzelt en loopt zonder antwoord te geven weer naar buiten. In de gang komt ze mevrouw Képler tegen, die door de crèche zwerft, niet erg op haar gemak nu ze iedereen tegen zich in het harnas heeft gejaagd. Ze komt langs de dreumesafdeling, waarvan de deur op een kier staat, en probeert onhandig een gesprek af te luisteren. Maar haar schoenen verraden haar. En Nathalie, die weet dat ze haar kan horen, kan zich naar hartelust uitleven.

'Als Agnès er was, zou het heel anders gaan. Ik weet niet hoe ze het doet, maar ze weet altijd precies wat er aan de hand is, en ze hoeft niet te spioneren.'

De schoenen van mevrouw Képler zijn meteen verdwenen.

Mevrouw Képler heeft eindelijk iets te doen, te organiseren, te regelen. Ze vergezelt twee mannen van een jaar of dertig die zich als smerissen in burger hebben vermomd. Ze laat hen rondsnuffelen, de stemming in de crèche peilen, maar als ze bij de babyafdeling komen, vaart ze ineens tegen hen uit. 'Ik wil niet dat u hen schrik aanjaagt, begrijpt u?'

Ze begrijpen het zichtbaar niet en kijken haar geïrriteerd aan. Ze doet de deur open en stamelt gegeneerd tegen Françoise en Diplo, die druk bezig zijn: 'Deze heren zijn van de recherche. Ze hebben me hun huiszoekingsbevel laten zien. U moet hun vragen dus beantwoorden. Maar ik herinner u eraan dat u een beroepsgeheim hebt en dat u alleen feiten mag vermelden die u zelf hebt kunnen vaststellen.'

De smerissen kijken elkaar aan met een blik van 'wanneer houdt ze nu eindelijk haar mond?' Mevrouw Képler geeft zich er rekenschap van, zwijgt een seconde en vervolgt: 'Ga uw gang, heren, stel uw vragen maar.'

De smeris in het leren jasje is poeslief.

'Wij zouden deze dames graag onder vier ogen willen spreken, als u er niets op tegen hebt.'

Dat vindt mevrouw Képler niet leuk.

'Waarom?'

De smeris in pak echoot: 'Als u er niets op tegen hebt.'

Ze kan er niets tegen inbrengen en loopt beledigd weg. Maar de twee smerissen krijgen het hierdoor nog niet gemakkelijker. Want Diplo blaft nog voordat ze iets hebben gevraagd: 'We hebben alles al tegen de rechter gezegd! Hoe vaak moeten we het nog herhalen? Hij gelooft ons niet, is dat het? Dat is het, hè? Geeft hij de voorkeur aan de versie van de ouders? En heeft hij ze Margot laten meenemen?'

Brigitte is op haar tenen binnengekomen. Ze zegt niets. De

smeris in pak antwoordt met de achteloosheid van een man die wel voor hetere vuren heeft gestaan. 'Luister, mevrouw, we stellen een onderzoek in. Wat eenvoudigweg betekent dat we de feiten proberen te achterhalen.'

'Nee, u beschuldigt ons.'

'We beschuldigen niemand!'

'Jawel! Waarom moet u Françoise en mij dan hebben? Juist ons beiden?'

De smeris in het leren jasje neemt het over.

'Omdat, als we goed geïnformeerd zijn, u degene bent die zorg draagt voor de kleine Margot Le Forestier. Maar wees maar niet bang, we zullen ook de rest verhoren.'

Diplo is verontwaardigd.

'Bedoelt u dat u de crèche verdenkt? De hele crèche? U durft, zeg!'

De lijzige stem van de smeris in pak: 'Waarom laat u ons niet gewoon ons werk doen? We verstaan ons vak, hoor!'

En terwijl ze hun werk doen, verandert de keuken in een bijkantoor van de rechter-commissaris, waar Brigitte de advocaat van de duivel speelt.

'Ze doen hun werk. Ze ondervragen mensen. En als je een gerust geweten hebt, geef je antwoord. Zij zijn neutraal. Het is tenslotte best mogelijk, misschien wórdt ze hier wel mishandeld.'

Martine, die bezig is de afwas op te ruimen, stopt.

'Wát zeg je?'

'Ik zeg dat het misschien wel iemand vanhier is.'

Nathalie, die net is binnengekomen om het laatste nieuws te vernemen, protesteert verontwaardigd.

'Je bent gek!'

'Niet meer dan jij! Waarom zou het maar van één kant kunnen komen? Ik heb ze verteld dat ik een crèche heb meegemaakt waar ze een kind de hele middag met bordje en al hadden opgesloten omdat het zijn vlees niet op wou eten. Dat bestaat ook!'

Martine is verbijsterd.

'Beschuldig je iemand vanhier? Kom dan, noem dan namen!'

Martine wil op Brigitte afstormen, waarop deze zich snel uit de voeten maakt.

In het kantoor van Agnès, waar mevrouw Képler eindelijk haar gezag kan vestigen en in alle rust kan telefoneren, wordt ook zij niet gespaard. Maryline is in de aanval gegaan.

'Het zal me een zorg zijn of ik een rapport aan mijn broek krijg. U hebt ons bij de rechter al met geen woord verdedigd, niets! En nu ze de crèche aanvallen doet u ook al geen bek open. U sluit u op in het kantoor terwijl die twee clowns voor Columbo spelen, in het wilde weg vragen stellen en ons er allemaal proberen in te luizen.'

Ze stopt even en kijkt mevrouw Képler minachtend aan.

'Stoort het u niet dat ze al die vragen stellen waar de kinderen bij zijn? De peuters zijn niet doof, hoor. En wat denkt u dat ze hun ouders gaan vertellen? Ik geef in ieder geval geen antwoord meer. Dan gooien ze me maar in de bak. Sodemieter op!'

En tot besluit smakt ze bij het weggaan ook echt de deur achter zich dicht.

De twee smerissen trekken zich niets van alle opwinding aan. Bij de opbergruimte voor de buggy's zijn ze nu de ouders aan het ondervragen, terwijl Nathalie machteloos staat toe te kijken en Maryline haar vuisten balt.

'Is u niets aan uw kind opgevallen?'

Een moeder denkt na.

'Nee. O ja, toch, beten. Op een dag was haar wang helemaal kapot.'

Een andere moeder bemoeit zich ermee.

'Dat heeft er niks mee te maken. De directrice heeft er nog een speciale bijeenkomst aan gewijd. Ze legde uit dat er in elke crèche wel kinderen zijn die bijten. Zelfs mijn zoon. En die is zelf ook weer gebeten. Dat heeft met de leeftijd te maken.'

'Dat bedoelde ik toch ook. Waarom schreeuwt u zo tegen me? Meneer stelt me een vraag. Hij wil weten of me iets is opgevallen. Ik geef antwoord, dat is alles.'

Nathalie kan zich niet meer inhouden.

'Maar uw dochter bijt ook. Al gaan we u dat niet elke keer vertellen.'

'Wat? U beschuldigt mijn dochter?'

'Ik beschuldig niemand, integendeel, ik probeer alleen te zeggen dat we niet alles door elkaar moeten halen.'

148

De moeder wordt boos.

'Er wordt een kind mishandeld en ik haal alles door elkaar?'

Dat is het sein voor gebrul, totaal onbegrip en stompzinnige beschuldigingen, maar dan grijpt Maryline opeens in.

'Oké, oké, ik geef alles toe. Zijn jullie nu tevreden? Ik sla de kinderen. Ik sla ze en ik tuig ze af. Ik ben een echte sadist. Nou goed?'

Er valt een diepe, ongelovige stilte. Een moeder gaat Maryline troosten, maar nu ontvlamt Nathalie.

'Die smerissen daar denken dat we allemaal staan te liegen. Ze hebben besloten dat we schuldig zijn, dat zie je aan hun ogen.'

De twee agenten in burger halen hun schouders op.

Sophie komt erbij staan en zegt tegen Maryline, die alweer enigszins gekalmeerd lijkt: 'Ik heb Agnès te pakken weten te krijgen. Het is allemaal goed gegaan. Ze komt morgen uit het ziekenhuis.'

Maryline glimlacht, kijkt met minachting naar de twee smerissen en loopt dan naar de personeelsruimte, onder het afkeurend oog van mevrouw Képler, die niet meer weet wat ze met de situatie aan moet.

De crèche is gesloten. Het is avond. Madeleine, Diplo en Maryline lopen naast elkaar over de grote verlichte binnenplaats van een modern flatgebouw. Maryline heeft een papiertje in haar hand waar ze steeds weer op kijkt: 'Gebouw c'. Madeleine blijft staan.

'Weten jullie het zeker? Als Agnès of wie dan ook erachter komt, blijft het niet bij een berisping.'

Diplo, koppig: 'Je denkt toch niet dat ik daar warm of koud van word! We kunnen dit niet toelaten! We laten ons niet zomaar beschuldigen!'

Madeleine, sussend: 'Maar in ieder geval geen scène. Daar zijn we het toch over eens?'

Maryline ziet dat anders.

'Moeten we dan soms gehakt van ons laten maken en nog dankjewel zeggen ook? Nee!'

Ze heeft geen tijd meer om verder te gaan. Ze staan voor Gebouw c. Op de wraakzuchtige opwinding buiten volgt enkele ogenblikken later een ingehouden kalmte in de huiskamer van de ouders van de kleine Margot. De drie groepsleidsters zitten op een rijtje op een leren bank. Meneer Le Forestier zit tegenover hen. De moeder heeft Margot in haar armen en is blijven staan. De kleine Antoine, het oudere broertje, staat te spioneren in de deuropening van zijn kamer. Zijn moeder ziet hem en beveelt hem de deur dicht te doen. Meneer Le Forestier wil graag horen wat ze te zeggen hebben.

'U hebt gelijk, ik heb het ook liever zo. We kunnen beter openlijk met elkaar praten dan in verdachtmakingen te blijven steken. Wilt u iets drinken?'

'Nee.'

De drie groepsleidsters antwoorden in koor. Diplo begint.

'Realiseert u zich wel dat wij valselijk worden beschuldigd? Probeert u zich ook eens in ons te verplaatsen.'

Meneer Le Forestier ziet dit anders.

'Voorzover ik weet hebben wij niemand aangewezen.'

'Dat is nog erger. Nu kan iedereen zich aangesproken voelen.'

Le Forestier kaatst de bal terug.

'Niemand weet wie er aan Margot is geweest, dat klopt. U zegt dat men u beschuldigt, maar hebt u niet hetzelfde gedaan door óns te beschuldigen, zonder ook maar enig bewijs?'

Maryline wil opstaan en antwoorden. De moeder van Margot geeft haar de kans niet.

'Wacht! Laten we verstandig blijven en elkaar niet in het wilde weg gaan beschuldigen.'

Ze wijst met haar kin naar Margot.

'Denk u nu echt dat Margot zo tevreden in mijn armen zou liggen als ik haar zou slaan?'

Maryline, met een plechtig gebaar: 'We hebben ú ook niet beschuldigd.'

Alle blikken wendden zich automatisch naar de vader. Een drukkende stilte die wordt verbroken als mevrouw Le Forestier, met net zo'n plechtig gebaar als Maryline, haar man de kleine Margot aanreikt. Hij neemt het kindje in zijn armen. Het vlijt zich verrukt tegen hem aan. Hij kust het en lacht. De drie groepsleidsters kijken elkaar aan, opeens niet meer zo zeker van zichzelf. Madeleine staat op.

'Mag ik haar vasthouden?'

Het is een soort uitdaging. Het begin van een raderwerk dat een onverbiddelijke logica lijkt te volgen. De vader aarzelt niet lang. Hij overhandigt het kindje aan Madeleine. Het klampt zich aan haar vast. Madeleine geeft het zwijgend aan Maryline. Het is een spelletje voor Margot. Ze begint nog harder te lachen. Dan is tenslotte de beurt aan Diplo, die het kindje trillend aanneemt. Maar als het kind zich tegen haar aan nestelt, heeft ze tranen in haar ogen. Het bewijs lijkt geleverd. Mevrouw Le Forestier zegt met gebroken stem: 'Ik vind het heel vervelend om ... maar íemand moet haar toch slaan...'

In de stilte die volgt denkt iedereen opeens hetzelfde. De moeder mompelt: 'Denkt u dat het misschien...'

Ze kan het niet geloven. Ze spreekt geen naam uit. De drie groepsleidsters volgen meneer en mevrouw Le Forestier met ontdane gezichten. Ze lopen door een gang en stoppen voor een deur. Mevrouw Le Forestier heeft haar baby op de arm. Ze drukt krachtig op de bel. Er weerklinkt gedempte muziek als de deur opengaat. Pauline, de jonge au pair, kijkt hen verbaasd aan. Mevrouw Le Forestier zegt geen woord en houdt haar koeltjes het kind voor. Pauline begrijpt eerst niet wat men van haar wil en pakt het kindje dan aan. Margot, tot nu toe zo kalm, begint opeens tegen te spartelen. Ze zet het op een brullen, draait zich om naar haar moeder en kijkt haar doodsbang aan, smekend om haar terug te nemen. Mevrouw Le Forestier neemt haar baby meteen weer terug. Het jonge meisje begrijpt niet wat er aan de hand is. Geen woord. Blikken vermijden elkaar. Tranen stromen over Madeleines wangen.

Een mysterie is opgelost en iedereen is weer blij. De volgende ochtend gaat alles weer zijn gewone gangetje. Diplo, de grote heldin, is druk aan het werk. Ze draait zich om en bloost als ze niet alleen Margot in haar buggy, maar ook mevrouw Le Forestier met een grote bos bloemen in de hand op zich af ziet komen.

Diplo stamelt: 'Dat had u niet hoeven doen, dat had u niet hoeven doen.'

Ze aarzelt om de bloemen aan te nemen en omhelst de kleine

151

Margot. Mevrouw Le Forestier komt verlegen bij haar staan.

'Mijn man en ik hadden ons voorgenomen om haar de hele dag bij ons te houden, maar we hebben het zo druk op ons werk, we kunnen het ons niet permitteren om weg te blijven. Begrijpt u? Denkt u dat ze het ons kwalijk zal nemen als we haar hier laten?'

Diplo neemt Margot in haar armen en zegt: 'Wat denk jij, wil je bij me blijven?'

De moeder wil de bloemen neerleggen. Maryline, een en al glimlach, neemt ze met een bedankje van haar over. Mevrouw Le Forestier put zich uit in verontschuldigingen.

'We hebben de aanklacht natuurlijk ingetrokken. En bovendien hebben we nooit echt gedacht dat u...'

'Heeft de au pair bekend?'

'Nee, dat niet. Toen de politie kwam, was ze weg.'

Maryline, plechtstatig: 'Dat is zo goed als een bekentenis!'

De moeder van Margot beaamt het.

'Dat denkt de politie ook.'

Maar ze is niet op haar gemak, een vraag van een geheel andere orde brandt haar op de lippen, maar ze durft hem niet goed te stellen. Schuchter zegt ze: 'Er is ook nog... ik heb vanmiddag iets heel belangrijks, ik zal proberen op tijd te komen. Maar stel dat ik iets te laat ben? Want ik heb nu niemand meer om Margot op te halen...'

Maryline heeft er alle begrip voor.

'Maakt u zich maar geen zorgen. Ik breng haar wel naar huis. We weten nu waar u woont... En als ik u daarmee uit de brand kan helpen, wil ik Antoine wel van de kleuterschool halen.'

Mevrouw Le Forestier weet niet hoe ze haar moet bedanken. Zoveel vriendelijkheid had ze niet verwacht. Maryline stelt haar gerust.

'En bovendien vind ik het helemaal niet erg! Mijn vriendje moet volgens mij de hele avond repeteren...'

Mevrouw Le Forestier fluistert in haar oor: 'De sleutels liggen onder de deurmat. U hebt geen idee wat een dienst u me hiermee bewijst! Ik wist me geen raad.'

Maryline glimlacht alleen maar.

Mevrouw Le Forestier gaat weg. Haar pad kruist dat van een

opgewonden mevrouw Képler, die Diplo wenkt om naar Agnès' kantoor te komen. Nathalie is er al. Ze knipoogt naar Diplo, die tot haar verbazing twee flessen champagne op het bureau ziet staan. Mevrouw Képler is dodelijk serieus en slaat een dienovereenkomstige toon aan.

'Ik wou het u graag als eerste vertellen: in de zaak van de kleine Margot treft u geen enkele blaam. Het personeel is boven elke verdenking verheven. De politie heeft uitstekend werk gedaan. Ik weet niet hoe ze het hebben gedaan, maar het schijnt dat ze de dader hebben gevonden. Het zou om de jonge au pair gaan.'

Diplo kan haar lachen haast niet houden.

'O ja? We zijn erg blij om het te horen. Die smerissen verstaan hun vak.'

De ironie ontgaat mevrouw Képler. Met de gevoeligheid die haar eigen is, begint ze in zorgvuldig gekozen bewoordingen aan een preek die rechtstreeks uit een cursus slecht toegepaste psychologie lijkt te komen.

'Het is belangrijk dat deze affaire voor u geen psychologische gevolgen heeft. Mocht een van u er behoefte aan hebben om erover te praten, een luisterend oor te vinden, dan ben ik er voor u. Aarzel ook niet om het tegen de rest te zeggen. We moeten trauma's voorkomen en...'

Nathalie houdt het niet meer.

'En als ik u om een vrije dag zou vragen? Dat zou voor mij de beste manier zijn om alles te verwerken!'

'Ik meen het. Denk erover na. Hoe dan ook, ik had zo gedacht dat we voor de lunch wel een glaasje op de goede afloop zouden kunnen drinken.'

En ze wijst op de twee flessen.

Maar Maryline heeft nog een appeltje met iemand te schillen. Ze valt de dreumesafdeling binnen, waar Brigitte een rondedansje heeft georganiseerd. Maryline trekt zich er niets van aan en neemt haar onder handen.

'Zo! Voel je je nu niet erg lullig? Ik herinner je eraan dat wij schuldig zijn! Jij met je "ik heb crèches meegemaakt waar het personeel..." Wij zijn sadisten die baby's martelen! Maar pas op,

mocht iemand me ooit vragen of we een kreng in de crèche heb-
ben, dan weet ik tenminste wat ik moet antwoorden!'
Brigitte is rood van woede.
'Zie je niet dat ik bezig ben?'
'Je meent het?'
Het dispuut dreigt uit de hand te lopen. Nathalie komt als ge-
roepen.
'Ik maak jullie erop attent dat mevrouw de coördinatrice ons
voor het eten een drankje aanbiedt.'
Estelle is verongelijkt.
'Dat wou ík doen, omdat ik wegga. Maar ik kreeg te horen dat
dat kon overdag niet kon.'
Maryline en Nathalie barsten in lachen uit.

De kinderen eten, de volwassenen klinken, de glazen champagne
gaan rond. En iedereen wenst Estelle geluk. Maryline haalt na een
chagrijnige blik op Brigitte een bandje tevoorschijn.
'Bij een feest hoort muziek. En de kinderen vinden dit leuker
dan "Au clair de la lune", dat kan ik jullie wel vertellen. Het is in
ieder geval gloednieuw! Luister maar.'
Ze heeft het bandje in de cassetterecorder geduwd. Het is hard-
rock. Vreemde sfeer. Het is niet zeker of iedereen wel van hard-
rock houdt, maar niemand durft het te zeggen. Maryline is dus in
de zevende hemel en slaat de maat met een voortdurend: 'Luister,
luister, dat is de drummer.'
Madeleine zit eenzaam in een hoekje en deelt niet in de feestvreugde. Sophie houdt zich afzijdig en kijkt afwezig. De telefoon
gaat. Martine neemt lachend op. Ze moet schreeuwen om boven
het lawaai uit te komen.
'Hallo? Wie? O, dag. Voelt u zich beter?' Tot niemand in het
bijzonder: 'Het is Agnès! Ja, we vieren het nieuws, want het is nu
officieel wat Margot betreft, we zijn onschuldig verklaard. Wist u
dat al? Ja, muziek. Het zijn die vrienden van Maryline. O!'
Martine draait zich om en schreeuwt: 'Ze zegt dat ze zelf wel
van rockmuziek houdt, maar dat we het de kinderen nog niet op
hoeven dringen.'
Een geïrriteerde Maryline haast zich de cassetterecorder af te

zetten. De stilte doet vreemd aan. En Martines stem klinkt des te harder.

'Nee, nee, natuurlijk niet, ze zijn aan het eten. Ja, die is er, ik zal haar geven. Mevrouw Képler! Agnès wil u spreken.'

De coördinatrice snelt naar het kantoor om de telefoon aan te nemen en sluit zich op. Achter haar is de feestvreugde verflauwd. Maryline zegt mat: 'Nou, meiden, ik geloof dat het feest voorbij is.'

En dat is ook zo. Nog wat gelach, en dan gaan de kinderen weer terug naar hun afdelingen. Maar dan gebeurt het. Madeleine, die haar mond niet open heeft gedaan, kiest dit ongelukkige moment om in woede te ontsteken.

'Vinden jullie echt dat er iets te vieren is?'

Iedereen kijkt haar verbaasd aan. Maryline, niet op haar mondje gevallen: 'Moeten we huilen dan?'

Madeleine spreekt langzaam.

'Oké, we werden beschuldigd en nu niet meer, maar sinds vanochtend heb ik niemand meer over Margot gehoord. Helemaal niemand! Maar zíj is mishandeld en ze kan er niet over praten. Ze kan niet eens zeggen wat ze heeft meegemaakt. Ik zeg niet dat we moeten huilen, maar dit!'

Ze zwijgt en begint nu zelf te huilen. De nog aanwezige groepsleidsters staan aan de grond genageld. Sophie aarzelt of ze in zal grijpen, maar Antoinette gaat al naar Madeleine toe en pakt haar bij de arm. Ze wil haar troosten en probeert haar mee te trekken. Maar Madeleine wil dat iedereen hoort wat ze te zeggen heeft. Antoinette verontschuldigt zich. Madeleine duwt haar vermoeid weg.

'Ik, eh... Want... Goed, ik zal zeggen hoe het zit. Ik heb vanochtend het slot van mijn woning laten vervangen. Mijn man weet het nog niet en ik weet niet wat hij zal gaan doen. Bovendien heb ik ook een aanklacht tegen hem ingediend. Dat had ik misschien niet moeten doen, maar ik wil niet meer dat hij aan mijn kinderen komt. Ik kan er al dagen niet van slapen, ik denk steeds maar dat het ook mijn schuld is. Ik heb het zo lang toegelaten...'

Antoinette geeft haar groot gelijk.

'Ja, maar als hij er vanavond achter komt, slaat hij alles in elkaar en dan ben ik alleen.'

Sophie biedt onmiddellijk haar hulp aan: 'Ik ga wel met je mee.'
Maar Diplo wijst dit aanbod met een vriendschappelijk en lief-
devol gebaar van de hand.
'Nee, jij niet. Ik ga wel mee.'
Marguerite schiet te hulp: 'Ik ook. Ik kan zelfs blijven slapen als
je wilt. Hij maakt mij niet bang, die minister van jou.'
Madeleine kijkt hen aan. Ze veegt haar tranen af, draait zich om
en loopt met trage passen naar haar afdeling. Sophie gaat achter
haar aan.
'Wou hij kinderen? Was hij het ermee eens?'
'Natuurlijk!'
'Waarom slaat hij ze dan?'
Madeleine maakt een machteloos gebaar.

De rust van het middagslaapje. Maar die rust is maar van korte
duur. Nathalie die bij het raam zit te soezen, roept zachtjes naar
Diplo en Maryline: 'Ze is het, ze is het. Ik weet het zeker.'
Ze is het inderdaad: Pauline, de jonge au pair, die met haar neus
tegen de voordeur naar binnen staat te turen. Nathalie aarzelt
geen moment en rent er scheldend op af. 'Jezus, die heeft lef, zeg!'
Maryline en Diplo vallen haar onmiddellijk bij en volgen haar
voor de *kill*. Nathalie doet de deur open en pakt Pauline vast, die
zich niet verzet. Ze probeert alleen iets te zeggen.
'Ik heb het niet...'
Nathalie legt haar het zwijgen op.
'Dat zal wel!'
'Ik zweer het u, ik heb het niet gedaan. Ik heb Margot nog nooit
geslagen. Nooit!'
Maryline, kribbig: 'Waarom ben je dan op de vlucht geslagen?'
'Niemand gelooft me. Konden ze het Margot maar vragen, die
zou het kunnen vertellen. Ik heb het niet gedaan, ik zweer het!'
Diplo, agressief: 'Wie dan? Zelfs de smerissen denken dat jij het
bent!'
'Nee, nee. En niemand wil me helpen.'
Maryline, verontwaardigd: 'Je mishandelt een kind en je wilt
ook dat ze je helpen! Ga dat maar aan de smerissen vertellen.
Françoise! Snel, bel de politie, wij hebben d'r.'

Maar niet lang. Pauline rukt zich los en rent weg zonder dat iemand iets kan doen. Maryline, Françoise en Diplo rennen nog zo'n twintig meter achter haar aan, maar geven dan beteuterd op. Ze lopen terug. Diplo, walgend: 'Hebben jullie gezien hoe ze zich verdedigt! Ons medelijden proberen op te wekken! Als dat niet het bewijs is!'

Maryline gaat er niet op in. Ze kijkt ongerust, alsof ze opeens heel andere zorgen aan haar hoofd heeft.

'Diplo, ik zal eerlijk tegen je zijn, maar ik zit 'm nu wel te knijpen dat ik Margot vanmiddag naar huis moet brengen.'

'Waar ben je dan bang voor?'

'Voor die gekkin! Stel je voor, straks wacht ze me op. Heb je gezien hoe sterk ze is? Ze is tot alles in staat en ik ben straks alleen met twee kleine kinderen.'

Diplo verontschuldigt zich: 'Maar vanmiddag heb ik Madeleine al beloofd...'

Françoise komt tussenbeide: 'Ik ga wel mee, als je wil.'

Maryline glimlacht haar opgelucht toe.

Aan het eind van de dag zet Maryline de kleine Margot in haar buggy. Françoise staat klaar. Ze gaan op weg, maar als ze bij de deur zijn, houdt Maryline opeens in en ze trekt een gezicht.

'Shit! Die was ik helemaal vergeten!'

'Waar heb je het over?'

'Over een gozer die ik je "toevallig" wou laten ontmoeten. Hij staat buiten.'

Françoise windt zich op.

'Heb je nou alweer...'

'Ik weet het, ik weet het. We doen gewoon net of we hem niet zien. Hij bestaat niet, oké?'

De arme jongen snapt er dan ook niets van als die twee meisjes op wie hij al een halfuur staat te wachten, hem half voorovergebogen over een buggy voorbijrennen alsof ze hem niet zien.

Wat verderop proesten Maryline en Françoise het uit. Ze zijn al bijna bij de kleuterschool als Françoise zich opeens vastklampt aan Marylines arm. Ze blijven staan. Bij de ingang van de school staat Pauline, de jonge au pair, zenuwachtig te wachten en om de tien seconden op haar horloge te kijken. Maar dan krijgt ze de twee groepsleidsters en de buggy in het oog en gaat er als een dief vandoor. Françoise en Maryline zijn verbijsterd. En al is het Françoise die regelmatig naar de film gaat, het is Maryline die tijdens het wachten op Antoine een heel rampscenario verzint.

'Zie je wel, ik kneep 'm niet voor niets. Het is goed dat we met zijn tweeën zijn gegaan. Ik krijg de rillingen van die griet. Ze wou Antoine natuurlijk ontvoeren.'

'Hoezo?'

'Verplaats je in haar. Wat kan ze anders doen? Ze kidnapt een kind en daarna chantage: haar vrijheid in ruil voor Antoine. Klassiek.'

Françoise zou niet zo'n onwaarschijnlijk scenario hebben kunnen verzinnen. Maar Marylines angst werkt aanstekelijk. Dus zodra ze Antoine in de hal van de kleuterschool ziet, rent ze op hem af en drukt ze hem in haar armen alsof hij op het nippertje aan een gruwelijk gevaar is ontsnapt. Antoine begrijpt er niets van. Ze stelt hem gerust.

'Je mama heeft ons gevraagd om je op te halen. Het hoofd van de school weet ervan. Maak je maar geen zorgen.'

Antoine draait zich om naar het hoofd van de school, dat glimlachend knikt.

Op weg naar het huis van de Forestiers blijft Maryline voortdurend op haar hoede. Stel dat Pauline opeens opduikt? Antoine maakt zich zorgen.

'Waar is Pauline?'

Françoise geeft een ontwijkend antwoord en beveelt hem dan haar een hand te geven, die ze stevig vasthoudt. Antoine pruilt. In het appartement van de Forestiers durven Maryline en Françoise eindelijk weer adem te halen. Ze brengen Margootje met zijn tweeën naar haar kamer. Antoine wijkt geen duimbreed van hun zij. Maryline praat met hem.

'Wat heeft je zusje een mooie kamer.'

Antoine is het daar niet mee eens.

'Nee, het is een rotkamer! En vroeger was ie van mij!'

En hij naar zijn kamer, gevolgd door Françoise.

'Maar jij hebt ook een mooie kamer.'

158

Antoine is het daar ook niet mee eens.

'Nee, die andere was veel mooier. En hier stinkt het nog naar verf!'

Antoine is in een slecht humeur. Hij gaat op zijn bed zitten en zet zijn cassetterecorder aan. Françoise pakt het apparaat voorzichtig af en zet het uit.

'Je mag geen lawaai maken, Antoine, je zusje moet slapen.'

Antoine kijkt haar geïrriteerd aan. Dan loopt hij zijn rotkamer uit en gaat naar de huiskamer. Hij zet de televisie aan voor een tekenfilm. Maryline komt onmiddellijk aanrennen om hem weer uit te doen.

'Wees eens lief, Antoine. Ten eerste is het voor niemand goed om zijn hele leven voor de televisie te hangen. En verder heeft je kleine zusje de hele dag in het lawaai gezeten en zal een beetje rust haar goed doen.'

Ze geeft hem een zoen.

'Wil je worteltjes voor het avondeten?'

'Nee, ik hou meer van macaroni.'

Maryline probeert hem het onmogelijke uit te leggen.

'Dat heeft je zusje vanmiddag al gegeten. We gaan niet weer macaroni maken.'

Antoine kijkt haar gemeen aan. Hij vraagt nog een keer waar Pauline is en verdwijnt naar zijn kamer als er geen antwoord komt.

Maryline en Françoise zijn bezig in de keuken. Maryline kijkt wat er in het groentevak zit. Françoise duwt haar opzij.

'Laat maar, ga maar zitten, ik kook wel.'

'Wat? Kun jij kokkerellen? Zie je wel, zei ik het niet? Jij bent geschapen voor een vent. Geen twijfel aan.'

Françoise begint te lachen. Maryline draait de kraan open.

Geen van beiden heeft Antoine de kamer van Margot zien binnensluipen. Maar beiden horen haar opeens schreeuwen en huilen. Ze haasten zich naar haar kamer, spreken het kindje liefkozend toe, kalmeren het en gaan weer terug naar de keuken. Ze zijn de kamer nog niet uit of Antoine komt onder het bed vandaan, waar hij zich had verstopt. Hij staat roerloos naar zijn zusje te kijken. Terug in de keuken zegt Françoise met kennis van zaken: 'Het is normaal dat Margootje zo tekeergaat, na alles wat ze heeft

meegemaakt. Ze hoeft zich maar om te draaien en het doet pijn.'
Maryline knikt.
'Arm kind!'
Het gerinkel van pannen en het geluid van een hakmes voor de maaltijd die ze bereidt.
'En dan te bedenken dat we gisteren nog slaande ruzie hadden met de ouders!'
Françoise gaat op zoek naar Antoine. Hij is niet in zijn kamer. Ze roept hem en maakt er een spelletje van.
'Ik weet waar je bent! Ik krijg je wel!'
Maar de pret duurt niet lang. Ze weet echt niet waar hij is. Ze zoekt hem bezorgd, loopt terug door de gang en blijft ter hoogte van Margots kamer bewegingloos staan, verlamd door wat ze ziet. Margot zet het op een brullen. Maryline rent de keuken uit, maar stuit op Françoise, die een vinger tegen haar lippen drukt en met haar hoofd naar Margots kamer wijst. Door de halfopenstaande deur zijn ze getuige van het ongelooflijke. Antoine knijpt zijn zusje met een verkrampt gezicht zo hard als hij kan en wil haar meteen daarna, geschrokken van het gebrul, tot zwijgen brengen. Hij drukt zijn hand op haar mond tot ze bijna stikt. Françoise brult dat hij onmiddellijk op moet houden. Antoine verstijft. Maryline stormt op hem af. Ze is zo woedend dat ze in haar vaart haar evenwicht verliest en Antoine van de gelegenheid gebruikmaakt om weg te rennen, de voordeur open te doen en de trap af te vliegen. Hij rent hard, Antoine, achtervolgd door Maryline, die zich alweer heeft hersteld. Hij is al in de hal van de flat, maar ziet dan opeens Pauline staan die hem de weg verspert. Terwijl Maryline brult dat hij moet blijven staan, werpt hij zich in tranen in de armen van het jonge meisje dat hem tegen zich aan drukt alsof ze zich tegen Maryline moet beschermen. Ze bepleit opnieuw haar onschuld.
'Ik heb het niet gedaan! U moet me geloven. Ik zweer het u!'
Maryline, buiten adem, loopt langzaam op haar af. Antoine, met zijn gezicht tegen Pauline aan gedrukt, ziet niet dat Maryline naar hem wijst.
'Ik weet het, ik weet wie het is.'
Pauline knikt bevestigend. Dan vraagt Maryline op gedempte

160

toon: 'Maar als je dat wist, waarom heb je dan niets gezegd?'

Pauline is in tranen.

'Ik heb het geprobeerd, maar u wou niet luisteren, dat weet u zelf wel. Waarom denkt u dat ik u weer ben gevolgd?'

Maryline kijkt haar ongemakkelijk aan. Ze stamelt een onhandig 'neem me niet kwalijk'. Antoine houdt zich heel stil. Pauline aait hem liefdevol over zijn hoofd. Ze fluistert in zijn oor dat het allemaal weer goed zal komen. Dan loopt ze naar de lift. Als Françoise het jonge meisje met Antoine in haar armen binnen ziet komen, is haar verbazing zo groot dat ze met open mond opzij gaat om haar door te laten. En zonder er ook maar iets van te begrijpen kijkt ze haar na tot Pauline de kamer van Antoine in gaat en de deur dichtdoet. Ze komt weer bij zinnen als Maryline zich zuchtend op de bank laat vallen.

'Wat zijn wij een oenen, zeg! Daar hadden we godverdomme toch wel aan kunnen denken! Het abc van het vak. De jaloezie van een ouder broertje.'

Françoise is niet al haar verstand verloren.

'Ja, oké, jaloers, maar zó jaloers! Dat heb ik nog nooit meegemaakt. Die Antoine is nog getikter dan we al dachten. Realiseer je je wel wat hij heeft gedaan? Die blauwe plekken waren zo groot dat je onmogelijk aan een kind kon denken. Het moest wel een volwassene zijn!'

Maryline kan er niets tegen inbrengen.

In zijn kamer, op zijn bed, ligt een klein jongetje hartverscheurend te snikken. Pauline is naast hem komen zitten. Ze legt haar hand in zijn nek om hem te kalmeren. Maar voorlopig zal niets hem kunnen kalmeren.

Margot is in haar bedje in slaap gevallen.

4 Een plaats in de crèche

Ochtendlijke wedren naar de crèche. Tot elke prijs voorkomen dat er ouders voor een dichte deur komen te staan, al moeten ze maar een minuutje wachten. Agnès heeft dit zo vaak gezegd dat Françoise zich nu al schuldig voelt. Ze heeft zich warm aangekleed en ze rent, stopt even om op adem te komen, kijkt op haar horloge en rent weer door. Zo vroeg op deze ijskoude ochtend let ze nergens op, laat staan op het groepje mensen dat haar stiekem staat op te wachten.

Françoise kan een zucht slaken: geen kinderwagen, geen buggy, geen ouder in zicht. Maar ze heeft zich zo'n zorgen gemaakt dat het even duurt voordat ze tussen de spullen in haar tas de sleutels heeft gevonden. Ze wrikt nerveus aan het slot. Als ze de deur eindelijk open heeft, wordt ze opeens opzij geduwd. Het groepje dat zich had verstopt, heeft zich op de deur gestort en stormt nu de crèche binnen. Het komt allemaal erg agressief op Françoise over. Ze gaat hevig geschrokken opzij en drukt zich tegen de deurpost aan. Ze kijkt verbijsterd naar die mensen die net haar crèche zijn binnengegaan.

Een paar vrouwen met een baby op de arm, twee andere met buggy's en een man die twee supermarktwagentjes voor zich uit duwt, tot de rand toe gevuld met god weet wat. Ze verspreiden zich over de lege lokalen. Het is een nieuwsgierig, verkennend en druk heen-en-weergeloop. En de dingen die men tegen elkaar zegt, klinken onnozel en verbijsterend in de oren van Françoise, die er niets van begrijpt en het niet kan hebben dat men zonder haar toestemming het licht aandoet. Ze is sprakeloos, niet in staat haar jas uit te doen, verdwaasd door de opmerkingen die losbarsten.

'Ik had het me heel anders voorgesteld. Ik ben nog nooit in het kantoor van een directrice geweest.'

'Maar het is best aardig.'

'Dit is vast de peuterklas. Geen gek idee om foto's van de ouders op de muur te plakken.'

'De deurkrukken zitten wel erg hoog.'

'Ja, natuurlijk, zo kunnen de kinderen er niet bij. Dat is een veiligheidsmaatregel.'

Terwijl de inspectie wordt vervolgd, is Catherine, een van de vrouwen van het 'commando', in de hal blijven staan. Ze ergert zich ook aan de wanorde, zij het om andere redenen dan Françoise. Ze spreekt een van de ochtendlijke bezoeksters aan.

'We hadden afgesproken dat we met zijn allen in de hal zouden blijven, bij elkaar, en daar zouden wachten.'

'We doen toch geen kwaad, we kijken alleen maar rond.'

'Dat hadden we niet afgesproken.'

Benoît, de enige man in de groep, zegt op hoge toon: 'Jij hebt makkelijk praten. Jij kent het hier al.'

Een andere vrouw doet er nog een schepje bovenop: 'Wat we doen is sowieso tegen de wet, dus hier of elders...'

Catherine, ontmoedigd: 'Wacht eens even, als we zo gaan beginnen.'

'Hoho! We hebben je niet gevraagd om de boel te leiden of ons te vertellen wat we wel of niet mogen doen.'

Françoise heeft zich geleidelijk aan weten te herstellen. Ze loopt naar Catherine toe en vraagt met een zo vast mogelijke stem, die niettemin licht trilt: 'Oké. Wat wilt u?'

Catherine glimlacht innemend en wil antwoord geven. Een vrouw is haar voor. 'Wat we willen? Een plaats in de crèche.'

Françoise verdedigt zich.

'Maar daar ga ik niet...'

'Dat weten we wel. Maar omdat niemand er ooit over gaat, hebben we tot een bezetting besloten.'

Françoise kan haar oren niet geloven.

'Waartoe hebt u besloten?'

Catherine vervolgt: 'Tot een bezetting. We houden een bezettingsactie. We bezetten de crèche.'

Françoise kijkt des te verschrikter omdat de nieuw aangekomenen om haar heen komen staan. Ze verdedigt zich uit alle macht.

'Maar daar hebt u het recht niet toe! Wat moet u van me?'

'Helemaal niets.'

Benoît komt opgewekt op haar af. Maar Françoise deinst verschrikt terug.

'Wat wilt u van me?'

Catherine probeert haar te kalmeren.

'Niets. Waarom zouden we iets van u willen? We hebben niets tegen u.'

Françoise werpt radeloze blikken om zich heen, op zoek naar hulp, die inderdaad arriveert. Sophie en Nathalie komen binnen. Françoise schreeuwt: 'Ze bezetten de crèche! Ze bezetten de crèche!'

En ze rukt zich los uit de kring van haar denkbeeldige vijanden en werpt zich in de armen van Nathalie.

De bezetters kijken van een afstand naar die vrouwen die fluisterend naar hen staan te wijzen. Sophie loopt gedecideerd op hen af.

'Het spijt me zeer, maar u kunt hier niet blijven.'

Catherine, even vastbesloten als zij: 'Het spijt mij ook zeer, maar we blijven hier. We hebben geen keuze. Herkent u me niet? Ik ben de moeder van...'

Sophie luistert niet. Ze windt zich op.

'Maar dat kan niet. Dit is een crèche. Wij werken hier. Straks komen de kinderen, u kunt hier niet...'

Een vrouw met een baby op de arm slaat een verzoenende toon aan.

'Weet u, wij zijn ook ouders. Dit is mijn kleine Mikaël. Ze hadden me een plaats beloofd, maar gisteren kregen we een brief van het gemeentehuis...'

Nathalie wacht niet tot ze is uitgesproken. Ze is woedend.

'U hebt het gehoord. U kunt hier niet blijven! Dat is toch duidelijke taal?'

Catherine pakt haar sussend bij de arm. 'Nathalie, herken je me niet?'

'U? U bent de moeder van de kleine Nicolas. Wat doet u bij hen?'

'Wij zijn allemaal ouders die eisen...'

Françoise valt haar beschuldigend in de rede: 'Ze hebben het allemaal van u, hoe ze binnen konden komen en zo!'

Een van de vrouwen, resoluut: 'Denkt u dat we te stom zijn om dat zelf te bedenken?'

Nathalie probeert te bemiddelen.

'Wacht even, wacht even. Laten we rustig blijven. Gaat u op zijn minst naar buiten. Ik weet het ook niet.'

Het antwoord is scherp.

'Als u het niet weet, moet u uw mond houden!'

Het begint uit de hand te lopen. Françoise kan het niet langer aanzien en ze begint een van de moeders naar de deur te duwen. Ze schreeuwt: 'Maar ík gooi u eruit! Gaat u de straat maar bezetten! Daar hebben alleen de voorbijgangers en auto's er last van!'

Aan zoveel heftigheid kan de arme moeder geen weerstand bieden. Ze is al bij de deur, oog in oog met een andere moeder, wier kind wél officieel in de crèche staat ingeschreven en die een buggy naar binnen duwt. En natuurlijk vraagt ze aan Françoise, die wel erg overdreven naar haar glimlacht: 'Wat is hier aan de hand?'

'Niets, mevrouw Doller, helemaal niets. Bezoek. Gaat u maar mee.'

En ze voert haar mee naar de babyafdeling, zodat de bezetters wel opzij moeten gaan.

Katten en honden. Aan de ene kant de bezetters en aan de andere kant de drie groepsleidsters, die op elke bekende nieuwkomer afsnellen en woedend kinderwagens en supermarktkarretjes opzij duwen die in de weg staan. Ze verwelkomen de ouders met een geforceerde glimlach en houden opgewekt de schijn op. Een moeder met grote haast heeft niets in de gaten. Maar de mama van Lea, die uitlegt dat de kleine slecht heeft geslapen, is scherpzinniger. Ze kijkt verwonderd naar de indringers en de ontdane gezichten van Nathalie en Sophie en vraagt bezorgd: 'Is er iets mis?

Sophie probeert de zaak te bagatelliseren.

'Nee hoor, niets. Drie keer niets. Ouders die een plaats in de crèche willen.

Lea's moeder trekt een gezicht.

165

'Nou, dan wens ik ze veel plezier. Want mijn schoonzuster...'

Sophie zal nooit te weten komen wat die schoonzuster is overkomen. Want Françoise, die de kleine Gwenaëlle in haar armen heeft, begint opnieuw te tieren en te schelden.

'Bent u nu tevreden? Iedereen heeft gezien hoe flink u bent, dus als u nu door de grote deur naar buiten wilt gaan, dan kunnen wij rustig aan het werk. U staat in de weg. U ziet toch wel dat ik een kind in mijn armen heb.'

De moeder van Mikaël echoot: 'Ik heb ook een kind in mijn armen.'

Françoise draait zich verward om.

Er komen nog meer ouders binnen. Ze begrijpen niets van de chaos, stellen vragen of vragen zich af wat er aan de hand is.

Nathalie gaat terug naar de bezetters, die nog steeds niet goed weten wat ze moeten doen.

'Goed, oké, u hebt gewonnen. Ik heb de directrice gebeld. Ze komt eraan. Dus als u in de tussentijd bij elkaar wilt gaan staan, daar achterin, dan kunnen wij tenminste...'

Haar woedeaanval wordt onderbroken door de vrolijke stem van Maryline, die net binnen is gekomen. 'Hallo, meiden! Is het feest vandaag?'

Nathalie werpt haar een donkere blik toe. Maryline begint te lachen.

Net doen of er niets aan de hand is terwijl er juist van alles mis is, is de strategie die de groepsleidsters met zijn allen lijken te volgen, hoewel ze hun gespeelde onverschilligheid af en toe afschudden om te gaan kijken wat zich daadwerkelijk in het atrium afspeelt. De bezetters zitten op de grond. Sommige moeders spelen met hun kinderen, andere laten hen rondrennen. Agnès gaat voor hen staan en richt zich met haar armen over elkaar tot haar onverwachte gasten.

'Ik zou liegen als ik zou zeggen dat ik blij ben met uw komst. Ik begrijp uw gezichtspunt. Er zijn te weinig plaatsen, dat is duidelijk, maar daar kan ik niets aan doen. Alleen het gemeentehuis kan meer crèches laten bouwen.'

'Bouwen? Maar we hebben nú plaatsen nodig.'

'Ondertussen is het hier een plek waar we kinderen bezighouden.'

'Ja, die van anderen!'

Agnès vervolgt onverstoorbaar: 'Ik wil u alleen maar vragen om niet te hinderen.'

Een vrouw windt zich op: 'Welja! Als we niet hinderen is er niemand die naar ons luistert.'

Agnès duldt geen tegenspraak. 'U bent gewaarschuwd. Zolang deze crèche onder mijn verantwoordelijkheid staat, blijft het hier normaal functioneren.'

Ze verheft haar stem, zodat het personeel haar kan horen.

'We zullen net doen of u er niet bent.'

Ze draait zich om en keert gespannen terug naar haar kantoor. Gelooft ze echt in wat ze zojuist met kracht heeft beweerd?

Brigitte, de kinderpedagoge, is druk bezig op de peuterafdeling. Ze heeft een spelletje met water georganiseerd: wie het snelst en zonder te morsen de inhoud van een emmer water in steeds kleinere emmertjes over kan gieten.

Maar die emmer wekt natuurlijk niet alleen de belangstelling van de kinderen van de crèche. Een onbekend jongetje, gevolgd door zijn moeder, die Brigitte al even onbekend voorkomt, mengt zich in het geplas en duwt – o schande! – een peuter opzij. Brigitte pakt het kind bij de arm en valt woedend uit.

'Wat zullen we nou krijgen? Jij hebt hier niets te zoeken! Begrepen? En nu opgehoepeld!'

Het kind begint te huilen. Brigitte valt op de moeder aan.

'U zou op zijn minst op uw kind kunnen letten! Of is dat soms te veel gevraagd?!'

De moeder pakt snel haar kind op, troost het en verontschuldigt zich verslagen.

'Het is maar een kind. Hij is nieuwsgierig.'

'U hebt het recht niet om hier te komen, zelfs niet uit nieuwsgierigheid.'

Ze laat woedend haar groep in de steek en beent weg. Ze stormt Agnès' kantoor binnen. De directrice is verdiept in een dossier en schrikt op.

'Ik weet het, Brigitte, je wordt er gek van.'

'Het wordt hier een puinhoop. Zo kunnen we de veiligheid niet langer garanderen. Hebt u het gemeentehuis al gebeld?'

'Ja, ik heb ze ingelicht. Ze hebben nog niet gereageerd. Maar overigens ben ik van mening dat de veiligheid nog minder gegarandeerd is als je de kinderen met Sophie alleen laat om hier zomaar binnen te komen stormen.'

Brigitte kan slecht tegen kritiek. Ze zet een tegenaanval in.

'En u neemt het ook nog voor ze op?'

Agnès kijkt haar aan. Er speelt een wraakzuchtige glimlach om haar lippen.

'Als je ze kunt overtuigen hun bezetting te beëindigen, ga dan vooral je gang. Maar voorlopig kunnen we het beter op een akkoordje gooien en het hoofd koel houden.'

Ze kan haar aandacht aan iets anders wijden als Benoît en een vrouw het kantoor betreden. Hij zegt beleefd tegen Agnès: 'Neem me niet kwalijk dat we u lastigvallen, maar we hebben uw telefoon nodig.'

Agnès legt onmiddellijk haar hand op de hoorn om hem voor te zijn.

'Niet aankomen. Het is mijn enige verbinding met de buitenwereld.'

'Precies. Voor ons ook.'

Agnès is op haar hoede.

'Ik moet bereikbaar zijn en alarm kunnen slaan in het geval van problemen, ziekte of ongelukken. U kunt hem met geweld van me afpakken, maar dan bent u verantwoordelijk voor het kleinste dingetje dat hier fout gaat.'

Ze kijkt hem recht in de ogen. Brigitte knikt goedkeurend. Benoît aarzelt.

'We moeten mensen inlichten dat we hier zijn, anders...'

'Aan de overkant is een telefooncel.'

De bezetster riekt een valstrik.

'Maar als we naar buiten gaan, laat u ons dan ook weer binnen?'

Agnès onthoudt zich wijselijk van een antwoord en geeft het gesprek een andere wending.

'Brigitte! Ik dacht dat je terugging naar je kinderen.'

De kinderpedagoge loopt woedend weg. De vrouw komt naar Agnès toe.

'Ik ben Laurence Bardinet. We hebben niets tegen u, integendeel. Maar we moeten wel contact opnemen met het gemeentehuis om onze eisen over te brengen.'

Agnès, verbaasd: 'Maar... hebt u dan niets gepland?'

Laurence verontschuldigt zich.

'Ze sturen ons al maanden met een kluitje in het riet. Gisteren kregen we een afwijzingsbrief, en toen is het allemaal heel snel besloten.'

Agnès neemt de tijd, graaft in haar tas, haalt haar draagbare telefoon tevoorschijn en geeft hem aan Laurence.

'Probeer het hier maar mee. Maar zeg tegen niemand dat hij van mij is.'

Laurence, dankbaar: 'Catherine had gelijk. U bent echt heel aardig.'

Twee bezetsters hebben zich met hun baby's en een wagentje meester gemaakt van de keuken. Ze zijn druk bezig een eindeloze hoeveelheid potjes uit te laden. Als Martine hen ziet, zegt ze boos: 'Ik heb u al gezegd, niet hier! Is dat duidelijk! Ik heb al zo weinig plaats...'

'We laden ze alleen maar uit.'

De vrouw probeert de kokkin voor zich te winnen.

'Ik heet Annie.'

'Nou Annie, laat ik u wel vertellen dat er zolang ik hier de dienst uitmaak, niet uit potjes wordt gegeten, behalve in een absoluut noodgeval: worteltjes, kweeperenmoes, als een kind diarree heeft.'

Annie kijkt haar verbijsterd aan.

'Maar onze kinderen moeten toch eten.'

'Wat belet u om ze verse producten te geven in plaats van die potjes waarin vlees en groente hetzelfde smaakt?'

De twee vrouwen kijken elkaar verbluft aan.

'Maar hoe doen we dat dan?'

'Dat is niet zo moeilijk. Ik maak zoals gewoonlijk het eten klaar en u pikt gewoon alles wat u wilt. Al schreeuw ik moord en brand, u moet me niet geloven. Oké? Ik ben het niet eens met wat u doet, dat is politiek en zo, maar uw kinderen kunnen er niks aan doen, en er is geen sprake van dat ze die ongezonde rotzooi eten.'

De bezetters zijn makke schapen en het trekken lijkt ze in het bloed te zitten. Ze hebben zich met zijn allen naar de kleine personeelsruimte verplaatst, die nu nog kleiner lijkt. Kinderen rennen tussen de benen van de volwassenen door, andere zijn in slaap gevallen in de armen van hun moeders, die op de grond zitten. Als Maryline binnenkomt, duwt ze iedereen opzij om bij haar kastje te komen, en ze maakt met een scherp antwoord een einde aan alle discussie.

'Ik maak u erop attent dat dit ónze ruimte is. We maken lange dagen en dit is de enige plek waar we ons kunnen ontspannen.'

Catherine stuift op.

'Wacht even. We kunnen geen deur opendoen of we krijgen de wind van voren. "Niet hier, u zit in de weg!" " Niet hier, u maakt alles vuil!" Wij hebben er niet voor gekozen om hier op elkaar te worden gepropt.'

Maryline komt met een steekhoudend argument.

'Ik moet ook wel zeggen dat u het klungelig aanpakt. U moet de directie lastigvallen, niet de meiden die hard moeten werken. Bovendien wijs ik u erop dat u vanuit het kantoor van de directrice alles in de gaten kunt houden en zelfs berichten kunt onderscheppen. Ze kunnen daar niets achter uw rug bedisselen. Dus als ik u was, zou ik mijn tenten maar in het kantoor opslaan, en niet in dit rattenhol!'

Laurence, met een heel klein stemmetje: 'We dachten dat we hier zomin mogelijk in de weg zaten.'

Maryline heeft er schik in gekregen. Ze ontpopt zich als een heuse vakbondsleidster.

'Wat krijgen we nu? Houdt u de crèche nu bezet of niet? Goed, u moet het zelf weten, maar ik doe alsof ik thuis ben.'

En om ze te provoceren pakt ze haar cassetterecorder en zet een stuk oorverdovende rockmuziek op. Een baby begint te blèren. Maryline blijft onverstoorbaar de maat slaan. Ze heeft het pleit al snel gewonnen, en de bezetters verhuizen naar het kantoor van Agnès, die hen buiten zinnen van woede naar het atrium verwijst. Terwijl ze opnieuw verhuizen, dreigt ze: 'Maar als dat weer nieuwe problemen schept...'

170

Benoît kijkt haar ironisch aan. 'Laat u ons dan door de smerissen afvoeren?'

Agnès haalt haar schouders op.

Er schalt nog steeds keiharde muziek uit de personeelsruimte. Françoise gaat naar binnen. Maryline schenkt koffie voor haar in en zet de cassetterecorder uit.

'Zo doe je dat. Je moet wel van je afbijten, anders... Het is wel komisch, ze werden dol van die muziek, terwijl ik er juist dol op ben.'

'Denk je niet dat je een beetje overdrijft?'

'Hoho! Wil je rustig je kopje koffie opdrinken of niet?'

Maar het blijft niet lang rustig. Brigitte komt geagiteerd binnen. 'Waarom moeten ze nu juist bij ons rotzooi gaan trappen? We waren altijd zo'n probleemloze crèche.'

Maryline wisselt een blik van verstandhouding met Françoise.

'Volgens mij doen ze dat alleen om jou dwars te zitten.'

'Ach, hou op. Het komt me allemaal zo slecht uit. Ik heb vanavond iets heel belangrijks en straks zie ik eruit als een lijk.'

Françoise is aangestoken door Maryline.

'Heeft dat hele belangrijke soms een snor?'

De twee meisjes lachen, waardoor Brigitte nog geïrriteerder raakt. Ze wil weggaan, maar blijft toch nog even hangen. Ze heeft iets op haar hart, Brigitte.

'We moeten solidair zijn. Vinden jullie niet dat we met ze moeten praten?'

Maryline wordt weer serieus.

'Om wat tegen ze te zeggen? Dat ze geen plaatsen mogen eisen?'

'Je weet best dat er nooit plaatsen genoeg zijn, en er is geen reden dat dat ooit zal veranderen.'

Ze heeft geen zin meer in deze discussie en ze loopt woedend weg.

De bezetters hebben niet voor niets gewacht. Een auto met een driekleurig vlaggetje houdt stil voor de crèche. Een jeugdig uitziende man, type topmanager, keurig in het pak, stapt haastig uit. Hij knoopt zijn jasje dicht en begeeft zich met resolute tred naar de crèche, met zijn draagbare telefoon tegen zijn oor.

'Ja, dat heb ik zo voor elkaar. Geef me vijf minuten met die idioten en ik ben weer terug op het gemeentehuis. Nee, ik luister naar wat ze te zeggen hebben, beloof dat ik mijn best zal doen, en daarna zien we wel. Ik ben niet voor niets kabinetschef. Welnee, welnee, ik heb wel vaker met dat bijltje gehakt.'

Misschien. Maar de vijf minuten zijn allang voorbij, en in het atrium heeft de kabinetschef van de burgemeester zijn jasje uitgetrokken en netjes opgevouwen naast zich neergelegd. Maar hij staat zelfs in hemdsmouwen te transpireren en veegt met een papieren zakdoekje zijn voorhoofd af.

Marguerite, die geacht wordt het atrium te dweilen, staat er werkeloos bij en volgt het gesprek. Agnès houdt zich enigszins op een afstand om duidelijk te maken dat deze onderhandelingen haar niet aangaan. De kabinetschef maakt voor de zoveelste keer de balans op.

'Ik herhaal: het gemeentehuis heeft alle begrip voor uw actie. De wethouder van onderwijs heeft tijdens haar laatste onderhoud met u bevestigd dat de bouw van een nieuwe crèche bij de volgende raadsvergadering aan de orde zou komen. Maar hoe kunnen we een probleem oplossen dat het vorige gemeentebestuur heeft laten liggen? We kunnen alles niet zomaar veranderen door even met de vingers te knippen. Overigens heeft de toewijzing van de plaatsen in alle openheid plaatsgehad...'

Catherine, verontwaardigd: 'Niemand kent uw toewijzingscriteria! Kunt u me misschien vertellen waarom ik hier wel een plaats voor mijn oudste heb gekregen en er nu geen recht op heb voor de jongste?'

'Dat is sociale rechtvaardigheid, mevrouw. Men heeft u geholpen, en nu helpt men een ander gezin. Niet altijd dezelfden.'

Laurence, heel agressief: 'En de burgemeester dan? Hoe heeft die zijn zoontje in de crèche gekregen? Het zit hier vol met kinderen van mensen die over de juiste middelen beschikken!'

De kabinetschef, die niet op zijn achterhoofd is gevallen: 'Hebt u liever dat we getto's laten ontstaan? Dat we alleen plaatsen toewijzen aan mensen die het niet kunnen betalen? Nee, dat is niet ons beleid.'

Catherine, heftig: 'Maar we vragen geen liefdadigheid. We betalen belasting, we stemmen.'

'Ik zei toch niet dat dat niet zo was? Maar als er geen plaatsen zijn, zijn er geen plaatsen!'

Annie komt bedaard tussenbeide.

'Als u hier bent gekomen om ons dat te vertellen, had u zich de moeite kunnen besparen.'

De kabinetschef kan niet meer. Hij trekt zijn jasje aan alsof hij weg wil gaan, en slaat dan een andere toon aan.

'U overtreedt de wet door een openbare instelling bezet te houden. U hindert het functioneren van...'

Laurence onderbreekt hem in de gloed van zijn betoog. 'In afwachting van uw komst hebben wij tot nog toe alles gedaan om niemand te hinderen. Maar als u erop staat...'

Marguerite is weer aan het dweilen geslagen. De kabinetschef vaart tegen haar uit.

'Wat bent u aan het doen?'

'Ik? Ik ben aan het werk. Hoezo?'

De blik van de kabinetschef kruist die van Agnès. Hij getroost zich een bovenmenselijke inspanning om kalm te blijven.

'Laten we rustig blijven. Ik weet dat u het goed bedoelt. Ik heb uw klachten aangehoord en ik zal ze persoonlijk aan de burgemeester overbrengen. En ik beloof u dat ik uw eisen zal steunen.'

Annie, nog steeds even onverstoorbaar: 'Zodra die zijn ingewilligd, zullen we de bezetting meteen beëindigen.'

De kabinetschef verschiet en bijt verslagen op zijn lippen. Dan beginnen zijn ogen opeens te glinsteren.

'Ik stel een bijeenkomst voor, vanmiddag, in het gemeentehuis.'

Benoît echoot: 'Vanmiddag?'

'Ja.'

'In het gemeentehuis?'

'Ja!'

'Denkt u nu echt dat we achterlijk zijn?'

De kabinetschef, rood van woede: 'Natuurlijk niet, hoezo?'

Catherine vat de situatie kort samen.

'Als we in het gemeentehuis zijn, zijn we niet meer hier, en is de bezetting dus beëindigd. Conclusie: zonder duidelijke toezegging blijven we hier zitten. Punt uit.'

De kabinetschef kijkt om zich heen op zoek naar steun, die hij niet vindt. Er zit voor hem niets anders op dan zich inschikkelijk op te stellen, zij het met tegenzin.

'Goed. Als u wilt, zien we elkaar hier vanmiddag terug. Dat is voor mij geen enkel probleem en ik weet zeker dat we een oplossing zullen vinden.'

Hij draait zich boos om en loopt naar Agnès.

'Kan ik u spreken? Alleen, in uw kantoor?'

Agnès heeft er geen enkel bezwaar tegen. Brigitte kan het niet laten de afgezant van het gemeentehuis nog even haar allermooiste glimlach toe te zenden. Wat Maryline niet ontgaat. Ze fluistert tegen Françoise: 'Waarom ding je niet mee? Die man wordt nog burgemeester.'

Françoise haalt haar schouders op.

'Ach wat. Hij heeft een trouwring om!'

'Is je dat opgevallen? Je gaat vooruit. Maar Brigitte houdt dat niet tegen.'

Françoise, kortaf: 'Maar mij wel!'

In het kantoor van Agnès geeft de heer Stéphani, want dat is zijn naam, blijk van zijn ongerustheid.

'Hebben ze de pers niet ingelicht? Weet u dat zeker?'

Agnès verbaast zich over zijn bezorgdheid, maar neemt die niet al te ernstig op.

'Voorzover ik weet niet. Maar ik heb ze niet de hele tijd in de gaten gehouden.'

Stéphani is zeer geagiteerd.

'Vindt u ze erg vastbesloten?'

Agnès stelt een wedervraag.

'En u?'

Hij loopt heen en weer, gejaagd, onzeker. Hij heeft het gevoel dat hij tot elke prijs de schijn moet ophouden, het initiatief aan zich moet trekken.

'Het gemeentehuis heeft me opgedragen alles in het werk te stellen om ze snel mogelijk te laten vertrekken. Maak u vooral geen zorgen.'

'Wees maar niet bang, ik maak me geen zorgen.'

Stéphani doet net of hij haar valse toon niet hoort. Hij doet zelfs

174

heel vriendelijk. En daar is alle reden toe. De burgemeester heeft hem op een spoedmissie naar een crèche gestuurd, maar het is alsof men hem heeft opgedragen een ruzie tussen jeu-de-boulesspelers op te lossen: hij kent de regels niet. Maar dat mag hij vooral niet laten merken. Altijd het hoofd hoog houden.

'Zou ik uw hulp mogen inroepen? Gewoon om het een en ander op een rijtje te krijgen? Wat is precies de procedure voor toelating tot de crèche? Is er een commissie of gaat u daar zelf over?'

Agnès geeft hem op dodelijk serieuze toon lik op stuk.

'Er zijn twee manieren om te werk te gaan: of je gooit een muntje op, of je doet lootjes in een hoed. Het is trouwens erg vermakelijk, vooral bij maatschappelijke probleemgevallen. De dossiers die niet in aanmerking komen, gaan de prullenmand in. Anders krijg je zo'n berg papier!'

Het duurt even voordat Stéphani doorheeft dat Agnès hem in de maling neemt. Ze kijkt hem aan en verandert van toon.

'Weet u er echt niets van? Helemaal niets?'

'Om eerlijk te zijn, nee. Je kunt niet overal alles van af weten.'

'Gaat u dan maar zitten, dat duurt wel even. Heeft de wethouder van onderwijs u niet gebrieft?'

'Die is er nooit als je haar nodig hebt...'

'Dat vindt u dus ook. Goed. Ik zal het u uitleggen. Als ouders voor de eerste keer bij me komen, vertel ik ze dat een kind vanaf de zesde maand van de zwangerschap kan worden ingeschreven en dat er veel meer aanvragen zijn dan beschikbare plaatsen.'

Ze wordt onderbroken door Stéphani's mobiele telefoon. Hij is een moment lang in paniek, gaat naarstig op zoek en vindt hem in een van zijn zakken. Hij draait zich om naar de muur – een magische handeling waardoor niemand meer kan verstaan wat hij zegt.

'Nee, ik ben nog steeds in de crèche, welnee, ik word hier niet vastgehouden.'

Hij snelt het kantoor uit en loopt al telefonerend door de crèche, terwijl de bezetters nieuwsgierig toekijken. Hij zou willen dat hij zijn stem kon dempen, maar zijn gesprekspartner dwingt hem juist om luider te spreken.

'Nee, dat willen ze niet! Maar met wat slimme voorstellen kunnen we de boel wel sussen. Nee, er zijn nog geen journalisten.'

Hij komt bij de deur en gaat naar buiten. Marguerite kijkt hem na. Ze wendt zich tot de bezetters.

'Wat een clown!'

Catherine gaat naar haar toe.

'Denkt u dat we zullen winnen?'

'Winnen? Dat weet ik niet. Maar ze gaan in ieder geval iets doen. Dat is tenminste wat!'

Catherine lacht.

Achter de glazen deur wordt Brigitte, die de tafeltjes van de peuters dekt, steeds kribbiger. Ze vaart uit tegen Martine, Sophie en Diplo, die ook druk in de weer zijn.

'Als dat niet het bewijs is! Eerst rotzooi trappen en er dan nog om lachen ook! Zij heeft dit allemaal bekokstoofd! Ik weet het zeker.'

Sophie kijkt twijfelend. Maar Brigitte gaat door.

'Ze zit in duizend en één verenigingen, het dondert niet wat. En maar lesgeven aan analfabeten, daklozen helpen en gaarkeukens voorzien. En ze snapt maar niet waarom haar man zijn koffers heeft gepakt!'

Diplo kan het niet waarderen.

'Zou je je commentaar alsjeblieft voor je willen houden?'

'Kunnen wij het soms helpen dat ze geen plaats in de crèche hebben?'

Ze zwijgt, kijkt naar Catherine in het atrium en stormt dan, zonder dat iemand erop bedacht is, naar buiten en gaat voor het groepje bezetters staan. Ze gilt: 'We zijn het zat! Begrijpt u? Zat!'

Een beklemmende stilte is het enige antwoord. Een jongetje klampt zich geschrokken aan zijn moeder vast. Catherine wil antwoord geven. Madeleine houdt haar tegen.

'Laat maar. Ze kankert ook als er niets aan de hand is. En nu heeft ze eindelijk echt iets om te kankeren, begrijpt u?'

Sophie barst in lachen uit. Brigitte gaat woedend terug naar de peuterafdeling.

Gezien de situatie eten de peuters, die onder leiding van Madeleine hun handen hebben gewassen, vandaag op hun eigen afdeling. Ze gaan vrolijk achter hun blaadjes zitten. Martine staat midden in het vertrek, met haar armen over elkaar, onbeweeglijk, ontevreden. Agnès komt naar haar toe en ze begint meteen zachtjes te protesteren.

'Ik moet gehoorzamen, u bent de directrice. Maar u kunt me niet verbieden om te denken wat ik wil. Als ik het voor het zeggen had!'

Ze kijkt tegelijk met Agnès naar de glazen deuren. Vier kleine kindersnoetjes die zich tegen het glas aan drukken. Ze hebben honger en zijn jaloers. Ze staan met wijdopen mond te kijken. Agnès verontschuldigt zich bijna.

'Ik kan er niks aan doen, Martine. Het is een principekwestie.'

Dan kijkt ze weer naar de kinderen en naar Martine. En ze mompelt: 'Ach, doe maar alsof je het voor het zeggen hebt.'

Stralend wenkt Martine de kinderen van de bezetters, die nog grotere ogen opzetten.

De bel weergalmt door de hele crèche. De kabinetschef weet van geen ophouden, hij blijft maar op de bel drukken. Agnès haast zich om open te doen, wild gebarend dat hij op moet houden met dat kabaal. Ze doet de deur op een kier.

'Ik sta al vijf minuten te bellen! Het lijkt het kasteel van de schone slaapster wel!'

Agnès fluistert: 'Hebt u gezien hoe laat het is?'

'Ja, nou en?'

Agnès legt een vinger op haar mond en gebaart dat hij haar moet volgen. In het atrium ontdekt hij een ongebruikelijk schouwspel. Op kleine matrasjes op de grond liggen kinderen te slapen terwijl hun ouders naast hen op de grond zitten. De kabinetschef weet zich met moeite een weg te banen. Hij loopt op zijn tenen, afkeurend bekeken door de volwassenen, die hem met allerlei gebaren het zwijgen opleggen. Agnès houdt zich op een afstand.

Hij is gekomen om te onderhandelen, maar zijn positie is nogal oncomfortabel. Hij moet heel zachtjes praten, ingeklemd tussen vrouwen die benauwd beginnen te gebaren zodra hij zich even laat gaan, meegesleept door de kracht van zijn argumenten.

'Ik heb met de burgemeester gesproken. Hij begrijpt de situatie, maar, zoals hij zegt, de feiten zijn koppig, er zijn geen plaatsen beschikbaar.'

177

Catherine, woedend: 'Dan moet hij ze maar zoeken!'
Meneer Stéphani valt uit en herstelt zich weer.
'Als ik u nu zeg dat ze er niet zijn! Maar goed, het ergste is dat deze bezetting volstrekt onwettig is.'
Annie, spottend: 'Hadden we hem soms moeten aankondigen?'
Meneer Stéphani gaat door alsof hij niets heeft gehoord.
'Het is heel eenvoudig. De burgemeester is bereid om uw aanvragen van geval tot geval opnieuw te bekijken, zodra deze bezetting ten einde is.'
Laurence lokt hem meteen in de val.
'Als u onze aanvragen opnieuw kunt bekijken, betekent dat dat er nog plaatsen zijn. Of anders is het bluf.'
De kabinetschef begint te schreeuwen: 'Als u me nu eens uit liet praten!'
Zijn woorden blijven in de lucht hangen. Iedereen doet tegelijkertijd 'ssst'.
Hij heeft een jongetje wakker gemaakt, dat het op een huilen zet. De kabinetschef kan alleen maar fluisterend kwaad worden.
'Het gemeentehuis heeft zijn verantwoordelijkheden genomen, neemt u de uwe.'
Laurence protesteert.
'Wat denkt u dat we hier doen?'
'Zoekt u soms de confrontatie?'
Benoît blijft tergend kalm.
'Daar zijn we echt niet bang voor. Ik zie de krantenkoppen of de beelden op de televisie al voor me: "Mobiele eenheid ontruimt crèche, grof geweld tegen peuters". Goeie reclame! Is dat wat u wilt?'
De arme kabinetschef begint te brullen. Jammer dan voor de kinderen die wakker worden en beginnen te blèren.
'Zulke kortzichtige mensen heb ik nog nooit meegemaakt! Als ik u nou zeg dat we bereid zijn om alles van geval tot geval opnieuw te bekijken!'
'Doe dat dan en kom terug als u klaar bent.'
Twee moeders snellen op hun kinderen af en proberen hen te kalmeren. De kabinetschef is zichzelf weer meester. Hij zet zijn mooiste schijnheilige glimlach op.

178

'Er bestaan oplossingen, maar die kunnen we alleen gezamenlijk vinden.'

Terwijl hij zijn gesprekspartners beurtelings aankijkt, draaien ze hem één voor één ostentatief de rug toe. Algauw kijkt hij tegen een muur van ruggen. Hij roept: 'Mevrouw Guerrimond!'

Agnès maakt een machteloos gebaar. Hij stormt op haar af. Agnès bereidt hem een koel onthaal en zegt zacht: 'Ik geloof niet dat u de juiste methode gebruikt.'

'Goed, u hebt het zelf gewild!'

Wat dat dreigement behelst, weet hij zelf niet. Maar het is niet anders. Hij gaat weg.

De groepsleidsters steken bezorgd hun hoofd om de hoek van de deur om hem na te kijken.

Françoise is ontevreden.

'O nee, de onderhandelingen zijn gestaakt!'

Brigitte triomfeert.

'Ha, het is zover! Begrijp je, nu gaan we het beleven!'

Maryline richt het woord tot Diplo.

'We zitten nog steeds in de shit!'

Diplo wijst op de bezetters: 'Wat denk je dat zij nu gaan doen?'

Die middag wordt er geïmproviseerd. Agnès heeft een nieuw ontvangstsysteem voor de ouders ingevoerd. Ze worden bij de deur opgewacht door Nathalie en Antoinette. De kinderwagens en buggy's zijn allemaal in de hal bij elkaar gezet, en zodra er een ouder opduikt, noemt Agnès de naam van het bijbehorende kind, waarop een groepsleidster het gaat halen. Als het kind klaar is voor vertrek, wordt het met een brede glimlach overhandigd aan de rechthebbende.

'Mogen we niet naar binnen? Wat is er aan de hand?'

Agnès veinst een goed humeur.

'Het is wat rommelig op de afdelingen. Daarom hebben we liever dat u de kinderen hier afhaalt, net als bij een ontruiming. We zijn aan het oefenen.'

Maar de ouders trappen er niet in en proberen een glimp op te vangen van wat er binnen aan de hand is.

'Maar er is toch niks ernstigs?'

Agnès, nog steeds even opgewekt: 'Als er iets ernstigs is, laten we u dat toch altijd weten? Maar vandaag vindt de overdracht plaats in de hal.'

De peuterafdeling dient als toevluchtsoord voor de bezetters. Diplo staat zwijgend naar hen te kijken. Laurence heeft haar spulletjes opgeruimd.

'Goed. Zien we elkaar morgen weer? Zelfde tijd, zelfde plaats?' Catherine is verbijsterd.

'Ben je gek geworden? Dat kan toch niet!'

'Waarom niet?'

'Als we weggaan, komen we er niet meer in. En wie weet, misschien staan de smerissen ons buiten wel op te wachten om ons op te pakken...'

'Maar we zijn toch geen misdadigers! Denk je dat...'

Laurence beseft opeens dat ze echt de wet overtreedt. Catherine dringt aan. 'Bovendien hebben we geen keuze meer, we moeten blijven.'

'Dat zeg jij.'

Annie spartelt tegen.

'Als we vandaag niet winnen, winnen we morgen ook niet.'

De eerste tekenen van moedeloosheid, waar Catherine meteen de aandacht op vestigt.

'Maar je hebt toch gezien wat de techniek van het gemeentehuis is? Ze willen de bezetting laten doodbloeden, punt uit. Het is zo'n klassieke truc.'

Laurence is van een ontwapenende goedgelovigheid.

'Maar hij zei toch dat ze alles van geval tot geval gingen bekijken?'

Catherine glimlacht.

'En hoe wil hij dat doen? Hij weet niet eens hoe we heten!'

Plotseling wenden alle hoofden zich naar Diplo. Haar woede is groot en onverwacht.

'Ik heb tot nu niks gezegd. Maar nu moet ik wel. Zulke klungels als u heb ik nog nooit gezien!'

Maryline, Madeleine en Brigitte komen erbij staan als ze Diplo horen.

'Houdt u de crèche nu bezet of niet? Dat moet men weten! Je moet een actie bekendmaken, anders bestaat die niet! Het is nu al vijf uur en niemand weet nog iets van die prutactie van u, behalve een of andere hansworst van het gemeentehuis. Waar zijn uw spandoeken? Waar zijn uw pamfletten? Hebt u al een persbericht gemaakt? Als wij het indertijd zo hadden aangepakt, zouden we nu nog twaalf uur per dag werken!'

De bezetters, inclusief Catherine, staren haar met open mond aan. Alleen Maryline kan nog iets uitbrengen.

'Kelere, als ze wil, swingt ze de pan uit, die Diplo!'

Brigitte is geschokt.

'Ja hoor, geef haar maar gelijk. Ze vertelt hun precies wat ze moeten doen. Alsof ze het ons al niet moeilijk genoeg maken!'

Maryline trekt zich er niets van aan.

'Ik ga me niet bemoeien met wat me niet aangaat, maar Diplo heeft in zekere zin geen ongelijk.'

Brigitte windt zich op.

'Jullie zijn compleet gestoord! Ik kom hier om mijn brood te verdienen, niet om hete tranen te storten over alle ellende in de wereld!'

Ze besluit wijselijk te vertrekken.

De laatste kinderen zijn weg. De bezetters zijn nog steeds aan het discussiëren. Annie verzet zich met hand en tand.

'Ik ben het met al jullie eisen eens, maar ik kan hier vannacht niet blijven!'

'Zo erg is het nou ook weer niet. Als we niet solidair blijven...'

'Jij hebt makkelijk praten. Jij hebt thuis een vrouw zitten.'

'Ik kan niet, ik kan echt niet!'

Er valt een verbijsterde stilte als Annie haar spullen pakt en gaat.

Laurence is aan het bellen in Agnès' kantoor, maar ze beseft niet dat iedereen haar kan horen. Zelfs Maryline en Nathalie zijn erbij komen staan.

'Jawel, je zoekt het maar uit met Romain! Ik ben hier jouw dochter aan het verdedigen! Je zegt altijd dat je het prima zelf zou kunnen. Het is nu of nooit. Trouwens, wil je je nuttig maken? Ren

dan naar de kantoorboekhandel en haal twee pakken papier. Nee,
ik ga hier niet weg. Nou, dan niet. Tot zo.'
Ze hangt op en ziet dat iedereen haar glimlachend aankijkt. Ze
meent zich te moeten verontschuldigen.
'Ik ken hem, hij zegt altijd eerst nee en daarna doet hij alles wat
je wil. We hebben toch papier nodig om pamfletten te maken, of
niet?'

De bel gaat. Agnès loopt kalmpjes naar de deur. Ze heeft haar kapsel in orde gebracht en haar make-up bijgewerkt. Ze loopt glimlachend op meneer Bertin af, die buiten staat te wachten, haast on-
herkenbaar nu hij de kleding van een werkloze architect heeft in-
geruild voor die van een architect met een baan. Hij ziet er gelukkig uit. Enigszins in verlegenheid gebracht doet Agnès de deur
maar een stukje open en steekt haar hoofd naar buiten. Ze geven
elkaar een hand. Ze kijkt of er niemand meeluistert en fluistert
dan: 'Het spijt me zeer, maar het kan vanavond niet doorgaan.'
Bertin kijkt teleurgesteld.
'Maar... ik had me er zo op verheugd.'
'Ik ook, dat kan ik je verzekeren. Maar ik heb een enorm pro-
bleem.'
'Ik wacht wel. Ik bel het restaurant af en we gaan ergens anders
heen.'
'Dan zul je wel heel lang moeten wachten. Mijn crèche is bezet.
Ik speel de kapitein die zijn schip niet mag verlaten.'
Bertin moet de teleurstelling verwerken.
'Morgenavond dan? Ben je dan ook bezet?'
Agnès glimlacht.
'Ik hoop van niet. Zelfde tijd?'
Hij steekt zijn hand uit. Ze drukt hem innig. Ze blijven even
roerloos staan, totdat Agnès zich er rekenschap van geeft dat Dip-
lo door het raam staat te kijken. Ze doet de deur dicht en kijkt Ber-
tin na. Hij draait zich om en wuift.

Ondanks het late uur zijn Diplo, Sophie, Françoise en Maryline
nog niet weg. Agnès doet afwezig haar jasje uit. Ze kijkt triest.
'Kom, ga maar naar huis. Morgen zien we wel weer verder.'

Diplo maakt zich ongerust.

'En u dan?'

'Ik hou de wacht. Er kan me hier niets overkomen.'

'Van zulke stuntels kun je alles verwachten!'

'Niet iedereen heeft jouw vakbondsverleden, Michelle!'

Ze wisselen een blik van verstandhouding. Françoise wil toch haar misnoegen uiten.

'Maar toch, zomaar een crèche binnenvallen!'

Agnès neemt het voor de bezetters op.

'Als je alles hebt geprobeerd en het echt niet meer weet... Kom, je moet gaan.'

Sophie, klaaglijk maar vastbesloten: 'Ik blijf bij u. Het is thuis ook geen pretje. Tenzij u het vervelend vindt...'

Agnès aarzelt even en zegt dan met een vermoeid gezicht: 'Goed. Hoe meer gekken hoe meer vreugd, nietwaar?'

Sophie doet haar jasje uit en hangt het naast dat van Agnès. Diplo, Françoise en Maryline treuzelen nog even, maar gaan dan weg.

Een eerste bezettingsnacht vangt aan in de crèche, waar alle geluiden worden versterkt: gefluister, knarsende deuren, babygehuil. Iedereen moet zich maar zien te redden.

Sophie, alleen in de personeelsruimte, warmt wat koffie op, zet het transistorradiootje aan en weer uit. Ze kan haar draai niet vinden en bijt op haar nagels. Als Catherine zonder kloppen binnenkomt, schrikt ze op. Catherine verontschuldigt zich.

'Stoor ik?'

Sophie, overdreven gedienstig: 'O nee, nee hoor!'

Ze moet het vertellen, ze kan niet anders. Ze mompelt: 'Weet u, ik ben ook zwanger. Als ik geen plaats in een crèche vind, weet ik niet hoe het verder moet.'

Ze biedt Catherine meteen een kopje koffie aan.

'Dank u wel, maar ik heb geen tijd. We zitten midden in een vergadering. Waar is uw directrice? Zit ze te mokken?'

'Nee, ze zit in haar kantoor en belt met het gemeentehuis.'

Catherine, opgewekt: 'Nou, zo blijven ze tenminste op de hoogte.'

Ze gaat weer weg. Sophie blijft in gedachten verzonken achter. Even later gaat ook zij naar buiten, zwerft met haar ziel onder de arm door de crèche en houdt stil voor de linnenkamer. Een van de bezetsters, Geneviève, is in de kasten aan het snuffelen. Ze pakt een stapel lakens en begint ze uit te vouwen. Laurence, die naast haar staat, wil haar tegenhouden.

'We hadden afgesproken dat we niets zouden pakken dat niet van ons was.'

Geneviève zucht.

'Hoe moet het dan?'

'Men mag ons er niet van beschuldigen dat we er een zwijnenstal van maken.'

'Maar met zulke principes komen we niet erg ver.'

Laurence brengt haar wat moraal bij. 'Zou jij het leuk vinden als iemand bij jou thuis zou rondsnuffelen en maar van alles zou pakken?'

Geneviève trekt een gezicht en begint de lakens weer op te vouwen. Sophie gaat naar binnen en doet een andere kast open.

'Hier bewaren we alles wat niet meer wordt gebruikt.'

Laurence, schuchter: 'Mogen we, weet u dat zeker?'

Sophie haalt haar schouders op.

'We bewaren ze alleen maar voor verkleedpartijen.'

En met zijn drieën beginnen ze de versleten lakens uit te vouwen.

Benoît klopt en gaat Agnès' kantoor binnen. Hij kijkt verbaasd naar de voorbereidingen voor de nacht die ze zojuist heeft getroffen: twee kleine matrasjes naast elkaar die samen een bed vormen. Benoît is zichtbaar in verlegenheid gebracht.

'Hebben we uw avond bedorven? Het spijt me zeer.'

Agnès gebaart dat het van geen belang is.

'Ik heb me nog niet voorgesteld. Ik ben Benoît Pradier. Maar wat ik wou zeggen, we hebben uw kantoor nodig. We willen pamfletten maken en daar hebben we uw fax voor nodig. Om te kopiëren.'

Agnès kijkt verbaasd.

'Weet u dan hoe dat werkt?'

'Ik kom er wel uit.'
Agnès wil iets anders weten.
'Slapen de kinderen al?'
'Ja, op de peuterafdeling.'
'Hebben ze al gegeten?'
'Al een uur geleden. We hadden potjes met babyvoedsel bij ons.'
Agnès, op schertsende toon: 'Ik begrijp het, u hebt van Martines afwezigheid geprofiteerd. Goed, u bezet de crèche, u hebt alle rechten. Neem de fax maar. Maar probeer hem wel heel te houden. Voordat de overheid me weer een nieuwe geeft, zijn we twee jaar verder.'

De avond is gevallen. Agnès dwaalt door de crèche. De kinderen op de peuterafdeling slapen allemaal. De bezetters zitten bij elkaar in de personeelsruimte. Ze hoort hen praten. Ze loopt langs de babyafdeling en blijft staan. Sophie zit alleen in het halfdonker. Agnès gaat naar binnen. Als ze haar wat beter kan onderscheiden, ziet ze dat Sophie geluidloos zit te snikken. Ze gaat naar haar toe en legt haar hand op haar schouder. Sophie schrikt op. Agnès is bezorgd. 'Gaat het wel? Zou je niet beter naar huis kunnen gaan?'
'Neem me niet kwalijk. Ik wou niet dat iemand me zag huilen.'
Agnès, fatalistisch, of beter realistisch: 'Laat zich dat dwingen dan?'
Sophie meent zich te moeten rechtvaardigen.
'Hier ben ik tenminste... Als Eric 's avonds niet thuiskomt, belt hij altijd even op. Maar dat doet hij niet meer, ik weet niet waarom. Misschien heeft hij er genoeg van, misschien bereidt hij me voor op... Weet u wat het is om helemaal alleen te zijn?'
Agnès wil haar troosten.
'Zo alleen ben je anders niet.'
Ze gebaart naar haar buik. Sophie kijkt haar verbijsterd aan.
'Is dat al zo goed te zien?'
'Al meer dan een maand.'
Sophie zegt smekend: 'Niemand mag het weten.'
Agnès doet er niet moeilijk over.
'Nou, dan weet ik het toch niet? Hoe lang nog, denk je?'

185

Sophie wordt steeds ongeruster.

'Denkt u dat hij het heeft gemerkt?'

Agnès is bereid de grootste onzin te verkopen als ze Sophie daarmee gerust kan stellen.

'Mannen hebben dat soort dingen niet zo snel in de gaten.'

Sophie weet het niet meer en vraagt om advies.

'Moet ik het tegen hem zeggen?'

Agnès slaat haar armen om haar heen.

'Beweegt hij al?'

'Sinds een week, ja. Maar stel...'

Ze zwijgt. Er wordt zachtjes aan de deur gekrabbeld. Woedend omdat ze wordt gestoord rent Agnès naar de deur, rukt hem open en staat oog in oog met Laurence.

'Wat wilt u nu weer? Kunnen we hier niet even rustig zitten? Even rustig ademhalen, is dat te veel gevraagd?'

Laurence, zeer gegeneerd: 'Ik wou alleen maar... Kom maar mee, dan begrijpt u het wel.'

Agnès volgt haar naar het atrium en ziet daar dat de bezetters aan de tafeltjes van de kinderen zijn gaan zitten. In het midden staan grote pizzadozen. Catherine nodigt haar uit om mee te eten.

'We dachten dat u wel trek zou hebben.'

Agnès is totaal van haar stuk gebracht.

'Hoe zijn die hier binnengekomen? Ik heb niets gehoord.'

'Door het raam. Een mens heeft niet alles in de hand, zelfs u niet.'

Iedereen lacht om die toespeling. Agnès ook.

'Dank u wel, maar ik betaal mijn deel.' Ze kijkt in het rond. 'U bent niet compleet.'

Catherine, geamuseerd: 'Er zijn mensen die moeten werken.'

Agnès gaat haar kantoor in, gevolgd door enkele bezetters. Ze heeft twee stukken pizza in haar hand. Benoît is aan het fotokopiëren. Uit de kleine fax rolt langzaam het ene na het andere pamflet. Een andere bezetster, Hélène, zit op haar hurken voor een geïmproviseerd spandoek, dat ze beschildert met verf van de peuters. Ze kijkt niet om als de deur opengaat. Ze denkt dat het een van de bezetters is. Ze vraagt aan niemand in het bijzonder: 'Heb je het tegen de directrice gezegd, van die verf?'

Agnès, heel droogjes: 'Niet nodig, dat kan ik zelf wel zien.'
Hélène draait zich met een ruk om.
'O, neem me niet kwalijk!'
Agnès heeft er schik in om te zien hoe haar vergissing haar in verwarring brengt.
'Mooi hoor, die tekeningen, maar het is wel waterverf.'
Hélène lacht.
'Ik weet het. Als het regent, moeten we hem binnenhalen. Maar maak u geen zorgen, alles wat we gebruiken zullen we ook weer vervangen.'
'Welnee, die verf is er om gebruikt te worden.'
Agnès overhandigt haar de stukken pizza.
'Eet op, anders wordt het koud.'
Hélène aarzelt.
'Ik ga wel morsen.'
'Dan ruimt u het later maar op. Weet u, ik lunch elke dag met mijn krantje. En als het nieuws me irriteert, is er altijd schade te betreuren.'
Ze wendt zich tot Benoît.
'U moet ook eten. Ik bedien de fax wel.'
Benoît en Hélène eten. Agnès maakt fotokopieën. Hélène, met volle mond: 'Ik zou het zo fijn vinden als mijn Jérémie een plaats zou krijgen.'
Agnès, geïnteresseerd: 'Hoe doet u het dan nu?'
'Ik moet iemand betalen om op hem te passen. Inclusief luiers en eten kost me dat 2500 franc per maand. Hoeveel zou ik voor de crèche betalen?'
'Hoeveel verdient u?'
'4500 franc.'
'Dat is dan 37 franc per dag. Ongeveer 700 franc per maand.'
'Is dat alles? Nou, dan begrijpt u wel waarom...'
Agnès realiseert zich opeens dat ze in de val is gelopen, en valt haar heel koeltjes in de rede.
'Ik weet het. Goed. Het is laat. U ziet er uitgeput uit. Ga maar slapen. Maak het morgen maar af. Ik leg alles in de gang en ik ga proberen te slapen.'
Zo gezegd, zo gedaan. Het spandoek wordt het kantoor uit ge-

sleept. Agnès geeft de stapel gefotokopieerde pamfletten aan Benoît en doet de deur dicht.

Het kantoor is in duisternis gehuld. De telefoon begint te rinkelen. Agnès, die op haar twee matrasjes ligt, schiet overeind en neemt op. Haar stem klinkt slaperig.

'Hallo? O, u bent het. Hoe laat is het? Niet later? Nee hoor, ik red me prima. Aardig van u om aan me te denken. Ja ja, natuurlijk, onze afspraak gaat nog steeds door. Morgen zijn ze weg, maakt u zich maar geen zorgen. Ja, ik ook.'

Ze hangt verward op.

Een zaklantaarn schijnt zwak het atrium in. Agnès, die niet meer in slaap kan komen, inspecteert de crèche. De lichtstraal glijdt over de gezichten van de kinderen, die slapen, en dan over de volwassenen, die ook slapen. Agnès keert terug naar haar kantoor en gaat peinzend op haar matras zitten. Dan doet ze haar zaklantaarn uit.

Het wordt weer licht. Het is ochtend.

Er hangt een groot spandoek aan het hek van de crèche: CRÈCHE BEZET. Op de ruit van de voordeur een tekst in schoonschrift: PLAATSEN VOOR ONZE KINDEREN! Catherine staat met een stapeltje pamfletten in de hand bij de deur de ouders op te wachten. Daar komt Diplo aan. Ze neemt de tijd om alles eens goed te bekijken en zegt dan vol vertrouwen: 'Nou, dat lijkt tenminste ergens op!'

Ze gaat naar binnen. Een moeder met een kinderwagen wil de crèche in gaan. Catherine reikt haar schuchter een pamflet aan en voegt er onbeholpen aan toe: 'Neem me niet kwalijk, mevrouw, maar ik wil u graag een pamflet geven waarin wordt uitgelegd waarom...'

De vrouw neemt het pamflet niet aan en loopt door. Catherine kijkt haar met haar arm in de lucht teleurgesteld na. De moeder haalt Diplo in en spuwt haar woede.

'Hadden jullie ons niet kunnen inlichten? Wat moet ik nu met Clémence? Denkt u soms dat ik om zes uur opsta om hier te horen te krijgen dat de crèche gesloten is?'

'We zijn niet gesloten, we zijn bezet!'

'Ziet u een verschil?'

Diplo gaat naar Catherine, pakt een pamflet, loopt terug en geeft het aan de moeder.

'Als u dit pamflet had aangenomen, zou u het begrepen hebben.' Ze begint hardop voor te lezen. 'Wij willen u niet hinderen. We zullen de crèche niet belemmeren in haar functioneren. Wij verzoeken u onze actie te steunen.'

Op het gezicht van de jonge vrouw is meteen grote opluchting te lezen.

'Bent u echt open dan? Dat is beter. Maar toch, onze kinderen zomaar in gijzeling nemen...'

Diplo geeft wijselijk geen antwoord en keert haar de rug toe.

Het kantoor van Agnès is nog in schemerdonker gehuld als de telefoon gaat. Het licht gaat aan. Een hand zoekt de hoorn, neemt onhandig op. De hoorn valt op de grond. Een verwilderde Agnès, die slaperig om zich heen kijkt en niet weet waar ze is, pakt de hoorn op en luistert zonder te horen.

'Ja. Goed. Ben je ziek? Is het ernstig? Je stuurt me nog wel een doktersbriefje? Tot ziens.'

Ze hangt op en kijkt om zich heen. En dan op haar horloge. Ze springt op. Haar kleding is verfomfaaid en haar haar in de war, maar ze rept zich naar de peuterafdeling. Sophie staat er met twee ouders te praten, maar kan geen woord meer uitbrengen als ze een Agnès op zich af ziet stormen die ze bijna niet herkent.

'Brigitte is ziek. Kun je met Michelle bekijken wie er vanmiddag kan afsluiten?'

Sophie, op minachtende toon: 'Als die ziek is, ben ik een non!'

Agnès heeft het antwoord niet eens gehoord. Ze is al weg.

In het atrium lijkt de discussie uit de hand te lopen. Een aantal bezetters staat in een kring rond de kabinetschef en een man van een jaar of vijftig, de burgemeester.

Hélène is niet op haar mondje gevallen.

'Oké, u begrijpt ons, maar wat gaat u eraan doen?'

De burgemeester, die wel woeliger debatten gewend is, blijft heel rustig. 'Ik ben niet alleen gekomen in de hoedanigheid van burgemeester, maar ook als vader van een kind dat...'

Catherine valt hem snibbig in de rede: 'Waarom is uw zoon wel toegelaten en die van mij niet?'

'Er is geen sprake van bevoorrechting. Mijn vrouw heeft hem keurig netjes ingeschreven.'

En hij gaat meteen op iets anders over.

'Toen we nog in de oppositie zaten...'

Benoît wijst hem onmiddellijk terecht.

'Volgens uw programma zouden er vijftig extra plaatsen worden gecreëerd.'

Catherine begint te schreeuwen.

'Maar nu u gekozen bent, hebt u lak aan...'

De burgemeester kan zich niet meer beheersen en zegt op hoge toon: 'Ik zal mijn beloften nakomen. Maar ik heb geen toverstokje. Als u nou eens zou luisteren in plaats van...'

Nu begint Benoît te schreeuwen.

'Om te horen hoe geweldig u bent en dat u er niets aan kunt doen? En dat u zich overigens niet onder druk laat zetten? En dat zolang de crèche bezet...'

Agnès' stentorstem overstemt alle geschreeuw. Iedereen draait zich om. Ze heeft net een douche genomen. Ze heeft een handdoek om haar hoofd en is nog niet opgemaakt.

'Totdat het bewijs van het tegendeel is geleverd, ben ik degene die deze crèche leidt, en zolang het gemeentehuis niet tot sluiting heeft besloten, blijft het hier normaal functioneren. Dus ga het buiten maar uitvechten, maar niet in het bijzijn van de kinderen voor wie ik de verantwoordelijkheid draag!'

De burgemeester stuift op.

'Mevrouw, wilt u niet zo'n toon tegen mij aanslaan! Ik ben afgevaardigde!'

'Meneer de burgemeester, zou een "afgevaardigde" de rust van de kinderen kunnen respecteren, net als iedereen?'

Een wat verwilderd kijkende moeder komt met haar zoontje naar Agnès en zegt: 'Als ik u daarmee kan helpen, kom ik Baptiste wel wat eerder ophalen, ik vind er wel iets op. Ik heb het ook al tegen Nathalie gezegd. Ik zal Claudine ook meenemen. Die hebt u dan in ieder geval minder.'

Agnès, een en al glimlach: 'Dank u wel, mevrouw Berrebi, maar dat hoeft niet, het gemeentehuis gaat alles oplossen.'

De burgemeester kijkt haar woedend aan. Hij gebaart naar zijn kabinetschef en Hélène en Benoît dat ze de discussie maar buiten moeten voortzetten. Net als ze naar buiten willen gaan komt Annie binnen, de bezetster die de vorige avond naar huis is gegaan en met haar baby op de arm weer terugkomt. Ze herkent de burgemeester noch de kabinetschef. Ze wuift naar Agnès en zegt tegen het hele groepje: 'Zien jullie wel dat ik weer terug ben. Alles is thuis geregeld. Ik kan nu wel tien dagen blijven als het moet!'

Hélène wijst voorzichtig naar de burgemeester.

'Annie...'

Annie begrijpt het niet. 'Wat? Ik heb zitten nadenken, het kan wél. We kunnen winnen, als we maar doorgaan. Dat is de enige manier!'

Hélène ziet zich gedwongen om aan te dringen. 'We zijn in gesprek met meneer de burgemeester.'

Annie wordt bleek. Ze wil zich verontschuldigen. Te laat.

Voor de crèche staat een nieuwswagen materiaal uit te laden. De burgemeester staat op het punt om naar buiten te gaan als hij de cameraman ziet, die net wil gaan filmen. Hij maakt rechtsomkeert, gaat de crèche weer in en doet net alsof het hem niet interesseert of de camera hem volgt. Hij loopt naar Agnès, die veel kalmer en bijna beminnelijk is.

'Ik kan helaas niet veel doen in de huidige situatie. Het is natuurlijk niet genoeg, maar ik heb besloten mijn zoon van de crèche te halen, zodat er een plaats vrijkomt. Mijn vrouw komt hem zo dadelijk halen.'

Niemand begrijpt deze spectaculaire ommezwaai. Hij richt zich tot de mensen om hem heen. 'Eén plaats is tenminste iets. Als u straks naar het gemeentehuis komt, zullen we gezamenlijk naar verdere oplossingen zoeken. Deze crèche moet de rust hervinden die we de kinderen verschuldigd zijn. Mijn deur staat altijd voor u open.'

Pas als hij weg is, ziet iedereen de televisieploeg die aan het filmen is. De cameraman maakt opnamen van kinderen en groepjes volwassenen, bezetters of groepsleidsters, die aan het discussiëren zijn, waarbij hij de aanwijzingen opvolgt van een journalist die hem zachtjes toespreekt en alleen maar ziet wat hij wil zien.

'Film dat jochie daar, zo'n schatje. Probeer iets van de chaos te vangen. Een huilend kind bijvoorbeeld.'

Agnès is zichtbaar geïrriteerd over het binnenvallen van de ploeg, maar ze aarzelt om in te grijpen. De journalist, gevolgd door de camera, snelt op Laurence af.

'Waarom houdt u deze crèche bezet?'

'Het is ons enige actiemiddel. Want...'

'Hoe regelt u het nu met uw kind?'

'Ik ben gedwongen om een oppas te nemen.'

'En dat is natuurlijk heel duur. Kunt u dat wel betalen?'

'Wel, mijn man verdient goed en ik ook. Maar het gaat hier niet om geld.'

De journalist brult: 'Cut!'

Laurence kijkt verbaasd.

'Heb ik iets verkeerds gezegd?'

De journalist kijkt woedend. Niemand begrijpt waarom. Hij wil alleen maar horen wat hij wil horen.

'Ik moet iemand hebben die... in de bijstand zit, of nog zwaarder in de shit. Snapt u? Anders...'

De bezetters kijken elkaar besluiteloos aan. Geneviève zegt zacht dat zij het wel wil doen. Men aarzelt. Catherine loopt naar de journalist, die al ongeduldig begint te worden.

'Wacht even. Het gaat hier niet om een materieel probleem.'

De journalist stampvoet. Wat kan hem het nou schelen waar het om gaat!

'Oké, oké! Maar op televisie moet je het simpel houden. Anders komt uw boodschap niet over, neemt u dat maar van me aan!'

Catherine wil iets anders uitleggen.

'Nee, wat wij belangrijk vinden, is de maatschappelijke rol van de crèche.'

'Oké. Als u een documentaire wilt maken, oké. Maar wij zijn van het nieuws, dus...'

Geïrriteerd door de discussie valt Agnès hem bits in de rede.

'Neem me niet kwalijk, maar hebt u wel toestemming om hier te draaien? Ik ben de directrice en...'

De journalist, met de sluwheid die bij zijn vak hoort: 'Mooi. Kan ik u interviewen?'

'Absoluut niet. Ik wil u juist vragen om te vertrekken!'

De journalist verbergt zich achter zijn gekrenkte beroepseer. 'Mevrouw, u schijnt nog nooit van persvrijheid te hebben gehoord. Wij doen ons werk.'

Agnès is nog valser.

'Ik ook. Tenminste, dat probeer ik.'

De cameraman begint weer te filmen. Ze wil hem tegenhouden, hij biedt weerstand. Ze roept de groepsleidsters te hulp.

'Kom me helpen! En u daar, meneer de bemoeial, ik verzoek u om..'

Ze stormt op de journalist af. Benoît wil haar tegenhouden. Ze spartelt en roept: 'Laat me los. Ik heb hier de verantwoordelijkheid voor drieëndertig kinderen!'

Ze rukt zich los en begint de cameraman naar de deur te duwen.

'U mag filmen wat u wilt, maar buiten. Eruit!'

De journalist is de strijd moe en roept zijn twee collega's. Ze gaan naar buiten. Agnès gebaart dat iedereen weer aan het werk moet gaan.

De bezetters staan in een kringetje rond Catherine te overleggen. Benoît verklaart dat de televisie, de impact ervan, niet te verwaarlozen is. Maar Catherine geeft de voorkeur aan de waarheid en wil er niet van horen.

'Maar we kunnen toch ook geen onzin gaan verkopen!'

Laurence sluit een compromis.

'Ik vind dat Benoît gelijk heeft, ook al heeft hij ongelijk.'

Agnès roept de groepsleidsters bij zich.

'Madeleine, Michelle, Nathalie. Haal de kinderen bij elkaar, ook de "indringertjes", en ga spelletjes met ze doen, per leeftijdsgroep. We laten er hier geen puinhoop van maken!'

Voor de crèche, na een woelige discussie die in het voordeel van Benoît is beslist, maakt Hélène zich tenslotte op om zich te laten interviewen. De journalist geeft haar de laatste aanwijzingen.

'Zijn we het erover eens? Recht op uw doel af. Maximaal dertig seconden.'

193

Hélène knikt en vraagt met haar blik de goedkeuring van de anderen. Ze is erg onder de indruk en drukt haar baby tegen zich aan. De journalist geeft een teken aan de camera en stelt zijn vraag: 'Hoeveel verdient u per maand?'

'Nou, dat wil zeggen, ik heb nu een andere baan, daarvoor was het anders, maar mijn bedrijf heeft problemen gehad.'

De journalist is razend, maar weet zich te beheersen.

'Cut! Mevrouw, ik heb u alleen gevraagd om me te vertellen dat u zo- en zoveel verdient, dat u iemand zwart op uw kind moet laten passen en dat u het zonder de crèche niet redt. Zo moeilijk is dat toch niet!'

Hélène knikt ijverig.

'Neem me niet kwalijk.'

'Goed, daar gaan we weer... U hebt dus moeite de eindjes aan elkaar te knopen?'

Hélène heeft haar mond al open, maar er komt niets uit. Dan mompelt ze: 'Ik verdien 4500 franc per maand... Nee, dat is niet goed, dat is geen antwoord op uw vraag. Daarnet begon u anders.'

De journalist knarsetandt.

'Cut!'

Hij loopt naar haar toe en dwingt zichzelf om vriendelijk te blijven.

'Probeer u te ontspannen. Loop even rond, we doen het zo over. Het maakt niet uit.'

Ondertussen staat Maryline aan het andere eind van het speelplein bij het hek met een radiojournalist te onderhandelen, die net uit zijn auto is gestapt.

'Het is heel simpel. Als u deze cassette draait, wil ik het misschien wel doen.'

De radiojournalist, twijfelend: 'Wat is dat dan?'

'Een nieuwe rockgroep. Te gek. Ik bedoel, voor jongeren, maar echt te gek gaaf! Als dat goed is, vertel ik u alles, hoe het binnen gaat, wat ze willen, alles.'

Net als de journalist op het punt staat om toe te geven, komt Agnès naar buiten.

'Maryline, ik had gevraagd of niemand...'

Maryline, verontwaardigd: 'Wat? Heb ik soms geen recht op een eigen mening?'

Agnès, droogjes: 'O jawel, hoor. Maar niet om die in het openbaar kenbaar te maken. Dat noem je nou zwijgplicht.'

Maryline gaat ertegen in.

'Van de televisie kan ik nog wel begrijpen. Maar op de radio... Er is toch niemand die ons herkent?'

Agnès herhaalt bedaard: 'Het mag niet.'

Maryline stopt de journalist toch stiekem haar bandje toe en fluistert dat hij echt moet luisteren. Dan loopt ze woedend naar binnen. En om dat goed te laten merken zingt ze luidkeels een kinderliedje, waar ze een rockachtig ritme aan geeft zodat het net iets anders klinkt.

Terug in de crèche zegt Agnès in het algemeen: 'Ik moet weg. Bel de zustercrèche als er iets is. Ik heb een afspraak op het gemeentehuis.'

Laurence kijkt haar vragend aan.

'Ze zullen het wel over het weer willen hebben.'

Benoît kijkt misnoegd.

'Gaat u achter onze rug om onderhandelen?'

Agnès haalt haar schouders op, maar hij windt zich op.

'U hebt de lijst met onze namen, de leeftijden van onze kinderen, onze adressen. Gaat u ons aangeven?'

Agnès kan haar oren niet geloven.

'Ik begrijp het niet. U bezet de crèche, u geeft interviews en niemand mag weten wie u bent?'

Benoît, halsstarrig: 'Het gemeentehuis hoeft niet te weten wie we zijn. Het gaat om collectieve onderhandelingen.'

Agnès wil hem opzij duwen. Maar hij laat haar niet gaan. Agnès probeert het hem nog een keer uit te leggen.

'Als het gemeentehuis plaatsen vindt, moeten ze toch aan iemand worden toegewezen, niet?'

Benoît reageert op het paranoïde af.

'We willen geen geheime onderhandelingen!'

Catherine komt tussenbeide.

'Benoît, mevrouw Guerrimond helpt ons al vanaf het begin.'

'En dat vind je niet verdacht? We weten heus wel dat het jou

195

goed uitkomt. Die plaats van de burgemeester is natuurlijk voor jou! Dat hebben we heus wel door!'

Catherine is even sprakeloos. Dan begint ze te schreeuwen: 'Dat laat ik me niet zeggen!'

Agnès ziet haar kans schoon en gaat ervandoor.

Benoît roept Geneviève. Hij is volstrekt onterecht door het dolle heen. Maar waar paranoia heerst, is geen plaats voor humor.

'Ga achter haar aan. Verlies haar geen moment uit het oog. Ze gaan ons een loer draaien!'

Geneviève aarzelt. Hij geeft haar een duw en zegt dat ze zich moet haasten. Catherine knikt dat het goed is. Geneviève zet het op een rennen en haalt Agnès buiten in. Als ze weg is, wendt Madeleine zich woedend tot Benoît.

'Te bedenken dat we u hebben gesteund, en dan dit!'

Benoît voelt de algehele afkeuring. Hij reageert niet en gaat een eindje verderop staan. Laurence gaat naar Catherine toe.

'Is het waar dat jij boven aan de lijst staat?'

'Ik heb niets gevraagd. Het is nu niet het moment om verdeeld te raken.'

'Ja, maar als er maar één plaats is, wat doen we dan?'

'Heb je soms liever dat we tegen ze zeggen dat het alles of niets is?'

Hélène stelt een oplossing voor. 'Een stuk of wat plaatsen is in ieder geval iets. Die gaan we niet onbezet laten. Of aan mensen geven die niets hebben gedaan.'

Laurence is geschokt.

'Kijk nou! Er hoeft maar iets te gebeuren en het is ieder voor zich.'

Catherine, nuchter: 'Wacht even! Dat is precies waar ze op uit zijn: verdeel en heers.'

Een halfuur later komt Agnès, vergezeld van Geneviève, weer terug. Ze zegt niets. Niet als Madeleine haar vraagt hoe het is gegaan, en niet als Benoît, die kennelijk gekalmeerd is, naar haar toe komt.

'Neem me niet kwalijk van daarnet, ik had geen reden om me zo op te winden. Ik weet best dat u aan onze kant staat.'

Agnès werpt hem in het voorbijgaan een wazige blik toe en sluit zich op in haar kantoor. De sfeer in de crèche is zeer gespannen. Geneviève kijkt niemand aan als haar wordt gevraagd hoe het is gegaan.

'Ik mocht niet bij het onderhoud zijn.'

Benoît wordt meteen weer agressief.

'Ik had je toch gezegd dat je haar niet uit oog moest verliezen!'

Geneviève zucht.

'Was dan zelf gegaan, als het zo makkelijk was.'

Catherine pakt het slimmer aan. 'En zij, heeft zij niets gezegd?'

Geneviève moet het toegeven.

'Jawel.'

Het blijft even stil. Ze bijt op haar lippen en mompelt verlegen: 'Maar ik heb beloofd dat ik niets zou zeggen.'

Laurence, verontwaardigd: 'Ben je nou helemaal! We vechten toch samen?'

Geneviève slaat haar ogen neer, maar zegt niks. Benoît, nog steeds trouw aan zichzelf, halsstarrig: 'Hebben ze jou ook al een plaats beloofd?'

Geneviève, met tranen in haar ogen: 'Waar zie je me voor aan?'

Agnès zit onderuitgezakt in haar stoel. Diplo en Madeleine kijken haar aan. Madeleine zegt smekend: 'U kunt ze toch wel iets vertellen!'

Diplo doet er nog een schepje bovenop.

'Of ons. We kunnen ze toch niet zomaar aan hun lot overlaten!'

Agnès, bars: 'Ik ben niet de woordvoerder van het gemeentehuis!'

Aan het eind van de dag gaan Françoise, Nathalie en Martine gezamenlijk weg. Nathalie ziet er moe uit.

'Tjonge! Ben ik blij dat deze dag erop zit. Vanochtend vond ik nog dat Brigitte wel erg overdreef door zo plotseling ziek te worden, maar nu begrijp ik het wel. Als het morgen uit de hand loopt...'

Françoise lacht.

'Ik heb een idee. Waarom zeggen we niet tegen ze dat ze een andere crèche moeten nemen?'

Nathalie, geschrokken: 'Het ontbreekt er nog maar aan dat ze die van mijn zoontje nemen.'

Martine legt hen opeens het zwijgen op en wijst. Een man van een jaar of veertig, keurig in het pak, duwt met één hand een overladen wagentje voor zich uit en sleept nog een tweede achter zich aan, waarop een klein televisietoestelletje prijkt. Hij is buiten adem en bezweet, en heeft moeite beide wagentjes in bedwang te houden. Hij zegt verlegen tegen Françoise: 'Kunt u alstublieft de deur voor me opendoen?'

'Wie bent u dan wel?'

'Ik? Ik ben Pierre Bardinet. Mijn vrouw, Laurence, is binnen. Ze heeft een boodschappenlijstje doorgebeld, inclusief de televisie.'

Nathalie, geïnteresseerd: 'Blijft u ook?'

'Dat weet ik niet. Maar zo kan ik mijn dochtertje tenminste zien!'

Françoise proest het uit. Ze doet de deur open en prevelt: 'Ze zoeken het ook maar uit.'

Ze gaan opnieuw op weg. Nathalie mompelt, of liever gezegd moppert: 'Agnès zegt dat ze niet over die plaatsen gaat, maar ze heeft wel mijn zoon geweigerd!'

Françoise neemt het voor de directrice op. 'Dat is iets heel anders, dat is een principe. Als je hem bij je zou hebben, zou je de hele dag aan onze kop lopen zeuren. En bovendien zou hij jaloers zijn omdat je je met andere kinderen bezighoudt.'

'Misschien, maar nu moet ik me elke ochtend en elke avond haasten, en die andere kinderen neemt ze wel aan.'

Françoise haast zich ook, zij het om andere redenen. 'Ik ben benieuwd of we straks op de televisie komen.'

Het moment is gekomen waarop de ouders hun kinderen komen halen, en het is een rondedans tussen de afdelingen en de ruimte waar de buggy's staan.

De bezetters hebben zich met hun kinderen op de arm weer in het atrium verzameld. Sommige ouders lopen hen zonder iets te zeggen voorbij, andere vallen tegen hen uit. Er ontstaat een kleine samenscholing. Een moeder spreekt een andere moeder aan: 'Stel dat er een ongeluk was gebeurd?'

'Maar het schijnt dat alles juist goed is gegaan.'

'Dat zeggen ze, ja. Maar mijn zoon heeft recht op rust, daar betaal ik voor.'

Een andere vrouw bemoeit zich ermee.

'Wat zou u doen als u in hun schoenen stond?'

Marguerite komt met een transistorradiootje in de hand de linnenkamer uit rennen.

'Het is zover, ze hebben het over ons.'

Ze corrigeert zichzelf, in verlegenheid gebracht.

'Neem me niet kwalijk, over ú. Het is op het nieuws. Ze zeiden dat de crèche bezet is. En ook dat het een geweldloze actie is. En dat de meeste ouders het ermee eens zijn. Ik ga het tegen Agnès zeggen.'

Ze haast zich naar het kantoor.

Een moeder gaat naar Catherine toe.

'Ik wil graag uw petitie tekenen.'

Een andere moeder kijkt haar gepikeerd aan. Ze pakt haar kind en voegt zich bij de samenscholing die zich buiten heeft gevormd – van ouders die tegen de bezetting willen protesteren.

Vreemde sfeer in het atrium, waar de rust is weergekeerd. Alle bezetters zitten er bij elkaar. De kinderen zijn rustig aan het eten. Eén persoon is druk in de weer, de man van Laurence. Hij staat over het televisietje gebogen, dat hij aan de praat probeert te krijgen. De sneeuw begint hem te irriteren, maar als hij die met de afstandsbediening eindelijk weg heeft gekregen, verdwijnt eerst het geluid en vervolgens het beeld. En dan alles tegelijk, hoe hij ook aan de antenne rukt. Hij blijft verwoed proberen.

Sophie zit in elkaar gedoken in een hoekje en zegt niets. Madeleine helpt de kleinsten met eten. Maryline staat op het punt naar huis te gaan, maar ze aarzelt, foetert, loopt heen en weer en schettert dan: 'Ik ga toch maar samen met jullie naar de televisie kijken. Dat is veel leuker.'

Onder de bezetters heerst grote ongerustheid. Er wordt hevig gefluisterd.

Hélène, moedeloos: 'Maar stel dat we uiteindelijk toch geen plaatsen krijgen?'

Catherine stelt haar, of zichzelf, gerust.

'Als we volhouden, krijgen we die wel!'

'En als iemand nou niet langer kan blijven?'

'We hadden afgesproken dat wie weggaat een plaatsvervangster moet vinden.'

Ze staan op als ze eindelijk voetstappen horen. Het is de kabinetschef, voorafgegaan door Agnès. Hij blijft staan, kijkt naar al die mensen in het atrium en schraapt zijn keel.

'Ik heb goed nieuws. De oplossing is in zicht.'

Catherine vliegt op hem af.

'Bedoelt u dat we plaatsen krijgen?'

De kabinetschef neemt de tijd, weegt zijn woorden.

'Voorlopig is het nog slechts een doelstelling en een werkhypothese. Maar met wat goede wil hier en daar zou het moeten lukken. Tenminste, als...'

Laurence, geïrriteerd door al die uitvluchten, stelt hem een duidelijke vraag: 'Zijn er plaatsen of niet?'

Er is geen tijd om te antwoorden. Maryline zet het geluid van de televisie harder en roept: 'Het is zover, wij zijn aan de beurt! Na de boeren komen wij!'

Op het scherm kondigt de nieuwslezer met zijn mooiste glimlach het volgende onderwerp aan. 'Onrust bij onze allerkleinsten. Sinds gisteren houden ouders die geen plaats voor hun kinderen kunnen krijgen, de crèche in de ...-straat bezet.'

Men verdringt zich met zijn allen voor het kleine televisietje. Beelden van de crèche volgen elkaar op, maar de reportage is niet echt wat men zich ervan had voorgesteld. De commentator geeft algemene cijfers. Er volgt een beeld van de burgemeester, die op de bezetters afloopt: 'Het is natuurlijk niet genoeg, maar ik heb besloten mijn zoon van de crèche te halen, zodat er een plaats vrijkomt. Eén plaats is tenminste iets. Als u straks naar het gemeentehuis komt, zullen we gezamenlijk naar verdere oplossingen zoeken. Deze crèche moet de rust hervinden die we de kinderen verschuldigd zijn.' Het commentaar doet de waarheid geweld aan. 'De spanning in de bezette crèche loopt snel op.' Beelden van een moeder die wegloopt met haar kind, van ouders die voor de deur staan te foeteren. Een moeder roept uit:

'Ze hebben niet het recht om onze kinderen in gijzeling te nemen!'

Het beeld verplaatst zich naar binnen, naar het moment waarop Agnès de televisieploeg wil wegsturen. Maar het ziet er net iets anders uit. Het commentaar vertekent en dramatiseert: 'De directrice weigerde ons te woord te staan. Het lijkt erop dat het elk moment uit de hand kan lopen.' Het is net of Agnès op Benoît afstormt om met hem op de vuist te gaan. Je ziet haar roepen: 'De kinderen hebben rust nodig! Ik verzoek u om...' Ze spartelt tegen. 'Laat me los. Ik heb hier de verantwoordelijkheid voor drieëndertig kinderen!'

Onder de toeschouwers in het atrium stijgt een verontwaardigd gemompel op. De reportage gaat door. Beelden die de bezetters op hun meelijwekkendst laten uitkomen, volgen elkaar op. Het commentaar laat er geen misverstand over bestaan: 'De ouders die door financiële problemen en wanhoop gedreven in opstand zijn gekomen, kunnen slechts hopen op de oplossing waar het gemeentehuis zo naarstig naar op zoek is.' Close-up van een huilend kind. De nieuwslezer sluit af met een optimistische noot: 'Volgens de laatste berichten zou de oplossing nabij zijn.' En hij gaat een en al glimlach op het volgende onderwerp over.

Er heerst een diepe stilte in het atrium. De teleurstelling is enorm. Hélène protesteert in alle onschuld: 'Eerst vertellen ze me wat ik moet zeggen, en dan zenden ze het niet eens uit!'

Opnieuw stilte. De kabinetschef kijkt twee keer op zijn horloge en vervolgt: 'We hebben samen met de burgemeester en mevrouw Guerrimond het plan opgevat...'

Agnès is razend.

'Laat mij erbuiten. U hebt me bij u laten komen, dat is alles.'

'Maar u bent getuige geweest van onze inspanningen.'

Laurence wordt ongeduldig.

'Mogen we nu eindelijk weten waar het om gaat?'

De kabinetschef heeft moeite om de juiste woorden te vinden.

'We hebben goede hoop dat we binnenkort alle door u gewenste plaatsen kunnen vrijmaken.'

Catherine, sarcastisch: 'O ja? Gisteren was dat nog onmogelijk! Is er een wonder gebeurd?'

De kabinetschef vervolgt onverstoorbaar: 'We gaan aan de kleuterscholen vragen of ze de oudste peuters van de zes crèches in dit district per onmiddellijk op willen nemen. Hierdoor zou een tiental plaatsen vrijkomen.'

Hij is niet weinig trots op het effect dat hij teweegbrengt en de stilte die erop volgt. Catherine reageert het eerst: 'Weten de betrokken ouders hiervan?'

Agnès steunt haar met een knikje in haar protest.

De kabinetschef duldt geen tegenspraak.

'U moet wel weten wat u wilt! Ik geef u mijn woord. Als die plaatsen vrijkomen, zullen ze onmiddellijk worden toegewezen. Maar natuurlijk moet u dan vanmiddag nog een einde aan de bezetting maken.'

Het groepje bezetters trekt zich terug om zich op zachte toon te beraden. Hélène zegt triomfantelijk: 'Zien jullie wel dat we het konden winnen!'

Laurence is een stuk behoedzamer.

'Vooralsnog zijn het alleen maar woorden.'

Ze draait zich om naar de kabinetschef.

'Wat voor garantie hebben we?'

'U gaat toch niet opnieuw beginnen met... Goed, neem uw beslissing en bel me over een uur op het gemeentehuis.'

Catherine daagt hem uit.

'Anders?'

De kabinetschef kan zich niet meer bedwingen.

'Anders laat het gemeentehuis de crèche ontruimen! En dat zijn geen loze woorden! Verder dan dit kunnen we niet gaan. De volgende zet is aan u!'

En met een theatraal gebaar verlaat hij het toneel, nagekeken door heel de kleine vergadering.

Na een korte aarzeling holt Agnès achter hem aan. En terwijl binnen de discussie wordt hervat, voegt ze zich buiten zinnen bij hem. Ze is razend.

'Realiseert u zich wel in wat voor rol u me duwt? Ik probeer de zaak te sussen, en u laat me opdraaien voor beslissingen waar ik het totaal niet mee eens ben.'

'U moet kiezen aan welke kant u staat.'

'Maar u kunt toch niet overwegen om de crèche te sluiten!'

'O nee? Waarom niet?'

'Kijk toch eens een keer om u heen in plaats van met uw neus in uw papieren te zitten! Tot nu toe hebben de ouders de bezetters niet gesteund. Ze zijn zelfs verdeeld. Maar als u de crèche sluit, staan ze straks met zijn allen op de stoep voor uw gemeentehuis.'

De kabinetschef slaat een uitdagende toon aan.

'Staat u er dan ook? Dan weten we tenminste waar we aan toe zijn.'

En hij loopt door.

Madeleine en Maryline hebben hun hoofd om de hoek van de deur gestoken om iets van het gesprek op te vangen. Agnès ziet hen niet eens. Ze loopt werktuiglijk, in gedachten verzonken, langs het hek. De straatlantaarns springen aan.

Op hetzelfde moment komt Bertin aansnellen. Ze merkt hem niet meteen op. Hij loopt een tijdje achter haar aan en gaat dan naar haar toe.

'Goedenavond. Ik heb het nieuws gezien.'

Hij glimlacht, maar geeft haar geen kans om iets te zeggen.

'Ik snap het, je hoeft je voor vanavond niet te verontschuldigen. Maar ik ben een doorzetter, weet je, ik wacht.'

Agnès kijkt hem niet aan. Hij vraagt bezorgd: 'Gaat het wel?'

Eindelijk keert ze hem haar gezicht toe. Tranen stromen over haar wangen. Hij kijkt haar uit het veld geslagen aan en vraagt: 'Zal ik je met rust laten?'

Ze geeft geen antwoord. Ze lopen naast elkaar. Als ze zich wat beter voelt, mompelt ze: 'Dank je wel.'

Bertin controleert of niemand kijkt.

'Ik heb zin om je te omhelzen.'

Ze glimlacht even, schudt van nee, maar pakt zijn hand, drukt die tegen haar gezicht en geeft er een zoen op. Dan werpt ze hem een droevige en liefdevolle blik toe en ze loopt terug naar de crèche.

De avond is gevallen en ogenschijnlijk heerst er weer rust in de crèche.

Agnès heeft voordat ze de crèche in ging, eerst nog even naar binnen gekeken. De bezetters zitten met zijn allen rond een gedekte tafel in het atrium; er is te eten en te drinken. Maryline en Sophie zijn er ook nog. Als Agnès binnenkomt, staat Benoît op.

'We zaten op u te wachten. U zit daar.'

'Nee, dank u. Ik heb geen trek.'

Catherine, bij wijze van verontschuldiging: 'We maken het u wel moeilijk, hè?'

'U moet zich niet de hele tijd verontschuldigen.'

'We willen u ook iets vragen. Denkt u dat we het gemeentehuis kunnen vertrouwen?'

'Die vraag kan ik niet beantwoorden.'

Laurence dringt aan.

'Maar wat denkt u ervan?'

Agnès is uitgeput. Ze geeft geen antwoord, loopt weg en komt weer terug.

'Wat ik ervan denk? Ze gaan kleine kinderen van onder de drie naar school sturen! Ze moeten groot zijn voordat ze klein zijn geweest. Alleen, u hebt plaatsen nodig, en u hebt gelijk. Dus ik weet niet wat ik ervan moet denken. Zo goed?'

Later, als alles weer rustig is, loopt Agnès met gebogen hoofd in het halfdonker de crèche te inspecteren als ze Sophie tegenkomt, die weer eens loopt te zuchten.

'Neem me niet kwalijk, maar kan ik vanavond in de crèche blijven slapen?'

Agnès wenst haar naar de maan, maar weet zich snel te herstellen. 'Je kunt slapen waar je wilt. Nee, neem me niet kwalijk, Sophie. Je...'

Ze maakt haar zin niet af. De bel gaat. Doordringend en aanhoudend. Ze is bang dat iedereen wakker zal worden en haast zich naar de deur. Hier en daar springt een licht aan en verschijnt een verbaasd gezicht. Achter de deur staat een tiener in tienertenue te trappelen. Agnès doet stomverbaasd open. De tiener komt binnen en omhelst haar.

'Hoi, mama!'

'Julien! Weet je wel hoe laat het is?'

'Nou en of! Ik heb uren bij je voor de deur zitten wachten. Ik

was mijn sleutels vergeten. Ik zat al te kankeren: dat heb ik natuurlijk weer, een moeder die buiten de deur slaapt!'

'Hoe heb je me gevonden?'

'De buurvrouw. Het schijnt dat ze je op de televisie heeft gezien.'

'Wacht even... Heb je om twee uur 's nachts bij haar aangebeld?'

'Ik ga echt niet op de deurmat slapen!'

Agnès legt een vinger op haar mond. Ze voert hem mee naar
haar kantoor. Achter hen gaan de lichten uit.

Julien is op het matras gaan liggen. Agnès loopt heen en weer.

'Ik begrijp er niets van. Begin nog eens bij het begin.'

'Ik word doodziek van papa, nu hij dat nieuwe grietje heeft.'

'Wacht even. Hij heeft recht op een eigen leven.'

Julien is gekwetst.

'Met een meisje van drieëntwintig?'

Agnès moet slikken, maar wil het niet laten merken. Julien is
niet meer te houden.

'En ik besta opeens niet meer. Hij gaat elke avond uit en het enige wat hij te melden heeft als ik hem toevallig tegenkom, is dat ze
zo cool is! Zie je het voor je?'

'En daarom kom je maar bij mij aanzetten?'

'Als ik te veel ben, moet je het zeggen.'

Agnès neemt de tijd.

'Het leven van je vader is zíjn leven. Jij hebt ervoor gekozen om
bij hem te gaan wonen, en ik denk dat je daar goed aan hebt gedaan, maar de leeftijd van dat "grietje" van hem, zoals jij haar
noemt, is niet jouw probleem. Noch dat van mij. Bemoei je met
je... Ach verdomme, Julien. Ik ben kapot. Ik ga je nu niet uitkaffe-
ren, het is veel te laat.'

Julien kijkt haar ongerust aan.

'Maar wat moet ik nou doen?'

Agnès wijst op het matras. 'Blijf daar maar slapen. Ik zal je vader
wel bellen, zodat hij zich niet ongerust maakt.'

Ze pakt haar mobiele telefoon, toetst het nummer in, loopt de
gang in, doet de deur achter zich dicht en begint zachtjes te praten.

'Hallo. Ja, met mij. Nee, hij is hier. In de crèche. Ja, ik ben nu in
de crèche. Dat gaat je niets aan. Nee, dat kon ik niet, hij is hier net.

Waar? Bij mij voor de deur! Ik begrijp dat je dodelijk ongerust was, gelukkig maar trouwens. Wil je niet zo'n toon tegen me aanslaan! Ik vraag jou toch ook niet hoe oud die grietjes van je zijn? Ja, ik weet het, dat gaat me niets aan. Goed, ik stuur hem morgenochtend wel naar huis, als hij dat tenminste wil. Dag!'

Ze hangt geïrriteerd op.

Dan hoort ze iets achter zich. Het is Sophie, met haar jas aan, die op het punt staat naar huis te gaan en vreemd nadrukkelijk naar haar glimlacht en zegt: 'Toch hebt u hem niet in uw eentje gemaakt.'

Agnès is zo overdonderd dat ze niet weet wat ze moet antwoorden. Dan lacht ze. Sophie ook. Een liefdevol gebaar naar elkaar. Agnès legt een vinger op haar lippen en opent de deur van haar kantoor. Julien is in diepe slaap verzonken. Ze doet het licht uit. Sophie is haar gevolgd. Agnès fluistert: 'Ik ga naar bed. Jij ook?'

De volgende ochtend komt een moeder met een kinderwagen op de crèche aflopen. Mevrouw Képler gaat naar haar toe, de kabinetschef achter haar aan.

'Dag mevrouw, het zou beter zijn als u uw kind vandaag niet naar de crèche brengt, als dat enigszins mogelijk is.'

De verbouwereerde moeder weet niet hoe ze moet reageren. Verderop ziet ze andere ouders staan, die ook niet weten wat ze moeten doen. De kabinetschef dringt glimlachend aan. 'Het gemeentehuis heeft voorstellen gedaan. De bezetters schijnen er niet op in te willen gaan. Er kan van alles gebeuren, en om het zekere voor het onzekere te nemen...'

Agnès snelt de crèche uit en stormt op de kabinetschef af.

'Hebt u besloten de crèche te sluiten?'

De kabinetschef zoekt uitvluchten.

'Aangezien de bezetters zich niet hebben verwaardigd om te reageren op...'

Agnès stelt haar vraag nog een keer, op vastberaden toon. 'Is de crèche gesloten of niet?'

Ze geeft hem geen tijd om te antwoorden. Ze wendt zich tot de moeder en zegt heel hard, zodat de andere ouders haar kunnen horen: 'U kunt naar binnen!'

Mevrouw Képler fluistert: 'Maak de situatie nou niet erger.'
Agnès werpt haar een kille blik toe en wendt zich tot de ouders.
'U kunt naar binnen! We zijn gewoon open.'

Een vader kijkt over haar schouder, mompelt iets, maakt een verontschuldigend gebaar naar mevrouw Képler en gaat dan de crèche binnen. De andere ouders blijven aarzelend staan. Eén moeder wil de stap wel nemen.

'Als mevrouw Guerrimond zegt dat het kan, kunnen we haar vertrouwen.'

Een ander is ongeruster. 'Maar stel dat er onlusten uitbreken? Dat de politie ingrijpt?'

Een derde, ongelovig: 'Ze gaan toch geen kleine kinderen in elkaar slaan?'

De ouders kijken naar de crèche. De bezetters staan op een kluitje voor het raam en kijken bezorgd naar de situatie buiten.

Opeens iets heel onverwachts. Agnès ziet een nieuw groepje aankomen: drie of vier vrouwen, met kinderwagens. De vrouw die voorop loopt, kijkt aandachtig naar de crèche en dan naar Agnès. Ze loopt vastberaden op haar af.

'Wij willen ons aansluiten bij de bezetters die binnen zijn.'

Een verbijsterde Agnès kijkt schuins naar mevrouw Képler, die er niets mee te maken wil hebben, en vervolgens naar de kabinetschef, die een gebaar maakt van 'u hebt er zelf om gevraagd'. Ze moet de nieuwkomers dus in haar eentje het hoofd bieden.

'Dat kan niet.'

'Wij zijn solidair met de strijd die ze voeren. Wij eisen ook plaatsen voor onze kinderen.'

Agnès neemt een afwachtende houding aan.

'U kunt niet naar binnen.'

'Nou, dan blijven we buiten. Maar we blijven hier net zo lang tot...'

De vrouwen beginnen zich op het trottoir te installeren. Agnès wijst geërriteerd op de kabinetschef.

'Zoek het maar uit met meneer!'

De kabinetschef staat de nieuwkomers op bitse toon te woord. 'Het gemeentehuis heeft heel veel goede wil getoond. Maar als het nu uit de hand loopt, zal dat zich tegen u keren.'

Binnen hebben de bezetters een plakkaat op het raam geplakt: WIJ WIJZEN DE VOORSTELLEN NIET AF, MAAR WIJ WILLEN GARANTIES.

Alsof dit haar allemaal niet meer aangaat, wil Agnès de crèche weer in gaan. Net op dat moment komt totaal onverwacht Brigitte aanlopen. Agnès kijkt verrast, maar krijgt niet de tijd om iets te zeggen. Brigitte duwt haar opzij en gaat naar binnen alsof er niets aan de hand is. Agnès is verbijsterd. Brigitte kijkt recht voor zich uit, loopt een lokaal in en gaat koortsachtig aan het werk. Sophie is stomverbaasd dat ze weer terug is.

'Ben je niet ziek meer? Nou, dan kan het niet zo erg zijn geweest.'

Brigitte geeft geen antwoord. Ze is druk in de weer en maakt een bijna normale indruk. Maryline moet haar natuurlijk weer plagen – de aard van het beestje.

'Ze heeft haar tong verloren! Daarom was ze ziek, ze had tonguitval!'

Sophie is haatdragender.

'Het kan je geen moer schelen, hè, dat wij al het werk moeten opknappen? Er zijn problemen en jij gaat ervandoor!'

Brigitte barst opeens in snikken uit. De groepsleidsters kijken verbaasd en weten niet wat ze moeten doen. Martine, die van een afstand stond toe te kijken, gaat naar haar toe, slaat haar armen om haar heen en voert haar mee naar de keuken. Agnès is bij de deur blijven staan. Ouders komen de crèche in. Ze volgt hen met haar blik. Ze doen hetzelfde als wat ze elke dag doen, maar ze zijn minder zelfverzekerd en kijken om zich heen of het allemaal wel goed gaat.

De sfeer is zeer gespannen. Sommige ouders drukken hun kleintje van alles op het hart als ze het toevertrouwen aan een groepsleidster, andere vragen van alles aan de groepsleidster aan wie ze hun kindje toevertrouwen. Bezetters komen naar hen toe, bedanken hen voor hun vertrouwen en beloven het leven in de crèche niet te verstoren.

Brigitte komt stilletjes de keuken uit. Ze kijkt niemand aan en gaat weer aan het werk. Maryline wil een van die plaagstootjes uitdelen waarvan zij alleen de kunst verstaat, maar Martine is haar voor.

'Laat haar met rust. Het is niet wat jullie denken. Door die bezetting is ze eergisteren haar afspraak misgelopen. En ze zegt dat het de man van haar leven was.'

'Hoeveel mannen van haar leven heeft ze?'

'Ze heeft het vanwege hem met twee andere mannen uitgemaakt.'

'Had ze d'r maar drie dan?'

Brigitte kijkt haar droevig aan en wendt zich af.

Maryline voelt zich schuldig en gaat naar haar toe.

'Neem me niet kwalijk.'

'Wat zou ik je kwalijk moeten nemen? Je hebt gelijk, ik had nog een vierde moeten nemen. Ik had beter op mijn tellen moeten passen.'

Ze loopt weg. Sophie gaat naar haar toe.

'Kan ik je helpen?'

'Jij hebt zelf hulp nodig.'

'Precies. Ik weet wat het is.'

Brigitte glimlacht haar dankbaar toe. Dan neemt ze een kindje in haar armen en gaat ermee spelen.

Agnès is in druk gesprek met Catherine.

'Maar wat gebeurt er als de ouders van die peuters weigeren om ze van de crèche te halen?'

Agnès zucht. De burgemeester heeft het slim aangepakt.

'Dat zullen ze niet weigeren. Ten eerste is de kleuterschool gratis. En ten tweede zullen ze maar al te trots zijn dat hun kinderen zo voorlijk zijn. Nee, het zijn de kleuterleidsters die razend zullen zijn.'

'Waarom?'

'Omdat de klassen te vol worden.'

Catherine is uit het veld geslagen.

De bezette crèche heeft haar kruissnelheid gevonden.

Op elke afdeling hebben alle kinderen, ingeschreven of niet, de grootste pret. De bel gaat. Agnès gaat opendoen. Ze krijgt haast de slappe lach als ze de man voor de deur herkent.

'O, jee! We waren u totaal vergeten.'

Ze draait zich om om haar lachen te verbergen en roept: 'Het is de fotograaf!'

Diplo komt als eerste aanrennen.

'Het is niet waar! Dat ontbrak er nog maar aan!'

Agnès kijkt achterom terwijl de fotograaf naar binnen gaat. Buiten staat het groepje nieuwkomers nog steeds met mevrouw Képler te onderhandelen. Ze hebben een spandoek uitgerold: SOLIDAIR VOOR EEN PLAATS IN DE CRÈCHE. Agnès loopt naar de fotograaf, die inmiddels omringd wordt door een hele drom vrouwen. Nathalie staat zachtjes te foeteren.

'Ik had toch gezegd dat het een puinhoop zou worden als we alle kinderen bij elkaar zouden doen? En nu...'

Catherine loopt verzoenend op Agnès af.

'U moet de foto's gewoon zo maken als u van plan was. We brengen onze kinderen wel naar het atrium.'

Madeleine is een andere mening toegedaan.

'Wacht even. Zou u het niet leuk vinden om ook een herinnering te hebben?'

De een na de ander knikt instemmend. Iedereen vindt het een enig idee. De fotograaf is al bezig met het 'kieken' van de kinderen als Maryline opgewonden op hem afrent.

'We gaan een groepsfoto maken! In het atrium.'

En ze gaan met zijn allen de kinderen halen. De één een baby, de ander een peuter. De kindjes staan nog niet op hun plaats of ze lopen alweer weg. De leidsters rennen achter hen aan, vangen hen en brengen hen weer terug, en terwijl ze de volgende gaan halen zijn de eersten alweer weg. Het is een leuk spelletje waar iedereen schik in heeft, volwassenen en kinderen, groepsleidsters en bezetters. Als men eindelijk de hele groep bij elkaar heeft, is het de slappe lach die zich verbreidt en op de foto wordt vereeuwigd. De fotograaf lacht nog het hardst.

Mevrouw Képler begrijpt er niets van. Ze gaat naar Agnès en fluistert haar toe: 'Ik heb dat groepje buiten kunnen overtuigen dat ze niet naar binnen gaan.'

Agnès barst in lachen uit.

'U had zich de moeite kunnen besparen. Hoe meer gekken...'

Mevrouw Képler is woedend. Ze gebaart dat ze haar wil spreken en sleurt haar bijna naar het kantoor. Ze gaat als eerste naar binnen, draait zich om en schreeuwt: 'Dat kan zo niet langer!'

Agnès legt een vinger op haar mond.

'Sst! Mijn zoon slaapt.'

Ze wijst een tikkeltje ironisch op het matras in de hoek, waarop een opgerolde vorm te onderscheiden is.

'Uw zoon?'

'Ja, hij is zijn moeder gezelschap komen houden.'

Julien doet zijn ogen half open en hoort de twee vrouwen zachtjes ruziemaken.

'Ik ben het niet eens met de manier waarop u...'

'U hebt makkelijk praten. U komt hier zomaar binnenvallen en denkt alles even te kunnen regelen.

'Het lijkt wel of u ze aanmoedigt.'

'Ik probeer erger te voorkomen. Weet u een andere oplossing?'

'Het is mijn plicht om u te waarschuwen voor...'

Julien schiet overeind en snoert mevrouw Képler de mond.

'Kunt u mijn moeder niet met rust laten? Heeft ze het soms niet al moeilijk genoeg?'

'Bemoei je er niet mee! Ze is hier om te werken en jij...'

'Ja, ik weet dat ze werkt! Mijn moeder doet niet anders dan werken. Ze heeft de hele nacht gewerkt. Ze heeft recht op rust. En ook om eens wat tijd aan haar zoon te besteden!'

Agnès slikt. Ze kijkt naar Julien en zegt niets. Mevrouw Képler zoekt naar woorden, die ze niet kan vinden, en loopt dan woedend weg. Agnès wendt zich tot haar zoon en wil hem verwijten maken, die zij ook niet kan vinden. Ze rent achter mevrouw Képler aan. Te laat. Ze ziet nog net hoe de coördinatrice de deur achter zich dichtslaat.

Nathalie praat met Diplo. Ze is in paniek.

'Het schijnt dat die mensen buiten hebben besloten om vanmiddag niemand weg te laten gaan...'

'Ze hebben groot gelijk. Anders zijn ze straks het kind van de rekening.'

Agnès gaat voorzichtig kijken hoe de situatie voor de crèche is. Het is drukker dan daarnet. Er hebben zich nieuwsgierigen bij het groepje gevoegd. Een man is een barbecue aan het opzetten, als voor een braderie.

Ze voelt zich opeens doodmoe. Ze gaat terug naar haar kantoor. Ze laat zich in haar stoel neervallen. Haar zoon vraagt bezorgd: 'Gaat het wel?'

Agnès probeert zich goed te houden.

'Er zijn mensen die denken dat ik een routinejob heb.'

Hij gaat als een klein kind op haar schoot zitten en laat zich knuffelen. Agnès mompelt: 'Meen je dat nou? Vind je dat ik te veel werk?'

'Welnee, je zorgt gewoon voor je kinderen.'

Ze geeft geen antwoord en drukt hem tegen zich aan.

Tijdens het middagslaapje gaat bijna iedereen in plaats van binnen te eten naar buiten, naar het speelplein, en koopt een worstje van de man met de barbecue achter het hek. De bezetters buiten hebben schik in de situatie, en telkens als een van de groepsleidsters een worstje komt kopen, stijgt er luid applaus op. Sophie vraagt zich bezorgd af of het in haar toestand wel goed is om 'dat' te eten. Brigitte, Nathalie en Marguerite kijken van een afstand afkeurend toe. Martine komt aanlopen, ze is pisnijdig.

'Is mijn eten soms niet goed genoeg?'

Algemeen schatergelach. Maar de feestvreugde wordt plotseling verstoord door Agnès, die met een telefoon in haar hand naar buiten komt.

'Het is het gemeentehuis. Ze willen met een "verantwoordelijke" spreken.'

In het kantoor van Agnès hangt Catherine op. Alle bezetters kijken haar aan. Breed glimlachend zegt ze tegen niemand in het bijzonder: 'Het is voor elkaar. We hebben allemaal een plaats gekregen. Ze maken een namenlijst, met de crèches waar we zijn ingedeeld.'

Iedereen barst uit in luid gejuich, maar er volgt een koude douche. Catherine, de spelbreekster, wijst op de mensen die staan te wachten.

'Maar er zijn geen plaatsen voor hen.'

Hélène, geschokt: 'Nou èn? We hebben gestreden en gewonnen. Dat is al heel wat. Nu is het hún beurt om de strijd aan te gaan.'

Catherine is voorzichtiger.

'Dat mag je niet zeggen. We hadden afgesproken dat het een principiële strijd was. Ik vind dat we moeten weigeren zolang...'

'Je moet niet overdrijven. Wíj zijn hiermee begonnen. En nu zouden ze er op het laatst bij komen en alles verpesten? O nee!'

Benoît is ook een hardliner.

'Catherine heeft gelijk. We moeten ook voor de anderen winnen.'

Annie, venijnig: 'Zij heeft makkelijk praten. Haar man verdient een hoop geld. Zij kan wel wachten. Maar wij niet.'

Hélène is het daarmee eens, de anderen zijn besluiteloos. Catherine probeert het uit te leggen.

'Het gaat hier niet om geld. Kunnen jullie hen recht in de ogen kijken, in de wetenschap dat wij hebben gewonnen en zij niet?'

Geneviève doet er nog een schepje bovenop. 'Bovendien weten ze dat we willen zwichten. Straks gaan ze ook naar binnen en dan is het sowieso verloren.'

Annie protesteert.

'Wat ik zie is dat we ons weer beet laten nemen.'

Catherine, vastberaden: 'Ga maar, als je wilt. Maar ik blijf hier zolang er niet op zijn minst een beleidsplan voor crèches op tafel ligt.'

Agnès wendt zich droevig af, ze hoort niet meer wat er wordt gezegd, moe van die strijd die dus nooit zal eindigen. Madeleine gaat naar haar toe. 'Gaat het wel? U ziet zo bleek.'

Agnès, met een armzalige glimlach: 'Dat zal wel door de lichtval komen.' Ze aarzelt en neemt dan een besluit. 'Ik ga naar huis. Wil je afsluiten? En de zustercrèche inlichten? En als ze er vanavond nog zijn, mag niemand hier achterblijven. Behalve Képler, als ze daar zin in heeft.'

'Meent u dat?'

'We hebben meer dan ons werk gedaan. En we kunnen het hún niet kwalijk nemen. Ze hebben gelijk dat ze doorgaan.'

In de huiskamer laat Agnès zich uitgeput op de bank vallen. Ze legt de post van drie dagen ongeopend naast zich neer. Dan gaat ze rechtop zitten en kijkt naar haar zoon.

'Ach verdomme! Heb je je vader gebeld?'
Julien gebaart dat het van geen belang is.
'Maak je niet druk, dat doe ik zo. Maar ik zou het wel tof vinden als ik een paar dagen bij je zou mogen blijven. Zodat dat grietje van hem wat ouder kan worden. Kan dat?'
Agnès glimlacht. Hij komt naar haar toe.
'Zal ik muziek opzetten?'
'O nee, ik heb koppijn.
'Ik zal een bad voor je laten vollopen.'
'Ja, dat heb ik wel verdiend.'
Julien verdwijnt. Hij gaat eerst zijn kamer in, gooit zijn tas neer, kijkt naar zijn spullen, loopt dan naar de badkamer en laat fluitend het bad vollopen. Hij komt opgewekt terug. Agnès is er niet meer. Hij begrijpt het niet meteen en gaat dan in haar kamer kijken. Ze heeft zich op haar bed laten neervallen en slaapt als een roos. Hij bekijkt haar vol liefde.

Het is pikdonker. Agnès schrikt wakker van de telefoon. Een blik op haar wekker. Het is tegen vijven. Als ze opneemt, weet ze nauwelijks waar ze is.
'Ja?'
Ze luistert en gaat rechtop zitten.
'Wat? Bent u gek geworden? Nee! Wacht op zijn minst tot ik er ben. Maar natuurlijk kunt u dat. Ik kom eraan, ik kom eraan. Doe niets!'
Ze springt uit bed, trekt haastig haar kleding glad en brengt een bliksembezoek aan de badkamer. Dan kijkt ze nog even in de kamer van haar zoon, die met het licht aan en met zijn walkman op in slaap is gevallen. Ze doet het licht uit.

Het is vroeg in de ochtend. Verlaten straten en het licht van lantaarnpalen. Agnès komt aanrennen en is getuige van een merkwaardig schouwspel: een peloton politieagenten dat klaarstaat om de crèche te ontruimen. De kabinetschef staat naast hen. Agnès beent op hem af.
'Ik laat dit niet toe! Er zijn kinderen bij. Laat me op zijn minst met hen praten.'

'Geef me de sleutels.'

'Geen sprake van.'

'Wilt u dat we de deur intrappen?'

Ze aarzelt. De kabinetschef wil haar geruststellen.

'Ze hebben orders om geen geweld te gebruiken.'

Ze zoekt in haar tas, pakt de sleutel en geeft hem aan de kabinetschef. Deze overhandigt hem aan een van de agenten, die behoedzaam naar de crèche toe loopt, geruisloos de deur opendoet en naar binnen gaat, op de voet gevolgd door de overige agenten, die zich binnen verspreiden. Agnès is blijven staan. Ze houdt haar tranen in.

Het is een drukte van jewelste. Dreunende voetstappen. Agenten die van de ene ruimte naar de andere hollen. Deuren die open worden geduwd, andere deuren... Niemand. De crèche lijkt verlaten. Agnès is ook naar binnen gegaan. Ze begrijpt er niets van. Een van de agenten heeft iemand gevonden. Het is Sophie. Ze stamelt: 'Ze zijn allemaal weggegaan. Een uur geleden.'

De kabinetschef stormt op haar af.

'Hoezo?'

Ze gebaart dat ze het niet weet.

'U had ons wel even kunnen bellen. Waar zijn ze?'

Ze gebaart opnieuw dat ze het niet weet.

In het eerste daglicht kijken Agnès en Sophie de politiebus na. En dan de kabinetschef, die op zijn beurt wegrijdt en de vrouwen een woedende blik toewerpt. Sophie vlijt zich tegen Agnès aan.

'Er heeft iemand gebeld, om te waarschuwen dat ze de crèche gingen bestormen.'

'Wie?'

'Hij heeft zijn naam niet gezegd. Maar ik meende de stem van de vader van Sylvain te herkennen.'

Agnès glimlacht.

'Desbaux? Wel handig om een politie-inspecteur onder de ouders te hebben. Weet je zeker dat hij het was?'

'Ik weet niets zeker. Behalve dat ze bij hun vertrek hebben gezegd dat ze een andere crèche gingen bezetten.'

'We horen het zo wel op het nieuws.'

Sophie is er met haar gedachten niet bij.

'Misschien moet ik mijn kind nu alvast gaan inschrijven. Als ik zeker wil zijn van een plaats.'

Agnès is uit het veld geslagen.

'Ja, dat lijkt me wel. Wat zullen we ons de komende dagen vervelen.'

'Ja, het zal wel leeg lijken met maar drieëndertig kinderen.'

Agnès slentert wat rond door de lege crèche. Sophie loopt achter haar aan. Dan ziet Agnès de foto's van de fotograaf op een tafeltje liggen. Ze pakt ze werktuiglijk op. Sophie komt naast haar staan. Ze kijken samen. De ene foto na de andere. Close-ups van de baby's. De groepsfoto.

Het enige wat van het avontuur zal overblijven.

5 Het ongeluk

De peuters spelen op het speelplein, onder toezicht van Madeleine en Sophie. Het is mooi weer. Ze zitten op het trappetje.

Sommige kinderen rijden op driewielertjes, andere spelen krijgertje, of iets wat daarop lijkt, en weer andere zitten in de zandbak en bouwen 'holen'.

Sophies buik begint al aardig te zwellen en een jongetje dat tegen haar aan staat, voelt of de baby al beweegt. Madeleine glimlacht: 'Je vertelt het eigenlijk aan iedereen, behalve aan de vader.'

Sophie, met een zucht: 'Ik probeer het, ik zweer het, maar het lukt me niet.'

Madeleine veegt de neus af van een jongetje dat in haar buurt komt.

Er heerst een rustige en tamelijk opgewekte sfeer. Door het raam is binnen te zien hoe een groepje kinderen rond Maryline vrolijk maar onbeholpen staat te dansen op muziek die uit een cassetterecorder komt en van verre te horen is: rockmuziek natuurlijk, van de groep waarvoor ze in het wilde weg promotie maakt. Sophie stopt haar oren dicht. Madeleine neemt het voor Maryline op.

'Laat haar toch. Als ze er nou in gelooft. Met wie is ze nu, met de drummer of de zanger?'

'Je loopt achter, beste meid, ze heeft nu de saxofonist! Maar van een andere band. In de vorige band zat geen saxofonist. Wist je dat niet?'

Madeleine trekt een grappig gezicht. Ze moeten alletwee lachen. Madeleine, als om zich te verontschuldigen: 'Ach, weet je, ik en rockmuziek...'

'Nou, dat verbaast me!'

Twee of drie kinderen lachen ook, maar om iets anders. Ze laten zich van de glijbaan glijden.

Madeleine ziet een klein meisje moederziel alleen tegen het hek aan staan. Ze staat op en gaat naar haar toe. Ze keert de glijbaan de rug toe.

Boven op het kleine platform 'stremt' de kleine Wong de toegang tot de glijbaan. Hij staat te stampen, draait in het rond, springt op en neer en lacht zich een kriek. Dan klimt hij ongelooflijk behendig op het hekje, klautert eroverheen en balanceert op het randje van het platform.

Sophie, die een huilend meisje aan het troosten is, heeft niets in de gaten.

Madeleine draait zich om en ziet Diplo die achter het raam wild staat te gebaren en haar iets toeroept. Madeleine gebaart terug dat ze het niet begrijpt. Diplo mimet: ze heeft de kleine Wong gezien, boven op de glijbaan, gevaarlijk dicht bij het randje van het platform. Madeleine, die haar niet kan verstaan, loopt naar het raam toe.

Wong staat nog steeds op het randje te balanceren. De kleine Arnaud is naar boven geklommen en staat nu ook op het platformpje. Hij ziet de gebaren van Diplo en beantwoordt ze met een glimlach. Dan kijkt hij naar Wong en geeft hem totaal onverwacht een zet.

De kleine Wong tuimelt omlaag.

Een kreet snerpt over het speelplein. Sophie en Madeleine komen tegelijk aanrennen. Wong ligt op de grond. Arnaud laat zich van de glijbaan glijden.

Diplo rent het speelplein op en stormt op de kleine Wong af. Ze knielt naast hem neer en heft zijn arm op. De arm valt terug. Diplo, met professioneel overwicht: 'Nergens aankomen. Niet verplaatsen. Bel een ambulance. En breng de kinderen naar binnen. Allemaal!'

Het is net of Madeleine uit een nachtmerrie ontwaakt. Ze vermant zich en klapt in haar handen.

'Kom, kinderen.'

Als de kinderen niet snel genoeg naar haar toe komen, begint ze geforceerd 'Treintje ging uit rijden' te zingen om ze langzaam aan naar zich toe te lokken. Haar stem klinkt bibberig en schor, maar de peuters laten één voor één hun driewielertjes en stepjes in de steek om aan te haken bij het treintje dat ze naar binnen leidt. Sophie sluit de rij. Een van de kinderen draait zich naar haar om.

'Is hij dood?'

Sophie haalt haar schouders op.

'Welnee! Hoe kom je daar nou bij?'

Als Sophie als laatste naar binnen gaat, kijkt ze nog even achterom naar het speelplein. Diplo zit naast Wong. Ze praat tegen hem, hij reageert niet. Dan komt Agnès eindelijk aanrennen.

'De ambulance komt eraan.'

Diplo staat op.

'Hij ademt. Zijn hartslag is normaal. Ik zag hem over het hekje klimmen, ik probeerde te waarschuwen, maar...'

'Je hebt gedaan wat je kon. Dank je wel, Michelle. Maar ga nu naar binnen.'

'Maar...'

'Alsjeblieft. Dat is beter.'

Diplo dringt niet aan. Ze loopt met tranen in haar ogen weg en draait zich nog een paar keer om. Agnès zit nu naast de kleine Wong.

Binnen probeert men de kinderen af te leiden, maar die lopen steeds weer weg om te kijken wat er op het speelplein gebeurt. Madeleine moet haar uiterste best doen om haar stem niet te verheffen.

'Kom kinderen, we gaan in een kring op de grond zitten.'

Niemand luistert. Een aantal kinderen moet bij het raam worden weggeplukt, anderen zijn aan het rennen en spelen alsof er niets aan de hand is. Een van hen is Arnaud, die in het rond rent. Diplo komt binnen, stormt op hem af, pakt hem bij de arm en rammelt hem buiten zinnen door elkaar.

'Kun je niet luisteren naar wat we tegen je zeggen, hè? Vind je het niet erg genoeg wat er is gebeurd?'

Arnaud kijkt haar niet-begrijpend aan. En barst in snikken uit. Wat Diplo alleen maar irriteert.

'Je moet niet huilen, maar doen wat we tegen je zeggen. Als je had geluisterd...'

Als ze hem opnieuw door elkaar begint te rammelen, komt Sophie tussenbeide.

'Laat hem met rust. Hij begrijpt niet waar je het over hebt.'

'Precies! Had hij het maar begrepen!'

'Michelle...'

Diplo laat hem plotseling los. Hij rent weg en vlucht in een hoek van het lokaal. Madeleine gaat door met zingen. Brigitte komt haar helpen. Ze zouden dat onderhuidse geweld verborgen willen houden. Diplo blijft Arnaud woedend op de huid zitten.

'Daar hoor je thuis, in de hoek!'

Ze wendt zich tot Sophie. 'Hij zag me wel zwaaien... maar hij moet altijd dwarsliggen.'

Sophie neemt haar apart.

'Hou je in. Wong wordt er heus niet beter van als...'

'Laat me met rust.'

Ze loopt weer op Arnaud af. Sophie houdt haar tegen. Diplo probeert zich los te rukken en duwt haar keihard van zich af. Sophie wankelt en valt. Ze brengt haar handen naar haar buik.

'Mijn kind. Ben je wel goed bij je hoofd? Mijn kind. Ben je gek geworden!'

Diplo rent op haar af.

'Vergeef me. Dat was niet mijn bedoeling. Neem me niet kwalijk. Gaat het?'

Ze begint te huilen.

'Ik maak de ene blunder na de andere. Ik had daarnet naar buiten moeten rennen in plaats van...'

In de verte klinkt de sirene van de brandweer.* Er staat een ambulance voor de crèche. De deur naar het speelplein is open. Een dokter is neergehurkt naast Wong en onderzoekt het jongetje dat nog steeds niet beweegt. Hij ondervraagt Agnès.

'Was hij meteen bewusteloos?'

Ze knikt.

'Heeft hij gebloed?'

Ze schudt haar hoofd. Hij laat zijn ledematen bewegen – niets gebroken.

---

*In Frankrijk verleent de brandweer ook eerste hulp.

'Goed, ik controleer zijn reflexen.'

Hij schijnt met het lichtje van zijn otoscoop in zijn ogen – geen reactie. Hij klopt met zijn reflexhamertje – geen reflexen. Zijn gezicht betrekt. Dan knijpt hij hard in Wongs wang. Ditmaal glimlacht hij even.

'Hij reageert tenminste op pijn. Ik ga een infuus aanleggen.'

Hij wenkt een van de brandweermannen, die al klaarstaat met een eerstehulpuitrusting. De dokter steekt een naald in Wongs arm.

'Maak hem maar klaar. Ik ga het ziekenhuis bellen. Hij moet naar neurochirurgie.'

De dokter loopt naar de ambulance, terwijl de brandweerman de kleine Wong met de hulp van een collega op een brancard legt.

Agnès loopt terug naar de crèche. Achter de ramen ziet ze de gezichten van groepsleidsters en talloze kinderen tegen het glas aan drukken. Ze gebaart, en de leidsters deinzen als betrapt terug. Een paar kinderen bieden nog weerstand aan hun lokroep en worden dan van het raam weggetrokken.

Verborgen achter het gordijn van een ander lokaal staat Diplo roerloos te wachten. Ze buigt zich naar voren om beter te kunnen zien als plotseling de sirene van de ambulance opklinkt. Ze ziet Agnès, haar jasje in de ene en haar tas in de andere hand, naar buiten rennen en haastig in de ambulance stappen. De deur slaat achter haar dicht. De ambulance rijdt weg.

Agnès zit in een gang van het ziekenhuis tegenover de kamer die aan Wong is toegewezen. Ze staat op, kijkt op haar horloge, loopt heen en weer, gaat weer zitten en haalt diep adem. Ze springt op als ze een brancard op zich af ziet komen en haast zich naar Wong, van wie ze alleen het stille gezichtje kan zien. Ze loopt naast hem en prevelt zijn naam tot hij de kamer in wordt gerold. Ze kijkt door het raam naar de verpleegster, die een elektrocardiograaf installeert en het infuus controleert. Een co-assistent komt naar haar toe en vraagt vriendelijk: 'Bent u familie?'

'Nee, ik ben de directrice van de crèche. Is hij nog steeds in coma?'

'Ja. Is de familie al gewaarschuwd?'

Agnès trekt een gezicht.

'Nog niet.'

De co-assistent begint zijn verhaal met een retorische wending. 'Ik zal het zo eenvoudig mogelijk proberen uit te leggen.'

'Het mag ook ingewikkeld. Ik heb in een ziekenhuis gewerkt.'

De co-assistent glimlacht flauwtjes. Hij is liever precies.

'Geen intracraniële bloeding. Een hersenoedeem met een vermoedelijk regressief verloop, tenzij zich een complicatie voordoet. Meer kan ik voorlopig niet zeggen.'

Agnès luistert maar denkt aan iets anders.

'Mag ik even naar hem toe?'

'Natuurlijk. Wilt u tegen de ouders zeggen dat ik tot hun beschikking sta? Ze kunnen me bellen wanneer ze maar willen.'

Agnès knikt met een gezicht van 'het is wel iets gecompliceerder dan dat'. Ze loopt naar het bed toe en drukt een licht en teder zoentje op het gezichtje van de kleine Wong.

Agnès is weer terug in de crèche. Ze loopt zonder op of om te kijken naar haar kantoor en doet de deur achter zich dicht. Ze heeft zelfs geen tijd gehad om de groepsleidsters te vertellen hoe het met Wong gaat.

Die vragen elkaar nu in gebarentaal wie er naar de directrice gaat. Geen vrijwilliger. Behalve Brigitte, die met een tiental vellen tekenpapier in de hand op de deur van het kantoor klopt. Agnès bladert ongeduldig in de map met de gezinsgegevens. Ze kijkt amper op als Brigitte het kantoor binnenkomt en de tekeningen op tafel uitstalt.

'Ik heb de kinderen weten te kalmeren. Ik heb ze laten tekenen, zodat ze uiting konden geven aan wat ze hebben gezien. Zodat ze het kwijt konden. Antoine heeft een brandend huis getekend en Alexis brandweermannen met een grote spuit. Ze hebben er eigenlijk allemaal hun eigen vorm aan gegeven.'

Agnès heeft gevonden wat ze zocht: het dossier van de familie Wong. Dan pakt ze een map, waarin ze iets opzoekt terwijl ze Brigitte haastig antwoord geeft.

'Vind je dit nu echt het moment om aan verwerking te doen?'

Brigitte is beledigd.

'Ik dacht dat ik er goed aan deed.'

'Het is heel goed. Maar heeft iemand wel de moeite genomen om ze gewoon uit te leggen wat er is gebeurd?'

Maryline staat zich in de gang op te winden dat niemand naar Agnès toe gaat.

'Het is toch niet te geloven! Ze brengt een kind naar het ziekenhuis, ze komt terug en er is niemand die vraagt hoe het met hem gaat? Dan ga ik het zelf wel vragen.'

Net als ze op de deur wil kloppen, komt Agnès naar buiten. In de ene hand heeft ze de gegevens van de ouders van Wong, in de andere de map. Ze zegt op ijzige toon: 'Niemand heeft het ongeluk in het overdrachtsschrift gezet. Is dat soms omdat er dan niets is gebeurd als er iemand komt? Madeleine, wil je dat op je nemen? En zet er het exacte tijdstip bij, dat heb ik nodig voor het rapport.'

Iedereen zwijgt. Maryline protesteert.

'We hebben er geen tijd voor gehad.'

'Ik weet het. Ik moet nu weg, maar nemen jullie de tijd om alles aan de kinderen te vertellen. Dat Wong van de glijbaan is gevallen, dat hij in het ziekenhuis ligt en dat de dokters hem weer beter zullen maken.'

De groepsleidsters drinken haar woorden in, in afwachting van meer nieuws over Wong.

Maryline, dolblij en dan ongerust: 'Is het echt waar? Of moeten we dat alleen zeggen om de kinderen gerust te stellen?'

Agnès beseft opeens waar ze op wachten. 'O, neem me niet kwalijk, ik heb jullie nog niks verteld. We moeten afwachten, het kan vanzelf overgaan, maar voorlopig weten we nog niets zeker. Het is een kwestie van tijd. Hoe lang? Dat kan niemand zeggen. Goed. Ik ga. Alles geregeld?'

Sophie houdt haar tegen en fluistert in haar oor: 'Het is Diplo. Ze wijt het ongeluk aan Arnaud. En ze kan zich niet beheersen.'

'Zeg maar tegen haar dat ze zich niet met hem moet bemoeien.'

'Het is haar niet aan het verstand te brengen.'

Agnès aarzelt, maakt rechtsomkeert en haast zich naar de peuterafdeling. Diplo zit zwijgend naar Arnaud te kijken, die verslagen in een hoekje zit. Agnès buigt zich over de peuter.

'Ik weet heus wel dat je Wong niet expres hebt geduwd. Maar

hij is nu in het ziekenhuis en er wordt voor hem gezorgd.'

Ze drukt een zoen op zijn voorhoofd, richt zich op en kijkt naar Diplo.

'Michelle! Ik ga naar de ouders van Wong, ga je mee?'

'Liever niet, want...'

Agnès, op een vastberaden toon die geen tegenwerpingen duldt: 'Ik heb liever van wel.'

Agnès en Diplo lopen snel, zij aan zij. Agnès kijkt op het papiertje dat ze in haar hand heeft. Diplo bekijkt haar vanuit haar ooghoek.

'Het is trouwens niet zozeer de schuld van Arnaud, maar míjn schuld. Ik had harder moeten roepen, want niemand hoorde het. Ik had het kunnen voorkomen.'

'Wat klets je nou?'

'Ik kwam te laat. Ik heb alles gezien, Arnaud, Sophie, die de andere kant op keek en...'

Ze kan niet meer praten. Ze haalt een papieren zakdoekje uit haar zak en veegt haar ogen af. Agnès probeert het onmogelijke. 'Het was een ongeluk. En je was niet op het speelplein.'

Diplo is koppig.

'U begrijpt het niet.'

Agnès houdt stil voor een flatgebouw, controleert het adres en haalt diep adem.

'Nu wordt het pas moeilijk. Ben je er klaar voor?'

Diplo knikt en snuit haar neus.

Een vrouw van een jaar of veertig doet de deur op een kier. Ze herkent Agnès en Diplo en glimlacht. Ze is westers gekleed, maar wat ze zegt is niet te verstaan. De moeder van Wong spreekt geen woord Frans. Maar ze begrijpt onmiddellijk dat er iets aan de hand is als Agnès, nog steeds op de overloop, de naam van Wong uitspreekt. De moeder stelt vragen waar Agnès en Diplo niets van begrijpen. En wat ze ook proberen te zeggen, het heeft geen zin.

De moeder van Wong gebaart dat ze niet weg moeten gaan. Ze pakt de telefoon en draait een nummer. Ze praat heel snel, in het Chinees. Agnès en Diplo voelen zich erg ongemakkelijk en hebben geen idee wat ze moeten doen. Dan hangt Wongs moeder eindelijk op, pakt haar handtas en gebaart dat ze haar moeten volgen. Ze gaat hen voor de trap af.

Diplo zegt zachtjes tegen Agnès: 'We hadden eerst Wongs zusje moeten waarschuwen.'

Agnès trekt een afkeurend gezicht.

'Zie je me een meisje van dertien vertellen dat haar broertje in coma ligt, zonder dat haar ouders erbij zijn?'

Het trio racet de metro uit. De moeder van Wong rent bijna, Agnès achter haar aan. Diplo kan hen nauwelijks bijhouden. Een straat, dan een klein losstaand huis met gesloten luiken. De moeder van Wong belt vier keer aan, alsof dat een code is. Een man doet open, die hen wantrouwend aankijkt. De moeder van Wong zegt iets tegen hem; hij wenkt dat ze hem moeten volgen. Agnès en Diplo kijken verbijsterd naar wat ze binnen aantreffen. In een piepklein atelier zit een tiental mensen achter naaimachines. Verstikkende hitte en oorverdovend lawaai, waar de muziek van een transistorradio amper boven uitkomt. Een man in korte broek en onderhemd laat onmiddellijk zijn machine in de steek en loopt op de moeder van Wong af. Ze praten met elkaar. De man begroet Agnès met ontzag.

'Spreekt u Frans?'

De man schudt zijn hoofd. Agnès kijkt wanhopig om zich heen. Dan roept ze plotseling: 'Is hier soms iemand die Frans spreekt?'

Alle machines vallen stil en iedereen kijkt in haar richting. Een man staat op.

'Ik, een klein beetje.'

Agnès dwingt zich om langzaam te praten, onbeholpen, met overdreven gebaren.

'Wong, gewond. Ziekenhuis. Ongeluk.'

De man vertaalt het voor de vader van Wong. Hij verbleekt en rent naar achteren. Als hij terugkomt heeft hij een broek aangeschoten, waarin hij haastig zijn overhemd wegstopt. Hij zegt iets tegen de man, die het vertaalt.

'We moeten eerst Sue gaan halen!'

'Nee! Wilt u tegen hem zeggen: ziekenhuis, snel! Wong is in coma!'

Ditmaal is het de vader die spreekt.
'Ziekenhuis. Nee. Sue. Ja.'
Hij herhaalt het een paar keer.

Agnès, Diplo en de ouders van Wang wachten in de gang van een voormalig lagereschoolgebouw van rode baksteen, dat is omgebouwd tot middelbare school. De deur van een klaslokaal gaat open en er komt een jong meisje naar buiten. Ze verstijft als ze haar ouders ziet. Ze luistert naar een vraag van haar vader en herhaalt die in het Frans.
'Wat is er gebeurd?'
'Hij is gevallen.'
Sue vertaalt wat haar vader haar vraagt.
'Waar heeft hij zich pijn gedaan?'
'Je moet al die vragen straks maar aan de dokter stellen. Zeg dat we nu snel naar het ziekenhuis moeten.'
Sue vertaalt en vraagt dan angstig: 'Hij gaat toch niet dood? Vertel ons alstublieft de waarheid.'
Agnès wil geruststellen.
'De dokter is optimistisch.'
Sue werpt zich in haar moeders armen. Dan vermant ze zich en praat even met haar. Ze gaan met zijn allen op weg. Diplo houdt in. Haar gezicht verraadt angst.
'Denkt u dat u me nog nodig heeft? Kan ik niet beter terug naar de crèche?'
Agnès kijkt haar aan en schudt haar hoofd.

Op de intensive care, voor de kamer van Wong, staan ze met zijn allen rond de co-assistent, die niet weet tot wie hij het woord moet richten en zijn blik ongemakkelijk van de een naar de ander laat gaan. Hij kiest Agnès.
'Kunt u tegen hen zeggen dat we alles zullen doen?'
'Zegt u het zelf maar tegen Sue, die vertaalt alles.'
'Goed dan, we zullen alles doen om...'
Sue reageert opstandig.
'Ja, dat hebt u al gezegd.'
De vader vraagt Sue wat hij zegt. Ze vertaalt.

'Mijn vader zou graag willen dat u wat preciezer bent. Hij weet dat u hem gaat behandelen, maar hoe?'

De co-assistent wendt zich geïrriteerd tot Agnès: 'Ik ga haar toch echt niet uitleggen wat een hersenoedeem is of hoe we hem gaan behandelen.'

Agnès vraagt aan Sue: 'Weet je wat een hersenoedeem is?'

Ze schudt van nee.

'Leg maar uit dat het een zwelling in zijn hersenen is.'

Sue vertaalt. De vader stelt nog een vraag, op nog dringender toon.

'Dat weet hij wel, maar hij wil weten hoe u hem gaat behandelen.'

De co-assistent zwijgt. Hij kijkt iedereen aan en begint dan te ijsberen.

De moeder van Wong neemt de gelegenheid te baat om de kamer van haar zoontje in te glippen en hem heimelijk een zoen op zijn voorhoofd te geven. Dan trekt ze een stoel naast het bed en gaat zitten.

Diplo, die het gesprek van een afstand heeft gevolgd, is naar het raam gelopen en staat nu met een ernstig gezicht naar Wong te kijken.

De co-assistent loopt terug naar Agnès.

'Als ik alles moet uitleggen aan iemand die er niets van begrijpt, zodat zij het weer kan uitleggen aan iemand die er nog minder van begrijpt!'

Agnès kapt hem ruw af.

'Een gezin dat in angst zit is toch wel een kleine inspanning waard, of niet?'

'Natuurlijk, maar ik heb nog andere patiënten.'

'U hebt gezegd dat u tot hun beschikking staat. Maar ja, het is gemakkelijker om je als specialist achter je vakkundigheid te verbergen dan om wanhopige mensen te woord te staan!'

'Mevrouw, u realiseert zich niet...'

'Dat realiseer ik me wel! Het is zelfs de reden waarom ik zonder enige spijt mijn baan bij het ziekenhuis heb opgegeven. Dus al staat het niet in uw medische boeken, span u een beetje in en probeer het uit te leggen.'

De co-assistent, uit het veld geslagen door de felle reactie van Agnès, wordt opeens razend en wenkt Wongs ouders met een strak gezicht om hem te volgen.

'Goed. Als het er zo voor staat, komt u dan maar mee.'

In een kleine functioneel ingerichte ruimte tekent de co-assistent, die nog steeds boos is, met een viltstift razendsnel een schematische dwarsdoorsnede van de hersenen op een bord. Op bitse en haastige toon noemt hij alle onderdelen van de hersenen op.

'Dit zijn de hersenen. Door de schok heeft zich tussen de dura mater en de hersenen een oedeem gevormd. Aangezien de hersenpan niet meegeeft, worden de hersenen samengedrukt, hetgeen de coma verklaart. Ik heb corticosteroïden en een anticonvulsivum voorgeschreven om reactieve stuiptrekkingen te voorkomen. Zo, is dat duidelijker?'

Hij legt zijn viltstift neer. De vader pakt die zonder iets te zeggen, loopt naar het bord en verandert iets aan de schets. De co-assistent stamelt: 'Ik heb het natuurlijk snel getekend, maar...'

De vader valt hem op uiterst beleefde toon in de rede. *'I beg you pardon, but I want to know if there is any arachnoid hematoma? Sorry, but I am a doctor. Do you speak English?'*

De vader van Wong spreekt uitstekend Engels, zij het met een zwaar accent. De co-assistent en Agnès staan perplex. De co-assistent stamelt in slecht school-Engels: *'Yes, just a little. You are really doctor?'*

'I told you! And I must know.'

Agnès buigt zich over naar Sue.

'Waarom heb je niet gezegd dat je vader dokter was?'

Het meisje hoort er een verwijt in en barst in snikken uit.

De verbijsterde co-assistent vraagt aan Agnès: 'Spreekt u Engels?'

Agnès gebaart spijtig van niet. De co-assistent wendt zich tot de vader.

'I will try om iemand te vinden.'

En hij loopt weg, blij om de situatie te ontvluchten.

Diplo staat nog steeds met tranen in haar ogen voor het raam. Ze kijkt naar de kleine bewusteloze Wong en naar zijn moeder, die bewegingloos naast hem zit.

Agnès en Diplo gaan terug naar de crèche. Diplo dringt aan.

'Maar weet u zeker dat hij niet doodgaat?'

Agnès doet even geïrriteerd haar ogen dicht.

'Dat weet ik niet, Michelle. Ik denk van niet, maar ik weet het niet... Wat zullen we nu krijgen?'

Terwijl ze langs het hek van het speelplein lopen, is haar oog op Marguerite gevallen, die midden op het speelplein bezig is de glijbaan met oude lakens te bedekken en totaal aan het oog te onttrekken. Agnès rent verbaasd naar haar toe. Marguerites antwoord is van een ontwapenende vanzelfsprekendheid.

'Zo kan niemand er meer op.'

'Wie heeft je gevraagd...?'

'We hebben met zijn allen besloten dat...'

'Marguerite, als je thuis een pan laat aanbranden, gooi je die dan meteen weg? Er is een ongeluk gebeurd, we moeten nog beter op gaan letten in plaats van alles maar af te schaffen.'

'We dachten dat we er goed aan deden.'

'Ik weet het, dat dacht je.'

'Zal ik alles er maar weer af halen?'

'Nee, laat maar. Maar ik heb liever dat je me voortaan eerst om toestemming vraagt. Is dat duidelijk?'

Agnès loopt naar de crèche. Achter haar rug neemt Marguerite Diplo in vertrouwen.

'Ik weet het niet, hoor, maar als er geen glijbaan was geweest...'

Diplo geeft geen antwoord. Ze rent Agnès achterna en houdt haar staande om te wijzen hoe alles is gegaan.

'Ziet u, ik stond daar, achter het raam. Ik zag het ongeluk aankomen. Maar niemand hoorde me, ik riep niet hard genoeg. Ik had...'

Agnès wijst haar nogmaals terecht.

'Luister, Michelle, hou op met jezelf iets aan te praten. Je bent nergens schuldig aan. Je kunt er niets aan doen, je bent niet verantwoordelijk. We zijn allemaal in een shocktoestand, maar het is nu niet het moment om je te laten gaan. We moeten kalm blijven, straks komen de ouders hun kinderen halen.'

'Wat gaan we hun vertellen?'

'We moeten niemand ongerust maken. Ik reken op je, Michelle.'

Diplo knikt, zij het niet erg overtuigd. Ze gaat naar binnen en neemt een kijkje op de peuterafdeling. De kinderen zijn rustig aan het spelen onder het nog nauwlettender toezicht van Madeleine en Sophie, die Diplo bij binnenkomst vragend aankijken.

'Ik weet het niet. De dokter zegt dat het wel los zal lopen en Agnès zegt dat ze het niet weet, dus...'

Madeleine wil weten hoe het met het kind gaat.

'Maar hoe is Wong eraan toe?'

'Overal slangen en apparaten. Op de intensive care. Zijn vader spreekt Engels. Hij schijnt dokter te zijn.'

'Dokter?'

'En zijn moeder is bij hem. Ze wijkt niet meer van zijn zijde. En Agnès zegt dat we de ouders niet ongerust moeten maken.'

Sophie begrijpt het niet helemaal.

'De ouders van Wong?'

Diplo haalt haar schouders op.

'Nee, alle ouders, de andere ouders, die moeten we niet ongerust maken.'

Ze kijkt afwezig om zich heen. Dan valt haar oog op Arnaud, die nog steeds alleen in een hoekje zit. Ze stormt op hem af.

'Waarom heb je dat gedaan? Hoe haal je het in je hoofd! Besef je wel wat je hebt gedaan?'

Ze rammelt hem schreeuwend door elkaar. Sophie wil tussenbeide komen, maar weet niet goed hoe. Gelukkig komt Agnès er net aan.

'Zo is het wel genoeg, Michelle!'

Diplo verstijft.

'Neem me niet kwalijk. Ik weet niet wat me bezielt.'

En ze gaat zelf in een andere hoek staan.

Arnaud is in tranen. Agnès neemt hem liefkozend in haar armen. Ze neemt hem mee naar een hoekje terwijl ze hem zachtjes troost.

Verderop zitten Sophie en Madeleine zonder de kinderen uit het oog te verliezen zachtjes ruzie met elkaar te maken. Sophie is erg principieel.

'We hadden besloten dat als het ene kind het andere bijt, we niet tegen de ouders zouden zeggen wie dat had gedaan. Dat ze dat beter niet konden weten.'

Madeleine zucht.

'Wacht even, dat is iets heel anders. Wong is in coma.'

'Dat weet ik wel, daarom juist.'

Madeleine wordt kwaad.

'Ik ben het er niet mee eens. Ze moeten het weten. Dat is wel het minste. Vooral omdat hij nooit was gevallen als we beter hadden opgelet.'

'Begin nou niet weer, het is veel ingewikkelder dan dat.'

Brigitte mengt zich in het gesprek.

'Wat het ingewikkeld maakt, is dat Wong misschien wel een reden had om het gevaar te zoeken.'

Maryline, die erbij is komen staan: 'O, pas op, miss Freud wordt wakker.'

Brigitte stelt het niet op prijs: 'Dat is geen Freud. Dat is het abc van...'

Sophie komt met een andere hypothese. 'Volgens mij is het juist Arnaud die een probleem heeft en zouden we dat met zijn ouders moeten bespreken.'

Agnès, die zich niet met het gesprek heeft bemoeid, zet Arnaud weer op de grond. Ze heeft hem weten te kalmeren. Madeleine wil weten hoe ze zich moeten opstellen.

'Zeggen we niets tegen de ouders? Doen we net of er niets is gebeurd?'

'Laat dat maar aan mij over. Ik ga ze de waarheid vertellen. Dat er een ongeluk is gebeurd, maar dat hun kinderen...'

Sophie zet het misverstand recht.

'We hebben het niet over alle ouders, maar over de ouders van Arnaud. Moeten we ze wel of niet vertellen wat hij heeft gedaan?'

'Sophie, daar hoef je je niet mee bezig te houden, dat is mijn zaak. Zijn ouders moeten het ook weten. Bovendien moet ik ze om hun verzekeringspapieren vragen.'

Martine komt aanlopen.

'Agnès, dokter Le Garridec aan de telefoon.'

Agnès slaakt een zucht.

'Eindelijk!'

Ze rent naar haar kantoor. Maar voordat ze de deur dichtdoet, zegt ze nog in de richting van de groepsleidsters: 'Laat iedereen

gewoon zijn werk doen, net als anders! En geen eigen initiatieven!'
Madeleine, mompelend: 'Maar mogen we wel naar Wong toe?'
Agnès glimlacht.
'Na het werk mag iedereen doen wat hij wil.'
Ditmaal doet ze de deur achter zich dicht. Niemand zegt iets.
Alleen Diplo gaat maar door.
'Ik moet toch tegen hem zeggen dat het mijn schuld is.'
Agnès zit aan de telefoon. Ze hoeft zich niet meer in te houden
of haar bezorgdheid te verbergen.
'Maar weet je zeker dat het een plausibele diagnose is? Ik weet
wel dat je alleen maar kunt gissen, maar... Is het mogelijk dat het
vanzelf goed komt? En dat hij er niets aan overhoudt? Dankjewel,
het is wel vaag wat je zegt, maar het stelt me toch enigszins gerust.'
Arnaud zit nog steeds alleen in een hoekje van de peuterafdeling. Diplo kijkt naar hem, maakt een verzoenend gebaar en loopt
op hem af. Dan ziet ze dat Maryline, Madeleine en Sophie haar in
de gaten houden. Ze loopt weg.
Ze gaat de personeelsruimte in. Ze maakt een vermoeide en
verslagen indruk. Ze schenkt zichzelf een kopje koffie in. Ze staart
een tijdlang naar het kopje en giet de inhoud dan langzaam en
zorgvuldig druppel voor druppel in de kleine gootsteen en spoelt
het kopje om. Hoe lang heeft ze daar wezenloos voor zich uit staan
staren? Ze lijkt plotseling te ontwaken en gaat naar buiten.
De eerste ouders komen hun kinderen halen. Ze lopen druk
heen en weer om hun ongerustheid te verbergen. Een moeder die
zich over haar kleintje buigt, vraagt hem wat er is gebeurd en moet
haar vraag herhalen. Het kind weigert koppig antwoord te geven.
Een andere moeder gaat naar Antoinette toe.
'Het schijnt dat Arnaud dat gewonde jongetje heeft geduwd.
Wie is Arnaud?'
Antoinette geeft liever geen antwoord en loopt door. De moeder zegt tegen een andere moeder: 'Dat heeft mijn zoontje me
verteld. Hij heeft hem van de glijbaan geduwd. Hij is van dat platform naar beneden gevallen.'
Ze gaat naar een jongetje toe en vraagt of hij Arnaud is. Dan
naar een ander jongetje. Zo loopt ze van het ene kind naar het andere, haar eigen kind aan de hand. Een van de jongetjes die ze on-

dervraagt, begint te huilen. Antoinette gaat naar haar toe en legt zachtjes uit dat iedereen in shocktoestand is en dat ze de kinderen nu even met rust moeten laten. Een andere moeder loopt op Sophie af.

'Wat hoor ik nu?'

'Een ongeluk. Mevrouw Guerrimond zal u de details geven.'

'Maar is het ernstig?'

Sophie aarzelt.

'Dat weet ik niet.'

Een andere moeder, die met gespitste oren staat mee te luisteren, neemt daar aanstoot aan. Het scheelt niet veel of ze had het ongeluk zelf gezien.

'Hoezo weet u dat niet? Ik woon hier tegenover. Mijn conciërge belde me op mijn werk om te zeggen dat er brandweer en zelfs een ambulance voor de deur stond. Ik heb gebeld, ze zeiden dat het niet mijn kind was! Maar dat had best gekund. En u vindt dat niet ernstig?'

Sophie, overrompeld door de aanval: 'Dat heb ik niet gezegd.'

'Jawel, dat hebt u wel gezegd!'

'Nee. Ik heb nooit gezegd dat het niet ernstig was. Ik heb niets gezegd.'

Een van de moeders kijkt naar het speelplein.

'Hebt u dat gezien, ze hebben de glijbaan afgedekt! Ik heb altijd al gezegd dat die dingen gevaarlijk zijn. Bovendien weet je niet wat voor kinderen er op de crèche zitten, hoe ze zijn opgevoed en zo. Volgens mij kun je dus maar beter het zekere voor het onzekere nemen.'

Diplo is erbij komen staan en kijkt naar die vrouwen die zich zo opwinden. Ze mompelt: 'De kleine Wong ligt in coma.'

Agnès verlaat een groepje ouders om met dit groepje te gaan praten. Ze gebaart naar Diplo dat ze zich afzijdig moet houden. Diplo loopt terug naar de personeelsruimte. Tegen het aanrecht geleund barst ze opeens in snikken uit. Martine, die naast haar staat, kijkt naar Sophie met een blik van 'wat nu?'. Ze legt haar hand op Diplo's schouder.

'Het is vreselijk, maar je kon er niks aan doen.'

Diplo veegt haar ogen af.

'Het is mijn eerste beroepsfout in dertig jaar.'
Sophie probeert haar te troosten.
'Niemand zag je, het was gewoon stomme pech.'
'Niet waar, en bovendien had ik Arnaud niet zo hard mogen aanpakken.'
Sophie doet haar best.
'Je haalt alles door elkaar. Je hebt hem alleen maar door elkaar geschud omdat je in de war was. Je hebt míj op de grond gegooid, met mijn baby. Maar ik neem het je niet kwalijk. Hoor je me, ik neem het je niet kwalijk.'
Diplo kijkt haar zwijgend aan. Martine heeft de oplossing gevonden.
'Ik denk dat een goede maaltijd en een goede nachtrust je goed zullen doen.'
Andere ouders zijn het speelplein op gegaan. Ze staan rond de glijbaan, kijken onder het zeil en discussiëren heftig over de vraag of het echt gevaarlijk is. Een moeder legt haar zoontje uit dat ze niet wil dat hij op de glijbaan gaat, of het nu mag of niet.
Als Agnès komt aanlopen, valt iedereen stil. De directrice doet haar best om de gemoederen tot bedaren te brengen en de situatie onder controle te houden.
'Alstublieft, u moet hier niet blijven.'
Ze heeft een prop in haar keel. De ouders kijken elkaar aan en gaan zwijgend naar binnen. Agnès draait zich nog even om naar de glijbaan en loopt dan achter hen aan.
Maryline heeft zich omgekleed. Ze heeft zich in haar gebruikelijke opzichtige outfit gestoken. Ze is vrolijk, maar doet haar best om het niet zo te laten merken.
Brigitte is verbaasd.
'Blijf je niet?'
'Nee, dankjewel, ik heb mijn portie vandaag wel gehad. Vanavond is de repetitie en morgen...'
Ze maakt een gebaar van 'dan ben ik weg'. Madeleine wisselt een verbaasde blik met Brigitte. Antoinette probeert Maryline tegen te houden.
'Zelfs na wat er is gebeurd?'
'Dan hoef ik die grafkoppen van jullie tenminste niet te zien.'

Brigitte, gepikeerd: 'Dat mag je niet zeggen. Hij ligt in het ziekenhuis, hij is er slecht...'

'Ach kom. Of ik nou zit te kniezen of lol heb, daar wordt hij echt niet beter van. Ik heb met hem te doen, ja, maar de dokters ontfermen zich over hem en ik ontferm me over de rock-'n-roll.'

Ze gaat weg en laat Brigitte sprakeloos achter.

Als ze gevolgd door enkele verbaasde blikken de crèche uit gaat, komt net de moeder van Arnaud binnen, die zich naar de peuterafdeling haast.

Er valt een diepe stilte in de crèche.

Agnès, die haar al stond op te wachten, rent op haar af.

'Mevrouw, ik moet met u praten.'

Ze neemt haar mee naar haar kantoor en geeft de moeder van Arnaud een uiterst behoedzame beschrijving van de tragische gebeurtenis. De moeder luistert met een van emotie vertrokken gezicht en slaat haar ogen neer, alsof zij schuld draagt in plaats van haar zoon, terwijl Agnès probeert te relativeren.

'Volgens mij heeft Arnaud er wel iets van begrepen, maar wat? We moeten echt alles doen om hem gerust te stellen en hem vooral geen schuldgevoel geven.'

De moeder van Arnaud heeft tranen in haar ogen. Agnès vervolgt zakelijk: 'Goed, ik ga nu de verzekeringspapieren regelen en dan kom ik bij u terug. Gaat u uw zoontje maar omhelzen, daar heeft hij behoefte aan.'

Op de peuterafdeling staan de groepsleidsters gespannen te wachten. Arnaud zit alleen in een hoekje. Madeleine, die naast hem zit, probeert hem wat op te vrolijken.

'Zal ik je een verhaaltje voorlezen?'

Arnaud blijft stuurs voor zich uit kijken.

Sophie loopt heen en weer door het vertrek en ruimt onnodig op wat al is opgeruimd. Diplo is er ook, ze staat uit het raam te kijken. De moeder van Arnaud komt vastbesloten aanlopen en stormt recht op haar zoontje af. Ze trekt hem aan een arm omhoog en geeft hem een enorm pak voor zijn billen. Madeleine probeert haar tegen te houden.

De moeder brult: 'Wat heb je nu weer gedaan? Moeten je vader en ik daarvoor opdraaien? Wat is er toch met jou?'

Diplo draait zich om en gaat naar haar toe.

'Hij heeft het niet expres gedaan, mevrouw.'

'Dat is wel te hopen. Dat ontbrak er nog maar aan!'

'Ik begrijp u wel, mevrouw, ik heb hem vanochtend ook door elkaar gerammeld.'

'Niet hard genoeg. En nu zitten we met de gebakken peren!'

Diplo verontschuldigt zich.

'Ik heb hem te hard door elkaar gerammeld.'

Ze kijkt naar haar collega's.

'Dat is een beroepsfout.'

De moeder van Arnaud kan maar niet tot bedaren komen.

'De enige fout die je bij hem kunt maken, is om hem niet hard genoeg te slaan.'

Ze wil hem er weer van langs geven. Ditmaal komt Madeleine tussenbeide.

'Alstublieft, mevrouw, dit heeft geen zin.'

'Ik ben zijn moeder, ik weet wat ik moet doen.'

Gelukkig komt Agnès net aanlopen, met de papieren in haar hand.

'Ziezo, ik heb alles. Als u ze voor morgen wilt invullen.'

De moeder pakt de papieren zonder iets zeggen met één hand aan, grijpt haar zoontje met de andere en gaat er in een diepe stilte vandoor.

In de gang van de intensive-careafdeling hangt een dreigende sfeer. Madeleine, Sophie en Diplo staan ruzie te maken met de hoofdverpleegster. De familie Wong – de ouders en Sue – bevindt zich in de kamer rond het bed. De hoofdverpleegster staat met haar armen over elkaar voor de deur.

'Ik verbied u om naar binnen te gaan! Drie personen bij een klein kind dat in coma ligt, vindt u dat niet genoeg? We hebben zijn zusje al toegelaten, hoewel kinderen van onder de vijftien hier niet mogen zijn.'

Madeleine vraagt rustig: 'Een paar minuutjes maar.'

'We hebben vandaag al drie ongelukken binnengekregen. We hebben geen tijd voor onzin. Ik heb wel iets anders te doen, neemt u dat maar van mij aan!'

'Wij hebben ook geen tijd voor onzin. We willen hem alleen maar een zoentje geven.'

'Hij ziet u niet, hij hoort u niet. En hij heeft rust nodig. U kunt net zo goed voor dat raam blijven staan.'

Terwijl Madeleine staat te pleiten, zijn Diplo en Sophie inderdaad voor het raam gaan staan. Ze tikken op het glas alsof ze de aandacht van Wong willen trekken. Sue en de ouders kijken op. Diplo trekt een verontschuldigend gezicht. De vader maakt een machteloos gebaar dat zoiets betekent als 'we kunnen alleen maar wachten'. De hoofdverpleegster raakt nog geïrriteerder door al dat gedoe.

'In welke hoedanigheid bent u hier trouwens? U bent geen familie, neem ik aan?'

'Wilt u onze papieren zien? Bent u soms van de politie?'

'Wilt u niet zo'n toon tegen me aanslaan! Ik ben verantwoordelijk voor deze afdeling en ik heb het recht om te weten wie hier rotzooi trapt, punt uit.'

Sophie draait zich om.

'Godver, we zijn geen misdadigers! We zijn gewoon drie achterlijke peuterleidsters die bezorgd zijn om een kind uit hun crèche.'

De hoofdverpleegster is even sprakeloos. Dan mompelt ze zoiets als 'ga uw gang maar' en loopt weg. Maar na drie stappen krijgt ze al spijt en ze komt weer terug. Nu maakt zíj een verwarde indruk. De uitputting is op haar gezicht te lezen.

'Zo kunnen we ons werk toch niet doen? Eerst die vader die beweert dat hij dokter is. Hij wil echt alles zien, de scans en de röntgenfoto's, en hij trekt elke behandeling in twijfel. Dat gaat zo niet.'

'Zou u in zijn plaats niet hetzelfde doen?'

'Maar ik bén niet in zijn plaats. Als u met kinderen werkt, moet u dat toch begrijpen.'

Madeleine neemt opeens een besluit. Ze duwt de hoofdverpleegster in een onverwachte en des te doeltreffender manoeuvre opzij en gaat de kamer in. De anderen aarzelen en blijven bij de deur staan luisteren. Madeleine loopt op de vader van Wong af en zegt in onberispelijk Engels: 'Ik ben een van de groepsleidsters in de crèche die Wong onder hun hoede hebben. Kan ik u ergens mee helpen?'

De hoofdverpleegster is net zo verbijsterd als Diplo en Sophie. Diplo vraagt zachtjes aan Sophie: 'Spreek jij Engels?'
'Drie woorden. En dan nog. Ik wist niet dat Madeleine...'
'Let wel, haar man was minister.'
'Ja, maar dat was in Afrika.'
Madeleine draait zich opeens woedend om. Ze gaat de kamer uit en stormt op de hoofdverpleegster af.
'Gaat u zo met familie om?'
'Wat is er nu weer?'
Madeleine, witheet: 'Makkelijk zat! Zodra ze geen Frans spreken! Nou, dat zullen we nog wel eens zien!'
Ze wenkt Sophie en Diplo om haar te volgen.

In het cafetaria in de hal van het ziekenhuis zit Agnès zenuwachtig te wachten. Ze bladert naarstig heen weer door *Le Monde* zonder dat ze ertoe kan besluiten om een van de artikelen ook echt te gaan lezen. Ze wacht op iemand en kijkt om de zoveel tijd op.
Daar verschijnt eindelijk Le Garridec. Hij is in het gezelschap van een jonge vrouw. Hoewel hij een gehaaste indruk maakt, neemt hij, in de overtuiging dat niemand hem ziet, de tijd om haar liefdevol te omhelzen. Dan neemt hij afscheid en loopt haastig door, zich steeds omdraaiend om verliefd naar haar te wuiven.
Hij ziet Agnès en loopt met een onschuldig gezicht overdreven hijgend op haar af. Agnès staat op.
'Ha, eindelijk!'
'Wacht even, ik heb me rot gerend.'
Agnès, met een toegeeflijke glimlach: 'Ja, dat zag ik.'
Le Garridec moet even slikken.
'Ik heb een afspraak met het hoofd van de afdeling, we moeten ons haasten.'
Ze haasten zich door de gangen.
'Je moet niet denken dat ik daardoor te laat was...'
'Ik verwijt je niets. Ze lijkt me alleraardigst.'
'Meer dan dat. En hoe staat het met jouw liefdesleven?'
'Het is nu niet echt het moment.'
'Dat weet ik, maar toch. Je hebt me al twee weken niet gebeld, dat moet iets te betekenen hebben. Zit ik ernaast? Is het dezelfde die...'

238

Onder het lopen begint Agnès steeds sneller te praten.

'Ik geef toe, je zit er niet vaak naast. Het is de vader van een kind uit de crèche. Het enige probleem, je zal wel lachen, is zijn ex. Ze komt elke ochtend hun kind brengen, en sinds ze ervan weet, kijkt ze me áán, je hebt geen idee.'

'En je zoon?'

'Die doet net of hij niets in de gaten heeft. Maar daar moet ik wel bij zeggen dat hij er net bij zijn vader vandoor is gegaan omdat die een nieuw "grietje" heeft, en als hij dat bij mij ook doet, kan hij alleen nog bij zijn grootmoeders terecht, en "da's niet top", zoals hij het zelf uitdrukt.'

Le Garridec neemt haar onder het lopen van top tot teen op.

'De liefde doet je goed, je ziet er stralend uit!'

Als ze bij het kantoortje van het hoofd van de afdeling arriveren, komen Madeleine, Sophie en Diplo op hen afrennen. Madeleine is in paniek.

'O, we zochten u al. We moeten iets doen.'

Agnès kan haar ongerustheid niet verbergen.

'Wong? Is zijn toestand verergerd?'

'Nee, het is de hoofdverpleegster. Ze heeft tegen Wongs moeder gezegd dat ze maar vier logeerbedden hebben voor moeders van kinderen, dat die allemaal bezet zijn en dat ze vanavond niet kan blijven.'

Le Garridec, op zeer losse toon: 'Tuurlijk. Dat is de wet van het minste gelazer!'

Agnès probeert de gemoederen te kalmeren.

'Dat zullen we ook met het hoofd van de afdeling bespreken. Maak je maar geen zorgen.'

Le Garridec, zinspelend op een gebeurtenis waarvan alleen Agnès op de hoogte is: 'Bureaucratisch gezever, daar weten we alles van.'

Madeleine dringt aan.

'Regelt u het? Want ik moet naar mijn kinderen.'

Agnès stelt haar gerust.

'Natuurlijk, ga maar.'

En tegen de twee anderen: 'En gaan jullie ook maar naar huis. We regelen het wel.'

Diplo weigert koppig.

'Ik wil blijven. Zolang Wong...'

'Michelle, je kunt niets voor hem doen.'

'Nee, ik ga niet weg!'

Agnès en Le Garridec kijken elkaar aan. Agnès moet wel instemmen.

'Goed. Ik kan je niet met geweld wegsturen. Maar je blijft híér op ons wachten.'

Diplo slaakt een zucht van opluchting en ploft neer op een stoel in de gang. Ze zal net zo lang blijven wachten als nodig is.

Voor de kamer van Wong trotseren Le Garridec en Agnès het hoofd van de afdeling en zijn hoofdverpleegster. Het hoofd van de afdeling is nog steeds boos en doet enigszins minachtend.

'We behandelen zijn zoontje zo goed als we kunnen, maar we gaan geen acupunctuur bedrijven omdat hij toevallig dokter is in zijn eigen land.'

'Dat vraagt hij ook niet.'

'Dat weet ik wel, ik bedoel bij wijze van spreken.'

Hij wendt zich tot Le Garridec.

'Goed, vanuit medisch oogpunt zijn we het in grote lijnen wel met elkaar eens, maar als de hoofdverpleegster zegt dat de moeder hier niet kan blijven slapen, dan heeft ze daar haar redenen voor.'

De hoofdverpleegster knikt en zegt goedkeurend: 'Inderdaad.'

Het hoofd van de afdeling maakt een gebaar van 'ziet u wel?' Le Garridec windt zich op.

'U dekt uw personeel, wat er ook gebeurt, nietwaar?'

Het hoofd van de afdeling kijkt de hoofdverpleegster vragend aan, waarop deze zich verdedigt: 'We zijn volstrekt niet verplicht om zo'n verzoek in te willigen. U maakt hier de wet niet uit!'

'Die hoef ik ook niet uit te maken! Hebt u circulaire nummer 83.24 van 2 augustus 1983 niet gelezen?'

Nu is het de hoofdverpleegster die het hoofd van de afdeling vragend aankijkt en kalmeert.

'Wat kan er 's nachts nu gebeuren? Wij zijn er, en we houden hem goed in de gaten.'

Le Garridec toont zich zeer vastberaden.

'Veronderstel nou eens domweg dat het kind net vannacht ont-waakt en zijn moeder nodig heeft? Of dat ze gewoon bij hem wil blijven omdat ze zijn moeder is? Is dat zo vreselijk? Dus óf u zorgt nu voor een bed, een stoel, een matras of wat dan ook, óf ik haal er nu uw chef bij.'

Het hoofd van de afdeling onderbreekt hem. Hij geeft de hoofdverpleegster met een knikje te verstaan dat ze Le Garridecs order moet opvolgen.

'Kom, we gaan hier geen uren aan verspillen. Het gaat tenslotte om de behandeling.'

De hoofdverpleegster loopt woedend weg. Het hoofd van de af-deling stelt zich verzoenend op.

'U moet een beetje begrip hebben. We hebben een personeels-tekort, ze is aan het eind van haar Latijn.'

Le Garridec luistert niet eens naar zijn verklaringen. Hij is de kamer in gegaan en vertelt het nieuws aan de ouders van Wong.

Agnès gaat naar Sue toe en vraagt zachtjes: 'Wat ga jij vanavond doen? Wil je bij mij komen slapen?'

'Nee. Mijn vader wil dat we er een dokter bij halen die hij kent en die Siu Ti heet. Hij zegt dat hij ergens in een groot ziekenhuis in Parijs werkt, maar hij weet niet welk.'

Agnès wendt zich tot het hoofd van de afdeling: 'Kent u ene dokter Siu Ti?'

'Niet persoonlijk, maar werkt die niet in het Cochin?'

Agnès geeft Sue een tevreden knipoog. Nu weet ze waar ze moet zoeken. De storm is gaan liggen. Agnès en Le Garridec lo-pen met een geruster hart terug. Agnès maakt de balans op.

'Je zet het ze wel betaald, zeg.'

'Ik kan het ze nooit genoeg betaald zetten.'

Ze komen op de plek waar ze Diplo hebben achtergelaten. Ze snelt op hen af.

'Hoe gaat het met hem?'

'Niet beter en niet slechter.'

'Mag ik naar hem toe?'

Le Garridec raadt het haar af.

'Het bezoekuur is voorbij.'

Diplo kijkt hem smekend aan.

'Een paar minuutjes maar.'

'Zo is het wel genoeg, Michelle. Je kwelt jezelf. Ga naar huis, rust uit, denk aan iets anders.'

Diplo neemt hem in vertrouwen.

'Weet u wat het is om je schuldig te voelen?'

Agnès en Le Garridec wisselen een blik. Agnès legt een hand op Diplo's schouder.

'Michelle, hou nou op.'

Diplo zet het op een schreeuwen.

'U kunt het niet begrijpen!'

Le Garridec haalt diep adem en pakt Diplo bij de arm.

'Michelle, ga mee wat drinken.'

Agnès is ongerust.

'Wat ga je haar vertellen?'

Le Garridec glimlacht haar droevig toe.

'Een heel oud verhaal dat jij al kent.'

Hij laat haar geen tijd om te protesteren.

'Ben je vanavond thuis?'

'In principe wel.'

Het is laat in de avond. Agnès komt uitgeput thuis, ze ziet er doodmoe uit. Alle lichten zijn aan en er staat keiharde muziek op. Haar zoon begroet haar op spottende toon: 'Als ik zo laat zou thuiskomen, zou mijn moeder tegen me zeggen dat haar huis geen hotel is.'

'Ik weet het. Neem me niet kwalijk. We hebben problemen gehad.'

'Die Pierre van jou is zelfs langs geweest. Ik stond wel voor lul, hoor. "Nee, meneer, mama is er niet."'

Ze kijkt hem aan, wil glimlachen en barst dan opeens in tranen uit. Julien weet zich geen raad en voelt zich weer het kleine jongetje dat bezorgd is om zijn moeder. Ze smeekt hem: 'Wil je hem bellen, alsjeblieft? Zijn nummer ligt daar. Zeg maar dat er in de crèche een ongeluk is gebeurd, dat er een kind in coma ligt.'

Julien aarzelt even, uit het veld geslagen.

'Is dat waar of een smoes?'

De blik die Agnès hem toewerpt, staat gelijk aan een antwoord. Hij kijkt haar vol liefde aan en sluit haar in zijn armen.

Op hetzelfde moment zitten Le Garridec en Diplo tegenover elkaar in een rustig hoekje van een café. Diplo luistert met wijd opengesperde ogen naar Le Garridec.

'Weet u wat een acute meningitis met meningokokken is?'

Diplo neemt een afwerende houding aan.

'Wilt u indruk op me maken met geleerde woorden? Nee, dat weet ik niet.'

Le Garridec kijkt haar niet aan, verdiept in zijn verhaal.

'Nou, ik wel! En uit mijn hoofd! De diagnose, de wijze van behandelen. Ik was een jonge chef de clinique, briljant, voorbestemd om de oude baas op te volgen. Op een avond had ik het zo druk dat ik het liet gebeuren dat een co-assistent de verkeerde diagnose stelde. Als ik erbij was geweest, had ik het kind echter ook niet kunnen redden. Maar ík moest de ouders vertellen dat hun kind dood was.'

Zijn stem is gebroken. Hij zwijgt terwijl hij alles weer voor zich ziet. Diplo, slecht op haar gemak, zegt vergoelijkend: 'U kon er niets aan doen.'

'Nee, maar ik nam het mezelf wel kwalijk. Ik was bij een geval dat me interesseerde, in plaats van op de eerste hulp. Ik kon het jarenlang niet meer uit mijn hoofd krijgen. Een echte depressie. Ik liet me gaan, alsof ik mezelf wilde straffen omdat ik verantwoordelijk was... Agnès, die erg overdrijft, zou zeggen dat ik alcoholist was geworden!'

Diplo reageert verrast.

'Kende u haar toen al?'

'Ze was verpleegster op mijn afdeling. Ze was de enige die het voor me opnam. En toen ik uiteindelijk ontslag nam, nam zij ook ontslag.'

Diplo, verbaasd: 'Maar waarom?'

'Ze vond het onrechtvaardig. Ik geloof dat ze had besloten om me van mezelf te redden. En toen ik voor Artsen zonder Grenzen naar Afrika ging, ging zij ook.'

Diplo, steeds verbaasder over deze ontboezemingen: 'Samen?'

'Dat had ik best gewild.'

De dubbelzinnigheid van dit antwoord ontgaat Diplo niet, maar ze vraagt niet door. Ze laat hem snel zijn verhaal afmaken, op een vermoeide, verslagen toon.

'Na een halfjaar vroeg haar man echtscheiding aan. Ze ging terug omdat ze de voogdij over haar zoontje wilde krijgen. Ik ben toen in de gevaarlijkste landen gaan werken. En zij heeft een ander beroep gekozen.'

'Maar u bent teruggekomen om kinderarts te worden...'

'Dat wou ik helemaal niet. Soms denk je dat alles verloren is en dan komen er bij toeval ineens weer vrienden in je leven. Agnès heeft me bijna gedwongen. Michelle, u bent niet verantwoordelijk. Wong is gevallen, u kon er niets aan doen.'

Diplo is geroerd. Ze denkt na over wat hij heeft gezegd. Dan staat ze opeens op en begint te schreeuwen.

'U begrijpt het niet. Ik heb alles gezien. Ik heb niet hard genoeg geroepen!'

'U kunt schreeuwen wat u wilt, het heeft geen zin.'

Ze rent weg, en Le Garridec blijft alleen met zijn herinneringen.

Als de ouders de volgende ochtend hun kinderen komen brengen, gebeuren er vreemde dingen. Zo komt er een moeder naar Madeleine toe, die haar, hoe onwaarschijnlijk dat ook moge lijken, een bankbiljet wil toestoppen. Madeleine begrijpt eerst niet wat ze wil.

'Wat is dit?'

'Ik weet dat u goed voor Sébastien zorgt.'

De groepsleidster heeft het eindelijk door en schreeuwt: 'Bent u gek geworden?'

Ze wendt zich af. De moeder, het biljet nog in haar hand, stamelt wat en blijft roerloos staan, niet wetend wat ze moet doen.

Een andere moeder overlaadt haar dochtertje met vermaningen.

'Je moet heel zoet zijn. En doen wat ze tegen je zeggen. En als iemand je wil overhalen om iets stoms te doen, moet je niet meedoen. Beloof je dat aan mama?'

Een andere moeder loopt terug en dreigt haar zoontje met een pak slaag als hij niet het zoetste jongetje van de crèche is. En iedereen blijft langer dan gewoonlijk in de hal staan kijken of alles wel goed gaat.... Agnès ziet het met ingehouden woede aan. Françoise gaat naar haar toe: 'Ze hebben geen vertrouwen meer in ons.'

'Jawel, maar het is ook wel te begrijpen.'

Een vrouw die net haar baby naar de afdeling heeft gebracht, komt naar Agnès toe.

'Is er nog nieuws?'

'Er is vannacht een kleine verbetering opgetreden. Maar ze hebben besloten om hem met medicijnen in coma te houden om mogelijk riskante reacties te voorkomen.'

'Hoe lang nog?'

'Dat weten ze nog niet. Maar gezien de omstandigheden gaat het heel goed.'

De vrouw bedankt haar met een knikje, wil weggaan en komt weer terug om haar kindje nog eens innig in de armen te sluiten.

Diplo komt naar Agnès toe.

'Ik moet met u praten.'

'Ik weet het, dat heb je al gezegd. Maar dat komt later wel. Ik moet nu eerst de ouders geruststellen. Daar heb je de ouders van Arnaud.'

De ouders van Arnaud, de vader en de moeder, staan in de deuropening en weifelen of ze naar binnen zullen gaan. Het is doodstil geworden. De moeder van Arnaud, die haar zoontje aan de hand heeft, kijkt in het rond. Ze prevelt, bijna in tranen: 'Wilt u hem nog wel hebben?'

Er klinkt een verontwaardigd gemompel op, zo ver gaat de verdraagzaamheid van de ouders. Agnès gaat naar haar toe.

'Natuurlijk. Wat dacht u dan?'

De vader van Arnaud kijkt beschaamd, hij verontschuldigt zich, raakt van de wijs.

'Na wat hij heeft gedaan. We wilden hem eigenlijk een tijdje thuis houden. Maar u weet hoe druk we het allebei hebben.'

'Het is geen enkel probleem. Gaat u mee naar mijn kantoor?'

Ze maakt een geïrriteerd gebaar naar de groepsleidsters die met zijn allen staan toe te kijken en zich onmiddellijk verspreiden. Dan wenkt ze Diplo.

'Michelle, ontferm jij je over Arnaud. En wees begripvol.'

Diplo antwoordt zachtjes: 'Dat is vandaag echt geen probleem, u kunt van me op aan.'

Ze buigt zich over naar Arnaud en tilt hem op. Ze glimlacht naar hem, al lijkt het wat geforceerd.

Agnès bevindt zich ten aanzien van de ouders van Arnaud in een hachelijke positie.

'We denken dat hij er wel overheen komt.'

De vader van Arnaud begint zich meteen te verdedigen.

'Ik kan u in ieder geval wel zeggen dat hij de aframmeling van zijn leven heeft gehad.'

Agnès schudt haar hoofd.

'Dat had u niet moeten doen.'

De moeder van Arnaud, al even verdedigend: 'Ik verzeker u dat wíj hem niet hebben geleerd om zich zo te gedragen, integendeel.'

'Hij zal het nooit meer doen, neemt u dat maar van me aan!'

Agnès doet erg haar best om zich in te houden.

'Hij heeft vooral behoefte aan steun en tederheid. Hij moet begrijpen dat het een ongeluk was.'

De vader van Arnaud onderbreekt haar met de enige vraag die hem echt interesseert.

'Gaan de ouders van dat jongetje aangifte doen?'

Agnès is totaal verrast.

'Nee, of althans dat denk ik niet. Ze hebben wel iets anders aan hun hoofd, dat kan ik u verzekeren.'

'Natuurlijk, maar daarna. Als iemand ze vertelt dat ze er geld uit kunnen halen.'

Agnès is diep gegriefd.

'Of zelfs bepaalde voordelen. In hun situatie.'

De vader van Arnaud heeft er duidelijk de hele nacht over liggen tobben.

'We dachten bij onszelf dat we ze misschien zouden kunnen helpen. Wat denkt u daarvan?'

'Dat moet u zelf weten.'

'Vooral als ze geen aangifte doen, begrijpt u?'

De vader van Arnaud gaat nu in de tegenaanval.

'Ik was wel verbaasd, ik bedoel, ik wist niet dat men kinderen van buitenlanders toeliet tot een overheidsinstelling.'

Agnès voelt zich steeds slechter op haar gemak.

'We laten iedereen toe. Als er maar aan de criteria wordt voldaan.'

'Ik heb er niets op tegen. Maar het is wel zo dat culturen soms erg verschillen. Het is bijvoorbeeld best mogelijk dat dat Chineesje nog nooit een glijbaan had gezien. Dat hij niet wist hoe die werkte.'

'Natuurlijk wist hij dat wel. Alle kinderen...' Ze maakt haar zin niet af en vervolgt op zakelijke toon: 'Goed. Hebt u de verzekeringspapieren bij u?'

De moeder zoekt in haar tas. Dan zegt ze zachtjes: 'Ik moet u nog iets zeggen. Mijn man heeft een hele tijd geleden wat probleempjes gehad, hij had een stommiteit uitgehaald. Het is natuurlijk vergeten! Maar u begrijpt, als ze aangifte doen, zelfs buitenlanders, dan kan dat...'

Agnès staat op en schreeuwt: 'Ze doen geen aangifte!'

De moeder van Arnaud is geïmponeerd.

'Moge God u verhoren. Hier, we hebben alles ingevuld.'

Ze geeft de papieren aan Agnès, die haar best doet haar woede te bedwingen.

Diplo heeft zich over Arnaud gebogen. Ze kan het niet laten om hem de les te lezen, al dwingt ze zich zachtjes te praten.

'Je zag me, hè? Waarom luisterde je niet naar me? Geef antwoord.'

De arme kleine Arnaud kijkt haar met grote verschrikte ogen aan en zwijgt. Ze dringt aan. 'Geef je antwoord of niet?'

Eén of twee groepsleidsters staan van een afstand werkeloos toe te kijken. Dan neemt Brigitte een besluit en ze rukt Arnaud uit Diplo's armen. Ze wiegt hem heen en weer en knuffelt hem een beetje te hard.

Agnès komt gespannen haar kantoor uit en vergezelt de ouders van Arnaud naar de uitgang. Ze lopen de hele crèche door zonder ook maar één blik op hun zoontje te werpen. Bij de deur kijkt Agnès hen lang na.

Het is rustig in de crèche. Kinderen spelen, tekenen of doen niets. De groepsleidsters zijn aan het werk en lopen heen en weer.

Maryline steekt haar hoofd om de deur van de dreumesafdeling.

'Hé meiden, het is zover, ik smeer 'm.'

Nathalie vindt het maar niets.

'Als je nu alweer weggaat, had je echt net zo goed niet kunnen komen.'

'Hé hola! Jullie zeiden: "Wees aardig, laat ons op een dag als deze niet in de steek." Ik zei: "Oké, ik ben aardig, ik help jullie vanochtend nog een handje."'

'Ja, maar na alles wat er is gebeurd.'

'Antoinette, zeg nou eens eerlijk. Stel je voor, je hebt je betaalde verlof gekregen, je ticket ligt klaar, je familie weet dat je komt, en net op die dag gebeurt er iets vreselijks met een kind, niet een van je eigen kinderen, maar eentje uit de crèche. Zeg je dan alles af? Geef antwoord!'

Antoinette schudt geërgerd van nee.

'Nou, ik ook niet. Ik vind het heel zielig voor Wong, vooral omdat ik hem zo'n schatje vind, maar mijn leven is ook belangrijk. Dat concert in Marseille is de eerste echte kans voor de band. Vijftienhonderd plaatsen, zie je het voor je? En als alles goed gaat, komt er een tournee achteraan.'

Ze kijkt naar al die gezichten, naar Antoinette en Nathalie, naar Françoise en Martine verderop, en naar Diplo, die nog iets verder staat.

'Het is trouwens nog onbetaald verlof ook, misschien ben ik zo weer terug. Maar als alles goed gaat, is het uit met de crèche. Maar ik zal jullie meiden niet vergeten. Kaartjes voor elk concert, hand op mijn hart, maar als manager van die band zit ik dan wel in een andere trip. Oké?'

Ze gaat de personeelsruimte in. Ze is nog niet binnen of ze staat alweer in de deuropening.

'En ik had nog wel voor champie gezorgd, en geen namaak maar echte! Ik werk hier al zes jaar, ik wil op mijn vertrek drinken en laat dat nou net op de dag zijn dat... Het spijt me, maar ik laat hem wel in de ijskast staan. Drink maar op als de kleine terugkomt. Oké?'

Onder het praten heeft ze zich omgekleed en een nog bontere outfit aangetrokken dan anders. Ze is klaar om te gaan en pakt haar tas. Als ze door de gang loopt, heeft haar tred iets aarzelends – spijt, angst voor de toekomst? Haar glimlach is wat geforceerd.

Dan slingert Brigitte haar een striemend verwijt naar het hoofd. 'Je gaat er alleen maar vandoor om je aan het onderzoek te onttrekken!'

Maryline, buiten zichzelf: 'Wat moet je nou? Ik heb mezelf niets te verwijten, hoor!'

Sophie wordt agressief.

'Bedoel je soms dat anderen zich wel...'

'Dat heb ik niet gezegd! Maar als die er zijn, hoor ik daar niet bij! Dus die toespelingen van Brigitte...'

Sophie neemt het voor Brigitte op.

'Je maakt zelf toespelingen. Ik was erbij, ik heb niets gezien, betekent dat soms dat ik schuldig ben?'

Antoinette bemoeit zich ermee.

'Sophie, niemand verwijt iemand iets. Het is normaal, er is een ongeluk gebeurd, er wordt een onderzoek ingesteld.'

Brigitte is nog steeds verontwaardigd.

'Ja. Ze gaan iedereen ondervragen. Maar Maryline zal er niet bij zijn, en geen haan die ernaar kraait.'

Maryline blijft even als verstijfd staan, kijkt ze allemaal aan en mompelt dan: 'Precies, ik zal er niet bij zijn! Behalve als de smerissen me komen halen.'

Ze loopt naar Sophie en omhelst haar teder.

'Kom, maak je maar niet druk. En omhels van mij maar alle meiden die me niet mijn neus uit komen. Maar zorg vooral goed voor je kind. Bij mijn concerten zal hij altijd de allermooiste plaats krijgen, dat beloof ik je.'

En ditmaal gaat ze echt weg, zonder nog één keer om te kijken.

Agnès heeft een bespreking met de districtscoördinatrice en de adjunct-directeur. Ze verdedigt een rustige werksfeer.

'Ik begrijp het wel, maar de crèche is al zo ontregeld. Zou het bij wijze van uitzondering niet mogelijk zijn om het buiten werktijd te doen?'

Mevrouw Képler stelt zich nog ambtelijker op dan gewoonlijk.

'Dat is reglementair gezien onmogelijk.'

'Dat onderzoek zal niets extra's opleveren. Alles staat al in mijn rapport. Ik begrijp niet wat het voor zin heeft.'

De adjunct-directeur blijft ontwapenend kalm en vernietigt Agnès met één zin: 'Mevrouw Guerrimond, het spijt me dat ik het moet zeggen, maar sommige ouders hebben zich bij me beklaagd.'

'Wat? Wie?'

'Niet officieel, dat kan ik u dus niet zeggen. Maar goed. Denkt u dat men zich niet aan de veiligheidsmaatregelen heeft gehouden?'

Agnès is witheet en zegt niets. Mevrouw Képler verordonneert: 'Agnès, u moet antwoord geven. We weten wel dat u het goed bedoelt. Het is allemaal puur formeel.'

Agnès klemt haar tanden op elkaar.

'Wel, als het allemaal puur formeel is, geef ik geen antwoord.'

Mevrouw Képler en de adjunct-directeur staan met Sophie naast de glijbaan op het speelplein. De adjunct-directeur trekt het zeil weg, het glijdt omlaag en valt op de grond. Agnès heeft zichzelf weer een houding weten te geven en staat op een afstand mee te luisteren. Mevrouw Képler leidt het verhoor.

'En waar was u?'

'Daar, ik zat op het trappetje.'

'En u kunt bevestigen dat uw collega Madeleine naar het hek toe liep?'

'Ja, waarom zou ik liegen?'

'Dit is een ambtelijk onderzoek, ik doe alleen maar mijn werk.'

Sophie wordt opeens ongerust.

'En hierna krijgen we de smerissen?'

'Welnee. Niet als niemand aangifte doet.'

Sophie denkt na.

'Ja, Madeleine ging naar een huilend meisje toe. Had ze dat soms niet moeten doen?'

'En u hield ondertussen de andere kinderen in de gaten?'

'Uiteraard.'

'Maar dan nog. Neem me niet kwalijk, maar ik probeer het alleen maar te begrijpen. Waarom was u niet bij de glijbaan?'

Sophie houdt het niet meer uit.

'Als ik bij de glijbaan was geweest, was ik niet bij de andere kinderen geweest!'

De adjunct-directeur kijkt in zijn aantekeningen.

'Vanuit het oogpunt van de surveillance is er niets op aan te merken. Ze waren met twee groepsleidsters op tien kinderen.'

Ze praten door en Agnès loopt weg. Diplo komt naar haar toe.

'Ze zouden míj moeten ondervragen!'

'Michelle, u staat hier helemaal buiten.'

Diplo, op hoge toon: 'Ik was de enige die het had kunnen voorkomen!'

'Ga aan het werk.'

'Om nog meer stommiteiten te begaan? Ik weet niet meer hoe ik met kinderen moet omgaan, dat is zonneklaar.'

'Welnee. Begin nou niet opnieuw...'

'Goed, als het er zo voor staat, ga ik maar naar het ziekenhuis!'

'Pardon?'

'Ik kan niet meer wachten! Ik moet weten hoe het met Wong gaat!'

En Diplo is weg. Ze pakt haar tas uit de personeelsruimte en loopt met resolute tred naar de uitgang. Agnès haalt haar in.

'Wacht, je dienst zit er zo op. Ga daarna.'

'Hoe verder ik vanhier ben, hoe beter!'

'Michelle, dat is werkweigering!'

'Maak een rapport! Het kan me niet schelen, het kan me allemaal niets meer schelen.'

Agnès kijkt haar na. Niets wat ze zou kunnen zeggen zou Diplo nog kunnen tegenhouden.

Diplo loopt met vastbesloten tred door de hal van het ziekenhuis. Een verpleegster vraagt waar ze naartoe gaat. Diplo kijkt niet meer op een leugentje meer of minder om gedaan te krijgen wat ze wil.

'Ik ga naar de intensive care, ik ben de grootmoeder van Wong Hu Tien.'

Ze loopt vastberaden door. De verpleegster kijkt haar verbijsterd na.

In de kamer zit de moeder van Wong naast haar zoon alsof ze al die tijd niet heeft bewogen. Sue staat naast haar. Alle apparaten zijn ingeschakeld.

Diplo komt geruisloos dichterbij. Ze kijkt naar Wong, hij lijkt vast in slaap. Ze buigt zich over naar de moeder en kust haar hand.

'Vergeef me. Vergeef me.'

Sue komt naar haar toe.

'Het schijnt al beter met hem te gaan.'

Diplo doet haar best om te glimlachen.

'Ik weet het. Moet jij niet naar school?'

'Papa heeft me straks nodig als hij terugkomt.'

De moeder roept haar dochter en fluistert haar iets toe. Sue vertaalt: 'Mijn moeder zegt dat het allemaal haar schuld is. Dat ze Frans had moeten leren.'

'Daarmee voorkom je niet dat je kind van de glijbaan valt.'

'Dat heb ik al gezegd. Maar zij zegt dat het zo is.'

'Dat is onzin.'

De moeder van Wong kijkt haar aan en zegt dan weer iets tegen haar dochter. Diplo gaat naar haar toe en zegt smekend tegen Sue: 'Je moet tegen haar zeggen dat het niet haar schuld is. Zeg het!'

'Dat heeft geen zin. Ze wil me niet geloven.'

Diplo staat in hal van het ziekenhuis, in de telefoonhoek. Ze is druk in gesprek met haar man.

'O ja, heeft de crèche gebeld? Ja, ik weet ook wel dat ik niet thuis ben. Jawel, ik ben naar mijn werk gegaan en daarna naar het ziekenhuis. Ja, ze zeggen allemaal dat het al beter gaat, maar dat is niet te zien. Ja, ik kom zo naar huis, ik zal alles uitleggen, en nee, ik haal geen stommiteiten uit.'

Ze hangt woedend op.

Diplo is teruggegaan naar de crèche. Maar ze is niet naar binnen gegaan. Ze staat op een afstand toe te kijken terwijl ouders met hun kinderen naar buiten komen en nog even een praatje met elkaar maken. Ze ziet ook, in de crèche, een radeloze Sophie, die steeds weer een andere collega aanspreekt, maar Diplo kan niet verstaan wat er wordt gezegd. Sophie loopt van de een naar de ander en van de ander naar de een. Ze vraagt nog een keer aan Antoinette: 'Weet je zeker dat je niet met me mee kan?'

'Nou nee, mijn kinderen zitten al op me te wachten. Kan Marguerite niet?'

'Ze zegt dat ze niet durft.'

Sophie rent naar Martine, die net de keuken uit komt. Ze smeekt: 'Ach, zou jij niet me mee willen gaan? Om me te helpen met Eric. Ik moet hem vandaag echt van de baby vertellen en in mijn eentje lukt het niet.'

Martine maakt luid misbaar.

'O jeetje. Hoe moet ik dat doen? Dat kan ik niet, hoor.'

'Je hoeft niets te doen. Je moet er alleen maar bij zijn om me te helpen als Eric boos wordt. En omdat het wel zeker is dat hij boos zal worden...'

Martine twijfelt. Maar gelukkig schiet Françoise te hulp.

'Nou goed dan, ik ga wel mee. Ik was van plan om naar de film te gaan, maar dat kan wel wachten. En omdat ik toch niemand heb...'

Sophie is zo opgelucht dat er zelfs een glimlach op haar gezicht verschijnt.

'Dankjewel, Françoise, dankjewel. Zullen we gaan?'

En ze kijkt opnieuw heel bedrukt.

Ze gaan naar buiten, eerder opgewonden dan bang, en moedigen elkaar aan. Ze lopen langs Diplo, die zich snel heeft verstopt. Ze zien haar niet.

De crèche is verlaten. Agnès komt als laatste naar buiten en sluit af. Als ze voorbijloopt, roept Diplo haar naam. Agnès houdt verbaasd stil. Diplo geeft haar niet de kans om iets te zeggen.

'Zeg niks. Luister alleen maar. Ik heb een besluit genomen en ik blijf erbij. Ik weet niet meer hoe ik met kinderen moet omgaan. Ik ben te oud, ik haal alleen maar stommiteiten uit. Wong, Arnaud, en morgen? Ik hou er dus mee op. Ik denk al langer aan vervroegd pensioen. Ik ga de papieren invullen. Ik meld me ziek voor zolang het nodig is. Ik breng u morgen het doktersbriefje, dan kunt u me laten vervangen.'

Agnès is stomverbaasd. Ze probeert op haar in te praten.

'Michelle, wacht even.'

'Ik zei dat u me moest laten uitpraten. Ik moet alleen nog afscheid nemen van de meisjes, van allemaal, ook van de meisjes die me niet mogen. En vooral van de kinderen. Het is beter zo.'

Haar stem breekt. Agnès slaat haar armen om haar heen en stelt voor om er nog even over na te denken.

'Neem ziekteverlof, daarna zien we wel. Ik ga nu naar het ziekenhuis. Madeleine is er al, wil je mee?'

Diplo vermant zich.

'Nee, liever niet.'

Agnès betreedt de hal van het ziekenhuis. Madeleine rent op haar af.

'Ze zeggen dat het redelijk gaat. Maar het hoofd van de afdeling is woedend omdat er hier nu nóg een dokter rondhangt, een hoge pief die de vader van Wong uit zijn studietijd kent.'

'Hopelijk heeft hij daar wat aan om werk te vinden dat bij zijn opleiding past!'

'Dat dacht ik ook. Hij wist kennelijk niet hoe hij aan een gelijkwaardig diploma moest komen. De hoge pief heeft hem dat nu uitgelegd. En hij wil hem helpen om...'

Agnès kapt haar plotseling af. Haar gezicht verstrakt.

De ouders van Arnaud zijn binnengekomen, ze lopen naar de receptie. Ze rent op hen af.

'Goedemiddag.'

De vader van Arnaud is poeslief.

'We willen graag weten hoe het met de kleine Wong is.'

'Zijn toestand is stabiel. Hij rust.'

De vader van Arnaud vervolgt onverstoorbaar: 'Maar we willen ook graag zijn ouders zien.'

Madeleine komt erbij staan. Agnès, die flink ontstemd is over hun komst, legt haar in bedekte bewoordingen maar op niet mis te verstane toon uit dat ze niet naar hen toe mogen.

'Meneer en mevrouw zijn bang dat de ouders van Wong aangifte doen.'

'Die? Geen kans op. Te meer omdat hij zwart werkt.'

De vader van Arnaud geeft niet op.

'Dat is geen reden, weet u.'

'Ik weet er alles van.'

En ze wijst als bewijs op haar zwarte huid.

'Hij werkt in een clandestien naaiatelier, in een kelder. Een nachtmerrie!'

De moeder van Arnaud is enigszins aan het twijfelen gebracht.

'Weet u het zeker?'

Maar de vader van Arnaud houdt halsstarrig vol.

'Dat kan niet! Als zijn papieren niet in orde waren, zou u zijn kind niet hebben toegelaten.'

Agnès, heel professioneel: 'Hij had werk toen hij zijn kind kwam inschrijven. En bovendien...'

Madeleine doet er nog een schepje bovenop: 'En bovendien heeft hij in al die tijd dat hij hier is, niet eens tijd gehad om Frans te leren. Hoe kan hij nou...'

De vader van Arnaud is werkelijk ongelooflijk koppig.

'Ik wil hem toch zien!'

Hij wil doorlopen. Agnès probeert hem uit alle macht tegen te houden.

'Ze laten u toch niet binnen. Wij hadden ook al de grootste...'

De vader van Arnaud blijft stilstaan, aarzelt, vraagt: 'Is het waar dat ze Engels spreken?'

'Ja. Beter dan wij!'

'Het is toch ongelooflijk, die mensen. Wij hebben zo'n moeite met talen, en zij...'

Aan alledaags racisme maak je geen woorden vuil – dat is de enige conclusie die Agnès en Madeleine trekken, als ze de ouders van Arnaud tot hun grote opluchting eindelijk zien vertrekken.

In de helverlichte flat van Sophie zitten Françoise en Sophie zenuwachtig te wachten. Ze zitten in de huiskamer. Sophie, die door het raam gluurt, draait zich opeens om.

'Daar heb je hem!'

Ze gaan snel aan tafel zitten, zodat het net lijkt of ze rustig een glaasje wijn zitten te drinken. De deur gaat open. Eric komt thuis van zijn werk. Sophie staat op, geeft hem een zoen en stelt Françoise bijna terloops aan hem voor.

'Dit is een collega, ze is langsgekomen voor een glaasje wijn.'

'Wat aardig. Als ik er ook eentje mag, sla ik dat niet af.'

Ze zijn alledrie gaan zitten. Sophie zit te wiebelen, kijkt naar Françoise, durft niet te beginnen. Françoise houdt het niet meer uit. Ze slaat haar ogen neer en mompelt, hoewel ze het idee heeft dat ze schreeuwt: 'Sophie is in verwachting.'

Eric, in het geheel niet van zijn stuk gebracht, antwoordt kalm: 'Welnee. Dat was ze, maar...'

Françoise wordt boos.

'Wat? Als ik nou zeg dat het zo is. Ben je blind of zo?'

Eric staat verontrust op. Sophie zit te slikken. Ze moet nu wel met een verklaring komen. En geen verklaring heeft ooit zo verward of ongeloofwaardig geklonken.

'Het is waar. Maar ik kan het niet helpen. Ik had gewoon abortus laten plegen. En ik snapte maar niet waarom ik steeds dikker werd. Daarom ben ik vandaag naar de dokter gegaan. Hij zegt dat het waarschijnlijk niet gelukt is.'

Eric is doodsbleek geworden.

'Hou je me voor de gek?'

Françoise komt tussenbeide. 'Nee, weet je, dat gebeurt één op de duizend keer, en dat is hier het geval. Geen mazzel, dat is alles.'

Eric, op ijzige toon: 'Je hebt het gehouden!'

Sophie begint te huilen en stamelt: 'Ik wilde geen kind! Echt niet! Echt niet! Ze hebben een fout gemaakt. Het is een medische blunder. Maar nu is het te laat.'

Eric zet zijn glas neer en gaat de slaapkamer in. Sophie loopt hem verontrust achterna.

'Wat doe je?'

Hij geeft geen antwoord, maar het is duidelijk. Hij pakt zijn spullen.

'Ik had er al zo'n vermoeden van dat je me een vuile streek aan het leveren was. Ik vermoedde het allang, maar ik wist niet wat. Eén: ik wil geen kind, met mijn werk heb ik geen tijd om ervoor te zorgen. En twee: ik wil niet voor de gek worden gehouden!'

Françoise is de slaapkamer in gekomen.

'Wacht even, denk na, neem nou geen voorbarig besluit.'

Hij gaat vlak voor haar staan, met zijn reistas in de hand, en maakt duidelijk dat hij niets met haar te schaften heeft.

'Je moet eens goed naar me luisteren. Als ik met Sophie alleen was geweest, hadden we nog kunnen praten. Ik wil geen kind, maar ik had het kunnen uitleggen! Maar om me een vriendinnetje op mijn dak te sturen omdat ze het zelf niet durft te vertellen, nee, dat gaat me te ver. Gegroet iedereen. De rest haal ik wel op als je naar je werk bent.'

Hij slaat de deur achter zich dicht. Sophie laat zich tegen de muur aan vallen. Françoise trekt een gezicht.

'Denk je dat het een goed idee van je was om me mee te vragen?'

Sophie is vreemd genoeg opgehouden met huilen. Haar gezicht staat hard, strak. Alsof ze zich eindelijk bevrijd voelt.

'Nu weet ik tenminste waar ik aan toe ben. Bovendien had ik het toch alleen moeten doen, ook met hem. Wil je blijven slapen?'

Agnès komt thuis van het ziekenhuis. Net als ze de sleutel in het slot wil steken, hoort ze schaterend gelach. Ze spitst nieuwsgierig haar oren en doet zachtjes de deur open. Ze is verbijsterd over wat ze aantreft. Haar zoon Julien en Pierre Bertin zitten voor de televisie lachend te zappen en om het hardst commentaar te leveren. Tegelijk verbaasd, twijfelend en dolblij slaat ze hen een tijdje gade en zegt dan: 'Stoor ik?'

Twee vrolijke gezichten keren zich naar haar toe. Ze weet niet goed wat voor houding ze aan moet nemen. Ze gaat naar hen toe, zoent haar telg, aarzelt om hetzelfde met Pierre te doen en zoent hem dan vluchtig op zijn mondhoek. Ze pakt haar zoon bij zijn arm en sleurt hem mee naar de hal.

'Kan ik even met je praten?'

Julien laat zich meeslepen en grapt tegen Pierre: 'Het schijnt dat je altijd naar je moeder moet luisteren. Ik luister, mama!'

Agnès fluistert.

'Het spijt me dat ik je met hem heb opgezadeld. Ik had niet zo laat moeten thuiskomen, maar...'

'Maak je niet druk! Hij is cool.'

Julien draait zich om en roept tegen niemand in het bijzonder: 'Nou, ik ga naar de bios! Ik moet opschieten, anders kom ik nog te laat. Opgelet oudjes, ik ben om twaalf uur terug, dus laat je niet verrassen. Ik wil niet voor lul staan!'

Agnès is gechoqueerd.

'Julien!'

'O sorry mam, ik dacht dat je net zo cool was als Pierre! Tot zo!'

En hij gaat ervandoor. Agnès wendt zich tot Pierre.

'Het spijt me, maar het is nog maar een tiener.'

Pierre is in een uitstekend humeur.

'Ik vond hem anders lang niet gek.'

Hij wil haar in zijn armen sluiten. Ze laat zich op de bank vallen. Ze heeft tranen in haar ogen.

'Ik kan niet meer, Pierre. Ik moet eigenlijk mijn ex bellen dat alles goed gaat, zodat hij een scène kan maken. Ik wou dat jij hem kon bellen, maar ik denk niet dat hij dat erg op prijs zou stellen.'

Diplo is niet aan het werk gegaan. Ze is thuis, aan de telefoon.

'De intensive care? Ja, goedemorgen, ik wil graag weten hoe het met de kleine Wong Hu Tien gaat. Nee, nee, ik wacht. Dat klopt, ik ben familie, ahum, zijn grootmoeder. O, stabiel. Dank u wel.'

Ze hangt op en is even in gedachten verzonken. Aangezien ze niet echt iets te doen heeft, gaat ze maar het een en ander opruimen, het maakt niet uit wat. Haar man zit in de huiskamer tv te kijken. Ze loopt één, twee keer voor hem langs. Wat hem natuurlijk irriteert.

'Hou op. Wat ben je toch aan het doen?'

'Niets. Heb je last van me?'

'Nee, maar het maakt lawaai.'

'Ik doe zo zachtjes mogelijk, maar nu ik thuis ben heb ik eindelijk tijd om op te ruimen.'

Hij dringt niet aan. Hij zet het geluid van de televisie alleen heel hard. Ze kijkt geïrriteerd naar haar man en weet vervolgens niets beters te verzinnen dan de stofzuiger te pakken. Als ze hem aanzet, ontstaat er een tumult waarvan zelfs de meest onverstoorbare echtgenoot buiten zichzelf zou raken. Dan voelt ze opeens een onbedwingbare behoefte om iets tegen haar man te zeggen, ze zet de stofzuiger uit en schreeuwt boven de televisie uit. Hij kan haar niet verstaan. Hij zet het geluid dus weer zachter.

'Wat? Wat zeg je?'

'Wong, de kleine Wong, zijn toestand is stabiel.'

Haar man kan zijn ogen niet van de tv afhouden.

'O, dat is goed.'

'Nee, dat is niet goed!'

'Het is toch beter dan als het slechter met hem zou gaan, niet?'

En om duidelijk te maken dat hij het hierbij wil laten, zet hij het geluid weer harder. Waarop zij de stofzuiger weer aanzet. Ten einde raad doet hij de tv maar uit. Hij kan hier niet meer tegen. Hij staat op en gaat weg.

'Waar ga je naartoe?'

Hij houdt even stil voor de deur. 'Ga je me nu de hele dag in de gaten houden? Is dat ons nieuwe leven? Gaat het er zo uitzien, nu we met pensioen zijn?'

Ze gaapt hem aan, weet niet wat ze moet zeggen en stort zich weer op haar stofzuiger. Hij is al weg.

Het leven in de crèche heeft zijn normale, bedrijvige en roddelzieke gang hernomen. Maar er is te weinig personeel en het is af en toe hard aanpoten. Françoise maakt dat heel duidelijk voor wie het nog wist.

'Alsof we niet genoeg zorgen hadden. Nu gaat iedereen er ineens vandoor. Eerst die idioot van een Maryline, die god mag weten waarmee bezig is. En nu Diplo. Maar jullie zijn gewaarschuwd. Als ik instort, zijn er drie minder.'

Sophie heeft haar levenslust hervonden.

'Het voordeel is dat we nu geen tijd meer hebben om na te denken.'

Madeleine probeert de gemoederen te bedaren.

'Het is nooit slecht om na te denken. Geduld, we krijgen straks vervangsters.'

Françoise foetert: 'Nou, als die net zo zijn als die stagiaire, kunnen we het wat mij betreft nog beter alleen af.'

Nathalie komt binnen. Ze is bij Agnès geweest.

'Nou, hebben wij even mazzel, de komende paar dagen is er niemand vrij!'

Françoise, verbaasd: 'Is er een epidemie of zo?'

'Agnès had net de coördinatrice aan de lijn. Ze zei dat we dat varkentje wel zouden wassen.'

Françoise uit haar ongenoegen.

'Zozo! En ondertussen werken we ons hier het leplazerus.' Ze gebaart naar de kleintjes van haar groep.

'Kom maar, kinderen.'

Ze zwijgt. Diplo is net heel schuchter en in een keurig mantelpakje, waarin niemand haar ooit heeft gezien, de crèche binnengekomen. Geen van de groepsleidsters gaat naar haar toe. Ze heeft een papier in haar hand en loopt zonder op of om te kijken naar Agnès' kantoor. Ze gaat naar binnen. Agnès staat glimlachend op.

'Het nieuws is niet slecht, dus het is goed.'

'Ik weet het, dat zeggen ze. Maar ik heb niet zo'n vertrouwen in dokters. Ik breng u het briefje voor mijn ziekteverlof. Het is voor een maand, de dokter heeft gezegd dat hij het zal verlengen totdat alles geregeld is voor mijn vervroegd pensioen.'

'Michelle, kan ik openhartig met je praten?'

Diplo bedwingt haar tranen.

'Liever niet.'

Als ze Agnès' kantoor uit komt, is alles rustig in de crèche. Er is niemand op de gang. Diplo geeft de voorkeur aan die eenzaamheid. Opgelucht loopt ze stilletjes naar de personeelsruimte. Ze gaat naar haar kastje. Ze begint het langzaam uit te ruimen en bekijkt elk relikwie van haar werkzaam leven met oneindig verdriet. Maar dan: verrassing! Tussen haar spullen ligt een pakje met een lint eromheen. Ze durft het bijna niet aan te raken. Er ligt een visitekaartje op. Ze leest het ontroerd. Dan pakt ze het cadeautje voorzichtig uit: het is een schitterend bedlampje van melkglas.

Ze hoort een geluid en draait zich om naar de open deur. Door een waas van tranen ziet ze al haar collega's met alle kinderen bij elkaar staan. En met zijn allen zingen ze 'We'll meet again'... Aan beide zijden is men even aangedaan. Diplo mompelt: 'Dat hadden jullie niet moeten doen. Het is precies wat ik wilde hebben.' Ze vermant zich. 'Wees maar niet treurig, het is een ander leven en ik kom jullie heel vaak opzoeken. Goed?'

Het zingen houdt op. Françoise overhandigt haar een ansichtkaart.

'Kijk, die hebben we van Maryline gekregen. Sodeju, een jacht!' Ze leest voor: 'Híér hebben we het concert voorbereid. Ik denk aan jullie, maar ondertussen ga ik helemaal uit mijn dak.'

Diplo pakt de kaart aan, bekijkt hem, glimlacht en geeft hem weer terug. Sophie probeert Maryline na te doen: 'We hopen dat jij ook uit je dak gaat!'

Diplo gaat weg en geeft elk van haar collega's slechts een knikje om te voorkomen dat het afscheid al te emotioneel wordt.

Diplo kan haar draai niet vinden, haar woning lijkt leeg. Ze dwaalt door de kamers, waar geen stofje meer ligt, aarzelt om aan een nieuw karwei te beginnen en ziet ervan af. Ze slentert door het park. Ze kijkt naar de kinderen die er spelen, maar durft niet naar hen toe te gaan. Ze kijkt door het raam van een café en ziet haar man en zijn vrienden, die heel hard moeten lachen. Ze laat zich liever niet zien.

's Avonds zit ze op de bank naast haar man, die tv zit te kijken. Ze heeft moeite om wakker te blijven. Haar ogen vallen dicht, af en toe schrikt ze wakker en gaat rechtop zitten om vervolgens weer in te dommelen. De bel gaat. Ze haast zich naar de deur en kijkt in de vrolijke gezichten van Françoise en Sophie. Françoise is nog helemaal buiten adem.

'We hebben gerend, want we wilden het je meteen vertellen. Het gaat beter met Wong. Hij is uit zijn coma!'

'We wilden dat je het meteen wist!'

Ze omhelzen elkaar. Diplo kijkt even snel achterom of ze haar man niet te veel storen.

Françoise wil haar geruststellen.

'Het schijnt dat het allemaal goed komt! Geen gevolgen! Hij moet nog wel maanden in het ziekenhuis blijven en in een revalidatiecentrum, maar het komt goed.'

Diplo is tot tranen toe geroerd.

'Bedankt dat jullie het me zijn komen vertellen. Ik maakte me vreselijke zorgen. Dank jullie wel. Kom binnen, kom binnen.'

Ze wil ze meevoeren naar de keuken. De twee meisjes weigeren. Ze dringt aan.

'Eén glaasje maar, om het te vieren!'

Sophie wijst op haar buik.

'Nee, nee, we gaan naar huis. Ik moet rusten, vanwege de kleine! Heb ik het al verteld? Het is een jongetje.'

Ze staan alweer bij de deur. Françoise omhelst Diplo en vraagt zachtjes: 'En jij? Hoe gaat het? Doet het je goed om thuis te zijn?'

Diplo wil een bevestigend antwoord geven, maar kan de juiste toon niet vinden.

'Ja. Prima. Prima.'

'Nu kan je je eindelijk met je man bezighouden. Hij zal wel blij zijn.'

Diplo werpt een blik over haar schouder. Haar man heeft niets gehoord. Ze kan dus fluisterend liegen: 'Hij vindt het heerlijk om verwend te worden. We zullen het zo fijn hebben samen.'

Sophie laat haar niet in detail treden.

'Super! Goed, we gaan.'

De volgende ochtend komen de laatste ouders hun kinderen afgeven. Alles gaat zijn normale gang. Madeleine komt buiten adem aanrennen, ze is te laat. Ze rept zich naar de eerste de beste groepsleidsters die ze ziet, Françoise en Antoinette.

'De politie heeft vanmorgen een inval gedaan in dat clandestiene naaiatelier. Iemand schijnt ze te hebben aangegeven. Ze zijn allemaal gearresteerd!'

Een donderslag die op alle afdelingen nagalmt. Madeleine staat er verslagen bij. Agnès gaat naar haar toe.

'En de vader van Wong?'

'Die is oké, die was er niet. Hij was in het ziekenhuis. Bovendien ziet het ernaar uit dat hij dankzij die oude vriend misschien een baan zal vinden.'

Het 'Dat is te gek!' van Sophie kan Madeleine niet overtuigen.

'Ja, maar de rest, stel je toch voor! Temeer omdat iemand ze via een anonieme brief zou hebben aangegeven.'

Antoinette is stomverbaasd.

'Een anonieme brief?'

Sophie trekt een gezicht.

'Wat walgelijk!'

Françoise wijst meteen de schuldigen aan.

'Misschien hebben de ouders van Arnaud dat wel gedaan.'

Madeleine kijkt haar vermoeid aan.

'Ja precies, dat denk ik ook, omdat... En ik heb ze nog wel het adres gegeven. Godver, daar heb je ze!'

De ouders van Arnaud komen inderdaad net binnen met hun zoontje, dicht op elkaar, alsof ze een gevaar moeten trotseren.

Sophie zegt zachtjes: 'We moeten ze weigeren! Het is walgelijk!'

De rest knikt. Maar Agnès verordonneert op vastberaden, zij het zachte toon: 'Absoluut niet. Wat er ook van waar is, Arnaud kan daar niets aan doen. We hebben geen enkel bewijs dat zij het hebben gedaan. En we gaan geen geruchten rondstrooien, geen sprake van!'

Niettemin gaat er niemand naar de ouders toe. Agnès moet er zelf op af. De moeder, die niets in de gaten heeft, begroet Agnès en overhandigt haar zoontje.

'Het spijt me, we zijn te laat. En we hebben haast.'

Ze duwt haar met een dankbare glimlach haar zoontje in de armen en wenkt haar man dat ze moeten gaan. Agnès kijkt de ouders even sprakeloos na en gaat hen dan met Arnaud in haar armen achterna.

'Mevrouw, meneer, ik wou nog zeggen: Wong heeft het gered.'

De moeder van Arnaud blijft niet staan.

'O, wat ben ik opgelucht.'

De vader van Arnaud vervolgt op een neutrale, onmogelijk te ontcijferen toon: 'Ja, dat is goed nieuws.'

'En weet u, zijn vader vindt waarschijnlijk ander werk.'

'We zijn blij voor hem.'

De moeder van Arnaud steekt haar hand op: 'Tot vanmiddag!'

Ze gaan ervandoor. Agnès kijkt hen machteloos en verbouwereerd na. Ze gaat weer naar binnen. Iedereen heeft het tafereel van een afstand gevolgd. Ze zegt: 'Vandaag moet het een feestdag worden, goed?'

Iedereen vindt het een goed idee.

Er is al een polonaise onderweg. De kinderen trekken zingend door de crèche. Arnaud loopt voorop en lacht zijn tanden bloot. Niemand heeft Diplo gezien, die moederziel alleen in de hal staat. Ze is de ouders van Arnaud tegengekomen, heeft misschien iets opgevangen en staat nu bewegingloos te wachten tot iemand haar opmerkt. Agnès ziet haar het eerst en komt naar haar toe.

Diplo zegt smekend: 'Hebt u al een vervangster voor me gevonden?'

'Dat gaat niet zo snel als deze polonaise.'

'Denkt u dan dat ik misschien terug zou kunnen komen?'

Agnès antwoordt met een gebaar dat dat vanzelfsprekend is.

Françoise komt er ook bij staan.

'Maar hoe wil je dat doen? Je kunt je pensioen niet zomaar ongedaan maken.'

Diplo begint te lachen.

'Ik had mijn papieren nog niet ingevuld.'

Sophie begrijpt het opeens.

'Je bent dus alleen maar ziek? Nou, dan komt het wel goed. Niemand zal het je kwalijk nemen dat je de overheid geld bespaart.'

Françoise, vriendelijk: 'Kom op! Aan het werk, Diplo. We hebben je hard nodig!'

Diplo zwaait met haar cadeau, dat ze op onbeholpen wijze weer heeft ingepakt.

'Ik moet dit wel teruggeven als...'

Madeleine weigert.

'Absoluut niet! Het brengt ongeluk om een cadeautje terug te geven.'

'Maar ik verdien het niet als...'

Sophie is heel diplomatiek.

'Het is onze eigen schuld. We hadden je niet moeten geloven toen je zei dat je ziek was.'

Antoinette leidt de polonaise naar Diplo toe. Arnaud pakt haar opgetogen bij de hand. Diplo laat hem lachend begaan. Het cadeautje houdt ze als een trofee in haar hand. Nu leidt zíj de polonaise.

6 Een gestolen portefeuille

Een cabriolet houdt stil voor de crèche. Brigitte zit op de passagiersstoel en legt de laatste hand aan haar make-up. Ze doet het portier open, draait zich om naar de bestuurder, een tamelijk knappe, elegant geklede man van een jaar of vijftig, en geeft hem een smachtende kus. Hun omarming wordt verstoord door een kreet.

'Joehoe! Ik ben het!'

Brigitte maakt zich los en wil de indringster er al van langs geven, maar ziet tot haar verbazing dat het Maryline is, in onverwacht sobere kledij. Maar het is nog wel dezelfde pesterige Maryline.

'O, neem me niet kwalijk! Stoor ik?'

Brigitte moet nu wel afscheid nemen van haar vriend en gaat rechtop zitten.

'Welnee! Ik wou net gaan.'

Maryline is nog spraakzamer dan anders.

'Ik ook! Ja ja, ik ben terug! Vraag je me niet waarom? Nou, dat zal ik je vertellen. Dat concert was klote! Niets geregeld, niets georganiseerd. Niet professioneel, als je begrijpt wat ik bedoel!'

Meegesleurd door orkaan Maryline wuift Brigitte nog even naar haar vriend, waarop die wegstuift. Ze volgt hem met haar ogen en draait zich dan om naar Maryline.

'Je zal je wel ellendig hebben gevoeld.'

'Jawel. Tien minuten! Zolang als ik ruzie had met mijn ex, ik bedoel, die toen nog niet mijn ex was. Dat is hij pas daarna geworden. Die klootzak had me nog geslagen ook, als een gozer hem niet tegen had gehouden. Een gozer, ik zweer het je, onwijs gaaf, als je begrijpt wat ik bedoel. Mijn redder, snap je! Ik ben als een blok voor hem gevallen. En weet je wat? Nee, je zult het niet geloven. Hij zit ook in de muziek! Nou ja, hij zingt in een koor, maar een stem... Als die solo gaat, zullen we nog wat beleven!'

Brigitte toont geen overweldigend enthousiasme als ze vraagt: 'Je komt dus weer terug?'

'O, juich niet te vroeg! Ik heb geen keuze, meid! Hij verdient nog niet genoeg voor ons beiden. Ik heb Agnès gebeld. En wonder boven wonder had ze nog geen vervangster gevonden! Resultaat: ik hoef me niet meer te pletter te vervelen, meiden, ik ben weer terug!'

Even later loopt Maryline door de crèche alsof ze er nooit is weg geweest. Terwijl de andere groepsleidsters zich over de kinderen ontfermen, loopt zij, die zich nog niet aan haar taak heeft gezet, van de een naar de ander en vertelt over haar reis en haar wederwaardigheden. Ze heeft zo'n behoefte om te praten dat ze zich niet bekommert om wie er naar haar luistert, en tegen Nathalie een verhaal afmaakt dat ze tegen Sophie is begonnen.

'In het begin was hij danser, zie je? Heb je wel eens met een danser gedanst? Je weet niet wat je overkomt, kelere, het is net of je vliegt! En in bed, zo lenig, ongelooflijk... Dat is niet te vergelijken! Snap je, een drummer die zit de hele tijd, dat wordt pafferig, logisch. Terwijl hij zijn conditie op peil houdt.'

Bijna niemand luistert.

De laatste kinderen arriveren. Brigitte kijkt zorgelijk. Ze draait zich om naar Madeleine.

'Kan ik je vijf minuten alleen laten? Ik moet even iets controleren.'

Madeleine gaat zo in haar werk op dat ze geen antwoord geeft en niet eens merkt dat Brigitte weg is. Brigitte rent naar de personeelsruimte, snelt op haar kastje af, pakt haar handtas en doet die open. Haar gezicht staat steeds zorgelijker. Ze leegt haar tas op het aanrecht en onderzoekt zorgvuldig de inhoud. Ze blijft even als aan de grond genageld staan, ruimt alles weer op en zet haar tas terug. Ze voelt nog eens in de zakken van haar mantelpakje, kijkt op de grond: niets. Ze doet haar kastje dicht. Ze kan elk moment in huilen uitbarsten. Ze loopt de weg terug die ze bij binnenkomst moet hebben afgelegd, en zoekt aandachtig de grond af. Ze heeft nauwelijks in de gaten dat Maryline vrolijk achter haar aan loopt terwijl ze haar bewegingen na-aapt.

'Wat trek jij een vies gezicht! Komt het omdat ik terug ben of heeft je vriendje zo'n vieze smaak in je mond achtergelaten?'

Brigitte duwt haar weg.

'Als je bent teruggekomen om te zeiken...'

'Ha! Mevrouw begint weer normaal te praten. Ik heb mijn kont nog niet gekeerd...'

Diplo komt tussenbeide.

'Laat haar met rust.'

Brigitte gaat terug naar de personeelsruimte.

Op de dreumesafdeling vecht Lionel met een ander kleintje. Antoinette rent erop af, leest hem de les en zet hem in de hoek 'om een beetje te kalmeren'.

Brigitte komt met een strak gezicht de personeelsruimte uit. Ze loopt met vastbesloten tred naar de babyafdeling, die het dichtst bij is. Ze gaat zonder zich iets van bezigheden of kinderen aan te trekken pontificaal in de deuropening staan en roept: 'Goed. Er is in ieder geval íémand die weet waar ik het over heb! Maar die is gewaarschuwd. Ze zal haar trekken thuiskrijgen!'

Geen antwoord. Madeleine en Françoise kijken haar verbaasd aan. Brigitte loopt door naar de dreumesafdeling en zegt precies hetzelfde. Antoinette en Nathalie reageren al evenmin.

Tenslotte is het de beurt aan de peuterafdeling. En ook daar komt ze met hetzelfde refrein, als een zin die ze honderd keer heeft herkauwd. Nadat ze zo de hele crèche af is geweest, willen de groepsleidsters, van hun stuk gebracht, wel eens weten wat er aan de hand is, en ze lopen naar buiten zonder de kinderen uit het oog te verliezen. Brigitte neemt hen met een onderzoekende blik op.

Maryline besluit het te vragen.

'Mogen we weten wat er met je aan de hand is? Let wel, als je het alleen maar doet om jezelf interessant te maken, dan ben je daarin geslaagd! Ik dacht nog wel bij mezelf: ik kom terug, ik ben de grote ster, maar dat kan ik nu wel op mijn buik schrijven!'

Nathalie is inschikkelijker.

'Laat haar toch, ze heeft een probleem.' Ze wendt zich tot Brigitte. 'Wat is er?'

Brigitte neemt hen nog een keer op en zegt dan met gebroken stem: 'Er is een dievegge in deze crèche!'

Ze rent naar de personeelsruimte en slaat de deur achter zich dicht. De uitval van Brigitte heeft onverwachte emoties losgemaakt. De kinderen worden dan wel niet aan hun lot overgelaten, maar de groepsleidsters grijpen elke gelegenheid aan om bijeen te komen in een poging om er iets van te begrijpen. Brigitte staat inmiddels als een engel der wrake in de deuropening van de personeelsruimte en houdt ieders gangen en elk onderonsje in de gaten.

Agnès, die net binnen is gekomen, is verontrust over de vreemde situatie.

'Wat is hier aan de hand?'

Nadat de groepsleidsters elkaar zwijgend hebben aangekeken, legt Diplo het tenslotte uit.

'Brigitte beweert dat iemand haar portefeuille heeft gestolen.'

Nathalie valt woedend uit.

'En omdat ze niet weet wie het heeft gedaan, geeft ze iedereen maar de schuld.'

Brigitte kijkt onverstoorbaar.

'Ik geef niemand de schuld. Ik wil alleen maar mijn portefeuille terug, dat is alles.'

Françoise komt met de aannemelijkste hypothese.

'Maar stel dat je hem gewoon verloren bent?'

'Ik ben hem niet verloren. Hij is gestolen. Uit mijn tas!'

Madeleine mengt zich erin.

'Je moet mensen niet zomaar beschuldigen.'

Diplo vat de situatie tamelijk helder samen.

'Realiseer je je niet wat je doet? Nu voelen we ons allemaal verdacht.'

'Wie de schoen past trekke hem aan! En wie een gerust geweten heeft...'

Nathalie werpt een geheel nieuw licht op de situatie.

'Schei uit! Vooral omdat we heus wel weten dat er al eerder dingen verdwenen zijn...'

Diplo, verbaasd: 'Wat voor dingen? Waar heb je het over?'

Agnès houdt het niet meer uit.

'Genoeg! Dat komt later wel! We zijn hier in de eerste plaats om te werken. Als er een probleem is, moeten de kinderen daar niet de dupe van worden. Aan het werk!'

Ze slenteren allemaal terug naar hun afdeling. Maryline loopt naast Brigitte.

'Heb je thuis wel goed gekeken? Misschien ben je hem vanochtend wel vergeten.'

'Ik was niet thuis.'

Ze denkt na en trekt dan bleek weg.

'Verdomme!'

'Zie je wel! We zijn eruit! Even doorvragen en je weet het weer.'

Brigitte, bijna in zichzelf: 'Wat? Nee... Maar als Hervé hem heeft gevonden...'

Maryline, zo hard dat iedereen het kan verstaan: 'Alsjeblieft! Nu hebben wij het niet meer gedaan, maar die playboy van vanochtend!'

'Dat heb ik niet gezegd. Maar als hij hem heeft gevonden, zit ik in de problemen!'

Stilte. Iedereen loopt nog langzamer terug naar de afdelingen. Sophie, die een dikke buik heeft gekregen, gaat naar Brigitte toe.

'Zeg, even terzijde, wat heb je voor de poppenkast bedacht?'

Brigitte staat het huilen nader dan het lachen.

'Wat kan mij die poppenkast schelen.'

'Maar we hebben het de kinderen beloofd.'

'Zie je niet dat ik iets anders aan mijn hoofd heb?'

Sophie wil zich opwinden. Maryline houdt haar tegen.

'Laat toch! Ik heb een idee.'

Ze sleurt haar mee naar de dreumesafdeling.

Agnès heeft Nathalie staande gehouden.

'Is er al eerder gestolen? Het is niet de eerste keer, als ik het goed heb begrepen?'

Nathalie verweert zich.

'Ik kan er niets over zeggen, ik heb geen bewijzen. En aangezien er altijd wel iemand is die denkt dat we het misschien gewoon verloren zijn...'

'Geld?'

Nathalie wordt boos.

'Ik heb u toch gezegd dat ik geen bewijzen heb!'

En ze verdwijnt naar haar afdeling.

Agnès blijft in gedachten verzonken achter.

De poppenkastvoorstelling speelt zich af op de peuterafdeling. De kinderen lachen om de poppen die in het kleine theatertje op en neer bewegen. Madeleine lacht van ganser harte met hen mee. Sophie en Maryline spelen voor poppenspeler en bewegen de poppen met hun handen.

Een krokodil is heel hard aan het huilen en een nijlpaard kijkt hem aan.

'Waarom huil je zo, krokro, nee eh... kroko, nee grote kodil? Waarom huil je zulke dikke tranen?'

'Ik heb heel veel verdriet en daarom huil ik krokodillentranen.'

'En waarom huil je grote-kodillentranen?'

Er komt een konijn aanhuppelen.

'Omdat iemand mijn portefeuille heeft gestolen.'

De krokodil kijkt naar het konijn.

'Misschien heeft hij het wel gedaan!'

Het nijlpaard grijpt het konijn in zijn lurven, rammelt hem door elkaar en roept dat hij de portefeuille terug moet geven. Het konijn brult dat hij niks heeft gedaan. Andere dieren komen erbij. De krokodil geeft de een na de ander de schuld. De kinderen lachen en moedigen hem aan. Het wordt een hele vechtpartij. Brigitte staat in de deuropening en kijkt woedend naar het geïmproviseerde schouwspel. Ze sluipt naar Madeleine.

'Ze steken de draak met me.'

Madeleine, een spottende glimlach om haar lippen: 'Welnee...'

Opeens verschijnt er een klein meisje op het toneel, met een pakje in haar hand.

'O, kijk eens wat ik heb gevonden! Van wie zou dat zijn?'

De krokodil stort zich op haar.

'Geef mijn portefeuille terug, je hebt hem gestolen!'

Het kleine meisje verdedigt zich.

'Nee! Ik heb hem opgeraapt.'

De krokodil brult: 'Waar? Liegbeest! Dievegge!'

Het kleine meisje begint te huilen.

'Waarom schreeuw je zo tegen me? Je had hem verloren...'

Het nijlpaard wordt boos op de krokodil.

'Wat! Je had hem verloren en je zei dat...'

De dieren gaan met zijn allen om de krokodil heen staan en jouwen hem uit. Het nijlpaard vraagt de kinderen om mee te schreeuwen. Ze beginnen de krokodil op hun beurt in koor uit te jouwen.

Brigitte kan het gepest niet aan en gaat ervandoor. Madeleine loopt naar Sophie en Maryline achter de poppenkast.

'Jullie overdrijven, meiden.'

Maryline bijt van zich af.

'Vind jij Brigitte dan zo lekker?'

'Geloof me, ze ziet er echt bezorgd uit.'

Sophie stelt de enige juiste vraag.

'Wat zou er voor belangrijks in haar portefeuille zitten?'

Madeleine vreest het ergste.

'Dat weet ik niet... Maar kennelijk krijgt ze vreselijk gezeik als die Hervé hem vindt.'

Martine komt de keuken uit.

'Het eten is klaar!'

Ze duwt haar wagentje naar buiten. Het is meteen een drukte van belang. Brigitte ziet haar kans schoon en gaat naar Agnès toe.

'Zou u het vervelend vinden als ik even wegga? Iedereen is er, ze kunnen het wel zonder me af...'

'Gaat het weer om die portefeuille?'

'Ik praat er liever niet over. Ik moet alleen even controleren of ik hem niet bij mijn vriend heb laten liggen.'

'Ga maar, maar kom snel terug.'

Brigitte wil er ongemerkt vandoor gaan. Maar Marguerite houdt haar staande.

'Hé, je vergeet toch niet dat je me tijdens het middagslaapje met mijn examen zou helpen?'

'Ik kan vandaag niet.'

Marguerite lijkt in paniek.

'Maar het is al over twee dagen!'

Brigitte, in verlegenheid gebracht, weet niet goed hoe ze het moet uitleggen.

'Alsjeblieft...'
Brigitte rukt zich los.
'Ik zei toch nee!'
Marguerite is verbijsterd.
'Ik rekende op je...'
Ze houdt haar smekend vast. Brigitte explodeert, duwt haar weg en laat alle terughoudendheid varen. Ze schreeuwt.
'Wat kan mij dat examen van jou schelen! Wat kan mij het allemaal schelen! Zo goed?'
Iedereen draait zich om en kan dus zien hoe Brigitte naar de deur rent en naar buiten holt.

Het is rustig. Terwijl de kinderen slapen, drinken de groepsleidsters koffie in de personeelsruimte. Madeleine en Sophie zitten in een hoekje bij Marguerite, die druk aan het leren is voor het toelatingsexamen tot de opleiding voor groepsleidster. Ze is doodsbenauwd.
'En als ze me nou een vraag stellen waarop ik geen antwoord weet?'
Sophie, heel praktisch: 'Dan geef je geen antwoord.'
'Denk je dat ik dan zak?'
Sophie windt zich op.
'Als je het niet weet, kun je geen antwoord geven! Wat wil je nou dat ik zeg?'
Marguerite kijkt haar wanhopig aan. Madeleine kijkt naar Sophie en gebaart dat ze zich in moet houden. Dan neemt ze het van haar over.
'Je moet gewoon het antwoord weten, dat is alles. Het is niet moeilijk. Wat je moet weten, weet je. Je moet vooral niet in paniek raken, want dan raak je de kluts kwijt.'
'Waar hebben ze jou over gevraagd?'
'O, dat is al zo lang geleden! Over hulp aan bejaarden.'
Marguerite is ontdaan.
'Wat heeft dat nou met kleine kinderen te maken?'
Sophie probeert geduldig te blijven.
'Dat weet je best! Het is dezelfde opleiding als voor ziekenverzorgster. Dus ouden van dagen, junks, hepatitis of anticonceptie, het hoort er allemaal bij.'

Marguerite is verslagen.

'Maar waarom krijg je dan ook nog wiskunde? Want daar snap ik echt helemaal niets van.'

Sophie wil zich weer opwinden, maar net op dat moment komt Maryline vrolijk binnenstormen.

'Brigitte is terug! En niet om het een of ander, maar ze kijkt niet vrolijk!'

Brigitte is inderdaad terug. Ze is even in de hal blijven staan om op krachten te komen. Ze heeft rode ogen.

Françoise loopt behulpzaam op haar af. 'Heb je hem niet gevonden?'

'Nee. En als niemand hem gestolen heeft, moet ik hem in zijn auto hebben laten liggen.'

'Dat is toch goed?'

'Nou, dat hangt ervan af. Als hij hem heeft gevonden, is het met mij gedaan.'

'Jij overdrijft altijd zo... Wat zit er dan in die portefeuille?'

Brigitte kijkt haar vermoeid aan en rent dan op Marguerite af, die de personeelsruimte uit komt, gevolgd door Sophie en Madeleine. Brigitte probeert haar uitval van daarnet goed te maken.

'Zal ik je nog met je examen helpen?'

Marguerite haalt haar schouders op.

'Dat hebben zij al gedaan. En het is nu te laat. De kinderen worden al wakker.'

Brigitte glimlacht geforceerd en loopt weg. Achter haar rug spuwt Maryline nogmaals haar gal, als altijd in keurige bewoordingen. En ditmaal is het Françoise die ze deelgenoot maakt van haar stemming van het moment.

'Niet om het een of ander, maar ze begint me echt mijn strot uit te komen.'

'Maar het is toch ook wel te begrijpen?'

'Wacht even, daarnet wou ze ons nog allemaal naar de gevangenis sturen, en nu is het tranen en co! We hebben allemaal onze problemen.'

'Ja, maar ze lijkt echt met iets in haar maag te zitten...'

'Ik ga haar echt niet beklagen. Ze speelt al zo lang de femme fatale en "ik weet alles", dat het helemaal geen kwaad kan als ze eens een lesje krijgt.'

Op de dreumesafdeling klinkt geschreeuw op. Het is alweer Lionel. Ditmaal heeft hij het op Samir voorzien. Hij heeft hem op de grond gegooid en wil er nu op los gaan slaan. Antoinette snelt erop af en haalt ze uit elkaar.

'Lionel, ik had toch gezegd dat je niet mag slaan?'

Brigitte ziet eindelijk een kans om zich af te reageren en grijpt in. Ze duwt Antoinette weg.

'Het heeft totaal geen zin om op hem in te praten. We hebben het hem al honderd keer uitgelegd, hij begrijpt het niet.'

Ze loopt op Lionel af.

'Jij gaat nu in de hoek staan, maar de volgende keer is het de linnenkamer. En als je doorgaat, word je van de crèche gestuurd. Begrepen!'

Ze pakt Lionel en zet hem in een hoek van de afdeling. Antoinette loopt rood van woede op Brigitte af. Maar ze is gedwongen om te fluisteren.

'Ben je gek geworden? Weet je wel wat je zegt! Zo praat je niet tegen een kind. Je mag niet dreigen. Als Agnès het zou horen... Bovendien, met alle problemen die er nu zijn...'

Brigitte wil er niet van horen.

'Dat is geen excuus! We worden veel te laks. Moedig hem maar aan, als je denkt dat dat beter is!'

Brigitte gaat woedend opzij. Antoinette probeert Lionel zachtjes te troosten. Nathalie gaat naar Brigitte en vraagt vriendelijk: 'Maar wat zit er in je portefeuille dat je zo razend bent?'

Brigitte, opeens verslagen: 'Dat gaat je niets aan. Dat gaat niemand wat aan.'

Als de dag bijna ten einde is en de ouders hun engeltjes komen halen, is Sophie, die nu echt zichtbaar zwanger is, volledig uitgeput. Ze gaat even zitten. Maar als Françoise bezorgd naar haar toe komt, staat ze meteen weer op om te laten zien dat er niks aan de hand is. Maryline bemoeit zich zoals gebruikelijk met alles. Niemand zal kunnen beweren dat ze niet terug is.

'Heb je trouwens al iets van de papa gehoord, dikkerdje?'

Françoise duwt haar weg.

'Laat haar met rust.'

'O, neem me niet kwalijk. Ik vraag het alleen maar uit belangstelling.'

Françoise neemt Maryline apart om haar discreet op de hoogte te stellen.

'Je moet op je woorden letten! Je ziet het wel niet, maar het gaat slecht met haar. Ze woont al een dag of tien bij mij, zo erg zit ze in de put.'

'Nou, je zou een geweldige huisvader zijn!'

Ze lacht als enige om haar eigen grapje en loopt opgewonden weg om zich met iets anders te gaan bemoeien. Ze leunt tegen de deur en loert naar de schitterende auto van Hervé, de vriend van Brigitte, die net aan de overkant is gestopt om zijn liefje op te wachten. Brigitte komt met een gespeelde achteloosheid die haar angst moet maskeren, op de auto afsnellen. Ze kust Hervé zonder veel overtuiging, zo'n haast heeft ze om hem te ondervragen.

'Heb je mijn portefeuille gevonden?'

'Welke portefeuille?'

'Hou me niet voor de gek! Geef terug!'

Hij kijkt haar aan, verbaasd om haar in zo'n staat te zien. Hij probeert het te begrijpen en vraagt vriendelijk: 'Zat er iets belangrijks in?'

Ze kijkt hem schuin aan, wantrouwig. Ze gelooft geen seconde in de onschuld van zijn vraag. Er parelt een traan in haar ooghoek. Brigitte aarzelt even.

'Je hebt hem gevonden, hè? Wacht even, je moet je niets in je hoofd halen... Ik zal het uitleggen...'

Hervé kijkt haar niet-begrijpend aan.

Martine ruimt snel de keuken op. Dan pakt ze haar tas en opent de vriezer om de maaltijd te pakken die ze voor vanavond heeft bereid. Haar oog valt op iets eigenaardigs. Ze kijkt nog eens, aarzelt. Het is een bevroren portefeuille! Ze pakt hem behoedzaam uit de vriezer, waarbij haar vingers even over het koude, hard geworden leer schuren, en doet hem dan voorzichtig open. Ze glimlacht als ze de inhoud ziet en roept Françoise en Diplo, die meteen komen aanrennen.

Ze zwaait met de portefeuille.

'Kijk dit eens! Die fameuze portefeuille zat in de vriezer! En er zitten allemaal foto's in! Pas op dat ze niet breken. Het zijn de foto's van haar klorissen!'

De portefeuille bevat inderdaad een keurig stapeltje foto's, twaalf in getal, niet meer maar ook niet minder.

Françoise wordt er helemaal vrolijk van.

'Wie is Hervé? Zit die erbij?'

Diplo is nuchterder.

'Ik begrijp nu wel dat ze zich zorgen maakt. Of misschien is hij wel niet jaloers.'

Ze pakt een foto, die ze voorzichtig bekijkt, bang dat hij breekt.

'Het duurt minstens drie uur voordat ze ontdooid zijn!'

Françoise, die door de omgang met Maryline is aangestoken: 'Maryline zal het een geweldig idee vinden... Je kerels koud houden als je zelf in vuur en vlam staat!'

Ze schateren van het lachen terwijl ze elkaar de foto's doorgeven en commentaar leveren op de hoofden van de exen van Brigitte. En aangezien discretie niet hun voornaamste eigenschap is, haasten ze zich naar hun nog aanwezige collega's om hun vondst te laten zien.

Françoise is erg opgewonden.

'Maryline! Brigittes portefeuille lag in de vriezer van Martine! Er zitten allemaal foto's in!'

Maryline pakt ze vrolijk aan.

'Kerels? Wow, Françoise, je hebt ze voor het uitkiezen!'

Françoise lacht niet meer.

'Begin je nou weer!'

Marylines glimlach verstart.

'Shit! Ik begrijp nu wel dat ze in de rats zit! Stel je voor dat je zoiets overkomt! We moeten het gauw tegen haar zeggen...'

Ze rent de crèche uit en Françoise en Martine rennen achter haar aan. Als ze buiten komen, kunnen ze nog net zien hoe Hervé, die uit zijn auto is gestapt, Brigitte een klap in het gezicht geeft. Waar hij heel zijn hart in legt. Dan stapt hij weer in en stuift weg.

Françoise rent op Brigitte af.

'We hebben hem, Brigitte, we hebben je portefeuille!'

Brigitte ziet haar collega's naar haar toe rennen en begrijpt er niets van. Pas als ze door haar tranen heen de foto's ziet, mompelt ze: 'Godver...'

Ze beseft opeens dat ze een stommiteit heeft begaan en alles voor niets heeft opgebiecht, en ze barst in snikken uit.

Martine, die er duidelijk niets van heeft begrepen, vraagt: 'Maar waarom heb je hem in mijn vriezer gelegd?'

Maryline wijst naar haar voorhoofd. Brigitte veegt haar ogen af en kijkt in haar portefeuille.

'Verdomme... En ze hebben ook nog al het geld gepikt.'

Ze lijkt nu pas echt haar collega's te zien, die naar haar staan te kijken. En haar woede keert zich tegen hen.

'Ik was dus niet goed wijs, hè? Ik zei maar wat, hè? Ik beschuldigde in het wilde weg?'

De drie groepsleidsters kijken naar de grond.

Maryline vraagt beteuterd: 'Kunnen we je helpen?'

'Sodemieter op! Horen jullie? Sodemieter op! Er zijn alleen maar dievegges daarbinnen!'

En ze keert hun de rug toe om niet te laten zien dat ze huilt, en loopt weg.

Tegen het vallen van de avond arriveren Françoise en Sophie bij een flatgebouw. Sophie woont daar sinds kort, bij Françoise. Maar daar gaat het nu niet om. De diefstal van de portefeuille is een zaak van nationaal belang geworden, en Sophie heeft er zo haar ideeën over.

'Het is in ieder geval iemand van de crèche. Want om op het idee van die vriezer te komen... Bovendien komen de ouders nooit in de keuken. Arme Brigitte, ik heb toch wel met haar te doen.'

Françoise antwoordt voor zichzelf.

'Het komt allemaal goed, ik weet het zeker. Kerels laten zich uiteindelijk altijd paaien.'

Sophie begrijpt het verkeerd en blijft staan.

'Heb je het tegen mij?'

'O, neem me niet kwalijk.'

'Nou ja, goed. Maar toch, wat Brigitte betreft, die heeft het toch aan zichzelf te danken.'

Ze lopen door. Françoise houdt haar pas in. Ze voelt zich opgelaten en aarzelt even voordat ze vraagt: 'Zeg, zou ik jouw appartement niet kunnen lenen, alleen voor vanavond?'

Sophie blijft staan en kijkt haar opgewonden aan.

'Een gozer?'

Françoise voelt zich zo slecht op haar gemak dat ze zich nader wil verklaren.

'We hebben elkaar in de bios ontmoet. We zaten drie keer achtereen naast elkaar, ik weet niet of hij het expres deed. Maar op het laatst begon ik hem wel aardig te vinden.'

'Te gek! En dat je hem ook nog in de bios hebt ontmoet!'

'Ja, terwijl Maryline de hele tijd roept dat je in het donker niemand tegenkomt... Ik weet nu in ieder geval dat hij van films houdt.'

Sophie valt haar in de rede, ze heeft een ander idee.

'Wacht even... Je hoeft niet naar mijn huis te gaan. Ik ga zelf wel naar huis, dat is ook logisch. Je hebt me geholpen, heel erg bedankt, maar nu...'

'Nee... Ik wil niet dat hij bij mij thuiskomt. Ten eerste is het daar nog te vroeg voor en ten tweede is de kans dan groot dat hij mijn moeder tegen het lijf loopt! En als die zich eenmaal iets in haar hoofd heeft gezet... Dus bij jou is beter. Mag dat?'

Sophie knikt.

'Toch ben je een maffe griet.'

De volgende ochtend lijkt alles zijn gewone gang te gaan.

Antoinette ontfermt zich over Lionel, de kleine vechtersbaas, die net is gearriveerd. Ze ontvangt hem met een lieve glimlach. Een nieuwe dag begint.

Sophie houdt de voordeur in de gaten en kondigt plotseling aan: 'Daar heb je d'r!'

Het is inderdaad Brigitte. De dag begint dus toch niet zo goed. Ze negeert iedereen, zegt geen woord, zelfs geen gedag, en begint in haar spullen te rommelen alsof er niets aan de hand is. Ze gaat knipplaten maken voor de kinderen en concentreert zich ijverig op haar taak, zodat ze met niemand hoeft te praten. Sophie aarzelt om naar haar toe te gaan. Françoise neemt een besluit en loopt op haar af.

'En?'

Brigitte, die zich in stilzwijgen heeft gehuld, kijkt haar niet eens aan. Françoise legt zacht een hand op haar schouder en dringt aan.

'Je kunt het mij wel vertellen. Ik zal niets tegen de anderen zeggen. Nou?'

Brigitte kijkt bedroefd naar haar op.

'Nou niets. Hij wilde me niet eens zien.'

'Heb je hem verteld dat je hem hebt gevonden?'

'Ik kreeg geen kans om met hem te praten.'

'Wat lullig. Maar gelukkig heb je nog andere mannen.'

'Ja, maar van hém hou ik.'

'Dat zeg je nú omdat hij niets meer van je wil weten. Zo gaat dat altijd in films.'

'Nee, dat dacht ik daarvoor al.'

Er is een nieuwe verstandhouding tussen beide vrouwen ontstaan.

Op de babyafdeling houdt Diplo zich niet bezig met Brigittes liefdesperikelen. Ze is een baby aan het verschonen. Ze speelt ermee en lacht. Ze reikt werktuiglijk naar het werkvlak om een nieuwe luier te pakken. Maar tot haar verbazing grijpt ze mis. Ze vraagt Françoise, die net binnen is gekomen: 'Waar heb je de luiers gelegd?'

'Ik ben er niet aan geweest, hoezo?'

Diplo kijkt haar aan met een blik van 'je houdt me voor de gek'. En dat laat ze haar weten ook.

'Ik heb hier gistermiddag nog een nieuw pak neergelegd. Hier, op deze plek. Ik heb het echt niet opgegeten, en de kinderen ook niet! Ik krijg er wat van dat iedereen zomaar alles wegpakt.'

Françoise wil behulpzaam zijn.

'Ik ga wel even naar het magazijn.'

Martine, die zoals altijd te laat is, doet haar jasje uit, bindt haar schort voor en begint aan de lunch. Ze doet de ijskast open en blijft even als verstijfd staan.

'Dat kan niet! Dat kan niet!'

En ze stormt als een furie de keuken uit om zich af te reageren op wie ze kan. Nathalie neemt het eerste salvo in ontvangst.

'Ik heb gistermiddag, voordat ik wegging, alles nog gecontroleerd. Maar nu mis ik in ieder geval de boter en de eieren. Hoe moet ik nu een taart maken? Waar zijn ze gebleven?'

Nathalie kijkt haar verbijsterd aan.

'Hoe moet ik dat nou weten?'

'Eerst leggen ze portefeuilles in mijn vriezer en nu dit!'

Agnès komt aanlopen, gealarmeerd door het rumoer.

'Wat is er nu weer?'

'Ik heb het niet allemaal precies geteld, maar er zijn dingen weg, dat is zeker.'

Maryline vat de situatie uiterst beknopt samen.

'Je hebt gelijk, als er dingen weg zijn, ben je ze óf kwijtgeraakt óf ze zijn gejat.'

'Je ziet toch...'

'Wat zie ik? Ik zie niets.'

'Dat iemand ze gepikt heeft. Vannacht nog!'

Maryline heeft altijd een antwoord klaar.

'Hoe kun je nu iets zien dat er niet is?'

Agnès kapt haar op gezaghebbende wijze af.

'Zo is het wel genoeg, Maryline.'

Diplo komt erbij staan.

'Er is ook een pak luiers verdwenen!'

Marguerite heeft stilletjes staan luisteren.

'En ik dacht nog wel dat ik de kluts kwijt was vanwege mijn examen. Ik loop al een uur te zoeken: ik mis drie lakens, twee slopen en zes handdoeken!'

Wat de vermoedens van Martine alleen maar bevestigt.

'Zien jullie wel, iemand moet hier vannacht dingen hebben weggenomen. Dat is zeker!'

Agnès maakt een einde aan het tegen elkaar opbieden.

'Goed. We laten ons niet gek maken! Was dat alles? Dan gaan we nu weer aan het werk. We zullen dit straks eens rustig bekijken.'

En ze gaan allemaal met tegenzin weer aan het werk. Maar ondertussen ontwikkelt zich grote activiteit in de crèche. Terwijl ze met de kinderen bezig blijven gaat de een na de ander controleren of er iets ontbreekt, of de epidemie niet op alle afdelingen heeft toegeslagen.

In de personeelsruimte doet deze of gene haar kastje op slot nadat ze haar tas en zakken heeft leeggemaakt en om zich heen heeft gekeken of niemand het ziet. De stilte is oorverdovend, behalve wanneer Martine in Nathalies kastje probeert te kijken.

'Donder op! Het gaat je niks aan!'

Martine laat zich niet wegsturen.

'Als ik niet in je kastje mag kijken, heb je iets te verbergen!'

'Wie denk je wel dat je bent?'

Martine duwt haar opzij.

'Ik wil dat alle kastjes worden nagekeken en dat iedereen wordt gefouilleerd.'

Nathalie duwt haar terug.

'Je bent gek!'

Ze doet haar kastje op slot en loopt weg. Het wantrouwen is binnengeslopen.

Agnès, die van een afstand staat toe te kijken, becommentarieert de situatie op spottende toon tegen Madeleine.

'Over vijf minuten komen de kinderen nog klagen dat hun speelgoed is gestolen.'

Madeleine trekt een gezicht.

'Maar het is toch wel eigenaardig.'

Agnès neemt de zaak niet al te ernstig op.

'Ja, ik weet het, het is eigenaardig! Zeer eigenaardig! Maar kunnen we er iets aan doen? Nee! Laten we nu dus kalm blijven. Het klachtenbureau is gesloten!'

Ze loopt naar haar kantoor.

De groepsleidsters lopen druk heen en weer en iedereen heeft wel iets te melden.

Françoise, als een echte speurneus: 'Als iemand hier vannacht is geweest, moet het iemand zijn die de sleutel heeft.'

Maryline, snedig: 'Die hebben we allemaal. Maar dat is geen reden om iedereen te verdenken. Agnès heeft gevraagd...'

Martine is nog steeds pissig.

'Ja, ze vindt dat we net moeten doen of er niets aan de hand is! Makkelijk hoor, als je weet dat er een dievegge rondloopt!'

Ze sluit zich op in de keuken, terwijl Nathalie zich op de dreumesafdeling bij Antoinette voegt.

'Ik begrijp Martine wel. Ik ben een keer in de metro van mijn tasje beroofd. Ik merkte het wel, maar ik kon niets doen. Ik heb drie dagen zitten huilen. Het voelt als een verkrachting.'

'Ik ken iemand die op een avond thuiskwam en alles was weg, de meubels, alles. Zelfs de spullen van de kinderen. Kun je je voorstellen hoe die zich moet hebben gevoeld?'

'Ik vind dat we de politie erbij moeten halen!'

'Ben je gek geworden? Dat kan toch niet...'

'Als dit zo doorgaat, doe ik het ook nog!'

De enige die geen deel lijkt te hebben aan alle opwinding is Brigitte, in beslag genomen door haar knipplaten, die ze overdreven aandachtig sorteert, alsof ze de rest wil vergeten. Maryline probeert haar uit haar tent te lokken.

'Zeg je niets meer? Als het om anderen gaat, kan het je niets schelen? Hola daar, ik heb het tegen jou!'

Brigitte blijft kalm en zegt met een gekwetst stemmetje: 'Zolang ik niet weet wie de dievegge is, praat ik met niemand meer. Ik doe mijn werk, dat is alles.'

Maryline probeert een vriendelijker toon aan te slaan.

'Ik begrijp het wel, maar toch... Geef toe dat het stom van je was om al die foto's te bewaren.'

Brigitte kijkt eindelijk op.

'Dat weet ik wel, maar ik kon ze maar niet uit mijn portefeuille halen. Ik was bang dat het ongeluk zou brengen.'

'En kijk eens hoeveel je geluk je dat heeft gebracht!'

'Hou toch eens op met altijd lollig te doen!'

'Oké, morgen jank ik de hele dag, hand op mijn hart! Maar die truc met die exen in de vriezer moet ik onthouden! Dat zou je met al je exen moeten doen. Als je op een dag spijt krijgt – even opwarmen en je begint weer overnieuw!'

Brigitte houdt het niet meer uit. Ze pakt haar knipplaten en gaat ergens anders zitten.

Agnès zit aan de telefoon en heeft het met háár ex aan de stok.

'Luister, ik kan het ook niet helpen als jóúw zoon mijn "nieuwe kloris", zoals jij hem noemt, aardiger vindt dan jouw "grietje"... Nee, op zijn leeftijd heeft hij het recht om er een eigen mening op na te houden... Dat weet ik niet, ik heb niet de eer gehad... Nee, je hoeft me niet aan haar voor te stellen... Ik wou alleen maar zeggen dat ik er dit weekend niet ben... Ja, ik weet het, we hebben drie maanden geleden afgesproken dat dit weekend voor mij was, dat is trouwens ook waarvoor ik je bel...'

In de deuropening neemt Maryline de laatste trek van haar sigaret. Ze drukt hem zorgvuldig uit en gaat weer naar binnen. Ze loopt al fluitend langs de kapstokken en blijft dan opeens staan. Ze kijkt strak naar het jasje van Brigittes mantelpakje. Uit de zak steekt, heel zichtbaar, een biljet van honderd franc. Ze aarzelt en kijkt om zich heen: niemand. Ze pakt het geld en loopt weg. Maar wat ze niet heeft gezien is het hoofd van Brigitte, die haar vanuit een deuropening in de gaten heeft gehouden.

Een opgewonden Brigitte is razendsnel bij het kantoor van Agnès, die haar somber aankijkt.

'Geef je je wel rekenschap van de ernst van je beschuldiging?'

'Ik heb het met mijn eigen ogen gezien. Ik ben bereid om aangifte te doen, als u me niet wilt geloven.'

'Ik probeer na te denken. Het is zo erg.'

'Waarom zegt u niet dat ik lieg, als u me toch niet gelooft!'

Er wordt op de deur geklopt en Maryline komt binnen, verbaasd om Brigitte te zien.

'Ben je hier? Ik heb je overal gezocht. Ik wou het er net met Agnès over hebben. Zeg, als je niet bestolen wilt worden, moet je geen geld laten slingeren.'

Ze houdt haar het biljet voor dat ze net uit haar jasje heeft gepakt.

'Het stak uit je zak, zo lok je diefstal uit! Je hebt mazzel dat ik miss Rechtschapenheid ben!'

Brigitte stormt op haar af, rukt het biljet uit haar hand en schreeuwt: 'Ik had een val gezet!'

'Wacht even, dacht je dat ik...'

'Ik denk niets. Ik wantrouw iedereen.'

Agnès onderbreekt de vijandelijkheden.

'Zo is het wel genoeg! Brigitte, het leven is geen soap! Je hoort geen "vallen" te zetten. Zie je waar dat toe kan leiden? Dat wil ik dus niet meer hebben! Begrepen!'

Brigitte heeft het zo goed begrepen dat haar jasje nog steeds op dezelfde plaats hangt. Inclusief het biljet dat opnieuw uit de zak naar buiten steekt. Antoinette komt de personeelsruimte uit en ziet het geld. Ze aarzelt op haar beurt. En pakt vervolgens het biljet van honderd franc. Brigitte stormt op haar af en schreeuwt: 'Ha, en ik was achterlijk? En het zou niet werken? Kom maar kijken!'

Maryline komt aanlopen, gevolgd door Martine en Nathalie. 'Jullie zijn getuigen! Kijk maar.'

Ze pakt Antoinettes hand en draait hem om.

'Doe je hand open! Laat zien wat je hebt gestolen. Laat zien!'

Antoinette verzet zich en schreeuwt: 'Laat me los, laat me los, zeg ik je!'

Maar Brigitte schreeuwt nog harder. Ze probeert uit alle macht de hand van Antoinette open te krijgen. Tevergeefs. Het wordt een heuse vechtpartij. Ze vallen samen op de grond. Nu komt ook Diplo aanlopen, met een baby in haar armen, en dan Sophie. Maar niemand durft in te grijpen. Daar is eindelijk Agnès.

'Hou op! Dit is een crèche, geen circus! Hou op!'

Het vechten stopt. Brigitte wijst naar Antoinette.

'Zij is de dievegge! Ik heb het zelf gezien! Waag het eens om te zeggen dat je het niet hebt gedaan!'

Antoinette komt plotseling overeind. Ze doet haar hand open en gooit het verkreukelde biljet op de grond. Brigitte snelt erop af. Antoinette rent de personeelsruimte in en doet de deur op slot. Na de korte, luidruchtige vechtpartij is het opeens heel stil in de crèche. Je hoort alleen nog wat kinderkreten, gelach en gehuil.

De groepsleidsters lopen aarzelend naar de dichte deur. Sommigen hebben baby's in hun armen, anderen zijn omringd door kinderen. Brigitte, die er wat verwilderd uitziet, is achtergebleven met het biljet in haar hand. Niemand durft iets te zeggen. Agnès gaat naar de deur.

'Doe open, Antoinette! Ik ben het, Agnès.'

Geen antwoord. Agnès probeert de deur te forceren, wat niet lukt. Ten einde raad draait ze zich om naar haar personeel en mompelt, bijna smekend: 'Ga alsjeblieft aan het werk. Het heeft geen zin om... Ik regel dit wel.'

Ze kijkt hen na. Sommige groepsleidsters lopen zachtjes met elkaar te praten. Iedereen is hevig geschokt. Alleen Brigitte verroert zich niet. Agnès drukt zich tegen de deur van de personeelsruimte en probeert Antoinette opnieuw te overtuigen.

'Doe open, Antoinette. We moeten praten. Je lost niets op door daar verslagen te blijven zitten. Doe open!'

Plotseling, als Agnès er niet op bedacht is, vliegt de deur open. Antoinette, blind van haat en wanhoop, duwt Agnès opzij, zodat die half valt, en vlucht naar de deur. In de tijd die Agnès nodig heeft om zich te herstellen, is Antoinette al buiten. De groepsleidsters die uit hun ooghoeken stonden toe te kijken, lopen naar haar toe.

Als Agnès hen ziet, herhaalt ze: 'Ik had toch gezegd dat jullie aan het werk moesten gaan!'

Nu Antoinette weg is, moet Nathalie alleen voor haar dreumesen zorgen. Maryline komt binnen.

'Ik kom je helpen, ik laat je na zoiets niet alleen. Had jij dat gedacht, jij bent toch altijd met haar samen?'

'Nee, terwijl ik toch altijd op alles bedacht ben. Maar dit...'

'Agnès kan dit niet zomaar laten gaan, de eer van de crèche staat op het spel. Als de ouders erachter komen...'

'Brigitte zal het in ieder geval niet door de vingers zien, haatdragend als ze is.'

Marguerite steekt haar hoofd om de hoek van de deur.

'Neem me niet kwalijk, ik zou jullie echt wel willen helpen, maar ik heb geen tijd gehad om te leren.'

Maryline geeft voor de verandering eens blijk van gezond verstand.

'Het heeft geen zin om twee dagen van tevoren nog te gaan leren. Je moet je ontspannen.'

'Maak jij 'm even! Kun jij je ontspannen met wat er hier allemaal gebeurt? Trouwens, wat Antoinette betreft, dat wordt hommeles volgens mij. Denken jullie niet?'

Die avond in een verlaten buitenwijk. Agnès' auto houdt stil. Bertin zit naast haar. Hij strijkt teder langs haar gezicht. Ze schuift een stukje op.

285

'Ik kan het niet zo laten. Het duurt niet lang.'
'Maar wat kan ze er nog aan toevoegen, denk je?'
'Dat weet ik niet, maar ik moet ernaartoe.'
Agnès belt aan. De bel doet het niet. Ze klopt. Geen antwoord.
Ze begint te bonzen.
'Antoinette! Ik ben het, Agnès. Ik raad je aan om open te doen.'
Antoinette mompelt na een lange stilte: 'Ik smeek u, ga weg.'
'Doe open! Dat is het enige wat ik van je vraag.'
Gemorrel aan het slot. De deur gaat een klein stukje open en
het ontredderde gezicht van Antoinette verschijnt. Agnès ont-
steekt in razernij. Ze stoot de deur open en stormt naar binnen.
Maar daar verandert opeens haar gezichtsuitdrukking. Het appar-
tement, slechts verlicht door het licht van de overloop en een half
opgebrande kaars, is leeg. Antoinette heeft een kind van nog geen
twee in haar armen. Ze houdt haar tranen in bedwang.
'Ik wilde niet dat u dit zou zien. Maar nu u het toch hebt gezien...'
Agnès staat er als verlamd bij en weet niet wat ze moet zeggen.
Haar woede is verdwenen. Ze kijkt om zich heen en doet een paar
stappen in de drie-kamerwoning, die helemaal leeg is: geen meubels noch noodzakelijke toebehoren. Lege plekken op de muren
en op de grond maken duidelijk dat die er niet zo lang geleden nog
wel waren. Slechts een kaal matras op de grond en een kinderbedje
geven aan dat hier iemand woont. Antoinette doet de deur dicht.
'Ik kan u zelfs geen stoel aanbieden. U begrijpt er niets van, hè?
Nou, ik ook niet toen ik het zag. Tien dagen geleden kwam ik
thuis van mijn werk en er was helemaal niets meer. Hij heeft het
hier met zijn vrienden leeggehaald. En sindsdien is hij spoorloos...'
'Je man?'
'Hij heeft het spaarbankboekje geplunderd, de bankrekening,
alles. Hij heeft me alleen de schulden gelaten. Ik heb niets meer.
De elektriciteit is afgesloten. De telefoon doet het nog, maar die
durf ik niet te gebruiken. Ze hebben beslag gelegd op mijn salaris.
Ik ben verantwoordelijk, zeggen ze. Er stonden nog wat stoelen en
een bed. Maar die heb ik drie dagen geleden op de vlooienmarkt
verkocht om de kleine te eten te kunnen geven. Ik heb de twee

oudsten bij mijn nicht ondergebracht, maar hem kon ik niet...'

Het duizelt Agnès. Ze vermant zich.

'Maar waarom heb je me dat niet verteld? We hadden naar de sociale dienst kunnen gaan.'

De trots van Antoinette is in het geding.

'Ik heb nog nooit gebedeld! Ik steel nog liever, dat is een minder grote schande. Ik heb geld van Brigitte gestolen, maar zij heeft meer dan genoeg. Zij steelt óók, maar op een hoger niveau!'

'Dat mag je niet zeggen!'

'Maar ik zeg het wel!'

Antoinette zwijgt. Agnès gaat naar haar toe.

'We vinden wel een manier om je te helpen.'

'Ik dacht dat ik er nog wel uit zou komen. Maar als ik de oppas niet betaal...'

Agnès en Antoinette komen naar buiten. Antoinette heeft nog steeds haar kind in haar armen. Ze lopen door de duisternis van een armoedige hoogbouwwijk. Agnès laat haar een moment alleen om naar haar auto te rennen, waar Pierre intussen de krant zit te lezen.

'Ik kan haar niet aan haar lot overlaten. Er is een oppas die haar chanteert. Ik ben zo terug.'

Agnès en Antoinette zijn een andere flat binnengegaan. Ze staan voor de conciërgewoning. Een vrouw van een jaar of veertig doet de deur open. Ze kijkt naar Antoinette, haar kind en naar Agnès.

'Ha, u bent het!'

Ze draait zich om en roept naar haar man: 'Zij is het! Ik had je toch gezegd dat ze er wel iets op zou vinden?'

Antoinette is slecht op haar gemak en Agnès bezorgd. De conciërge laat hen binnen in een huiskamer propvol snuisterijen en schilderijtjes van hertjes die van het water van een vijver drinken. De echtgenoot knikt hen toe en gaat weer verder met televisiekijken. De drie vrouwen gaan om de tafel zitten. De conciërge kijkt wantrouwig naar Agnès en mompelt tegen Antoinette: 'Wie is zij? Ze is toch geen maatschappelijk werkster?'

Antoinette, die steeds meer in paniek raakt, kijkt naar Agnès, die zegt: 'Nee, ik ben geen maatschappelijk werkster!'

Tegelijkertijd doet ze haar tas open en haalt er twee biljetten van tweehonderd franc uit.

Antoinette wil haar tegenhouden.

'Nee... niet doen!'

Agnès houdt zich slechts met de conciërge bezig.

'Hier hebt u vierhonderd franc.'

'Ze is me veel meer schuldig!'

'Dit is al erg veel geld...'

De conciërge foetert.

'Dat krijg je ervan als je mensen vertrouwt en ze een dienst bewijst. Vijf weken krijg ik nog van haar!'

Agnès is zeer kortaf.

'Ze heeft geen geld.'

'En ik dan? Ik werk me uit de naad om op zes kinderen te passen, en dan nog de onkosten. Als ze morgen niet heeft betaald...'

Ze maakt een dreigend gebaar. Agnès staat op. Ze wordt ongewild zeer professioneel.

'Wat vertelt u me nu? Hebt u wel een vergunning om op zes kinderen te passen?'

Ze realiseert zich niet hoe dreigend ze naar de conciërge kijkt, die zich woedend opricht.

'Ik wist meteen dat u een maatschappelijk werkster was! Sodemieter op! Ik help ouders, dat is alles! Maar u steekt uw neus in zaken die u niets aangaan.'

Antoinette, smekend: 'Wind u niet op. Ze wilde me alleen maar helpen.'

'Ja hoor! Je let even niet op en ze geven je aan bij de belastingen! Steek uw vierhonderd franc maar in uw u weet wel wat!'

'Nee, ik wil u betalen, maar...'

De conciërge wil er niets van weten.

'U hoeft Lowietje niet meer bij me te brengen. Ik ken hem niet eens meer. Ik wil geen gezeik.'

Agnès is totaal overrompeld.

'U vergist u, mevrouw.'

'Gaat u uit eigen beweging weg of moet ik Henri vragen u eruit te gooien?'

De voormelde Henri kijkt niet-begrijpend. Ze horen gegrom. Het is afkomstig van een reusachtige herdershond naast Henri's stoel die ze niet hadden gezien en die net wakker is geworden. Agnès wil aandringen. Antoinette, doodsbleek, houdt haar tegen.

'Nee, laat nou... We gaan.'

De conciërge heeft de deur al voor hen opengedaan. Ze gaat nog steeds tekeer over haar met voeten getreden rechten.

'Wat een tijd! Je moet tegenwoordig een vergunning hebben om mensen te helpen!'

Bertin loopt naar een café toe. Hij kijkt naar binnen en ziet dat Agnès en Antoinette met haar slapende baby in haar armen er een toevlucht hebben gezocht. Hij aarzelt of hij ook naar binnen zal gaan, maar ziet ervan af. Hij zet zijn kraag op en loopt terug naar de auto. In een hoek, de een op de bank, de ander op een stoel, zijn Antoinette en Agnès in een heftig gesprek gewikkeld.

'Ik had u niets gevraagd! En nu zit ik helemaal in de problemen!'

'Wacht even... Oké, ik heb het onhandig aangepakt, maar laten we wel wezen, ík heb mijn twee oudste kinderen niet bij een nicht hoeven onderbrengen. Ik heb niets uit Brigittes tas gestolen...'

'Ik wist wel dat u was gekomen om me de les te lezen!'

Agnès is sprakeloos van verbazing. Ze bijt op haar lippen en vervolgt dan rustig: 'Antoinette, je gaat je ondergang tegemoet.'

Antoinette, verongelijkt: 'O, u denkt dat het nog erger kan?'

'Luister goed. Je gaat morgen weer naar de crèche.'

'Nooit van mijn leven!'

'Al vind je het nog zo moeilijk. Je bent Brigitte excuses verschuldigd en je zult ze maken ook. Ik leg alles wel uit aan het personeel, ik zal je steunen, maar je moet de waarheid onder ogen zien.'

'Ik weet niet eens waar ik met mijn kind naartoe moet, dus...'

Agnès neemt de tijd voordat ze antwoord geeft.

'Het is geven en nemen. Als je belooft dat je je excuses zult aanbieden, mag je Louis morgen meenemen. We vinden er wel iets op tot je situatie is geregeld.'

Antoinette springt op.

'Maar de collega's, denkt u nu echt dat die nog iets met me te maken willen hebben?'

'Ik zal met ze praten. Het belangrijkste is dat je niet verder in de problemen raakt.'

Antoinette grijpt plotseling Agnès' hand en kust hem. Ze huilt.

'Ik kon niet anders. Ik zweer u...'

'Dat moet je hun zelf maar uitleggen. Maar denk vooral aan je kind, je kinderen. Ze zullen je meer helpen dan ik...'

Voor het flatgebouw van Antoinette gaan de twee vrouwen uit elkaar. Antoinette wuift nog een laatste keer voordat ze naar binnen verdwijnt. Agnès kan eindelijk terug naar haar auto. Ze kruipt naast Pierre.

'Neem me niet kwalijk. Ik had geen idee dat het zo lang zou duren.'

Pierre glimlacht geforceerd.

'Ik had mijn krant. Het is heel boeiend om drie keer achter elkaar hetzelfde artikel te lezen. Zo ontdek je nog eens wat.'

Ze laat zich in zijn armen glijden. Hij zegt niets.

'Ik moet nu ook nog een rapport schrijven. Ik kan het niet níét doen. Maar wat moet ik zeggen?'

De volgende ochtend haasten Françoise en Sophie zich samen naar de crèche. Het lijkt wel of ze ruzie hebben.

'Je hebt al twee nachten niet thuis geslapen. Je kunt toch beter in je eigen huis slapen? Je kunt best zorgen dat je moeder het niet merkt.'

'Ik weet nog steeds niet waar ik aan toe ben...'

'Ik zal er toch aan moeten wennen om alleen te wonen.'

'Daar heb je nog tijd genoeg voor. En ondertussen kan ik zijn tekortkomingen ontdekken. Godver, iedereen is er al.'

Ze zetten het op een rennen. De eerste ouders staan al voor de deur te wachten. Françoise verontschuldigt zich door op Sophies buik te wijzen, met een blik alsof het haar schuld is dat ze te laat zijn.

'Ze is misselijk geworden in de bus.'

Sophie ziet stomverbaasd een samenzweerderig glimlachje op Françoises gezicht.

Sophie en Françoise zijn de laatste kinderen in ontvangst aan het nemen als Brigitte arriveert. Ze stormt op Françoise af.
'Wie gaat er met me mee naar de politie? Ik moet aangifte doen. Als we dit door de vingers zien, staat de deur open voor iedereen die...'
Françoise wisselt een gegeneerde blik met Sophie.
'We kunnen niet mee, we moeten werken.'
Brigitte gooit het over een andere boeg.
'We zouden het in de lunchpauze kunnen doen.'
Maryline komt binnen. Terwijl ze naar de personeelsruimte loopt is ze zich al aan het verkleden, en er heerst meteen een andere sfeer.
'Hallo meiden! Zal ik jullie eens wat vertellen? Het is vandaag opletten geblazen. Ik heb gelezen dat het vandaag geen pretje wordt. Behalve voor boogschutters, maar die hebben we hier niet. En naar jullie smoelen te oordelen klopt het wel! Wat is er aan de hand?'
Françoise vat de situatie beknopt samen.
'Brigitte zoekt iemand om met haar naar de politie te gaan.'
'Als ik een uniform zie, ben ik meteen mijn ritmegevoel kwijt, dus dat zou jammer zijn.'
Maryline wendt zich tot Brigitte.
'Wil je jezelf gaan aangeven?'
Brigitte trekt een gezicht.
'Ik moet aangifte doen. Het is een kwestie van principe.'
'Ik vond al dat je zo'n principieel hoofd had.'
Brigitte reageert niet en wendt zich met tranen in haar ogen af. Sophie gebaart naar Maryline dat ze moet bedaren en Brigitte met rust moet laten. Brigitte mompelt: 'Ik kan toch niet over me heen laten lopen.'
Er komen nog meer ouders binnen. Maar terwijl ze heen en weer lopen gaat het gesprek gewoon door. Françoise is op het ergste bedacht.
'Ze wordt op zijn minst ontslagen, en dat is al erg genoeg!'
Maryline is minder stellig.

'Misschien wordt ze alleen maar overgeplaatst. Je moet haar wel een kans geven...'

Brigitte is verontwaardigd.

'Een kans?'

Maryline slaat terug.

'Jij veroordeelt haar meteen ter dood!'

'Verdedig jij haar?'

Sophie is genuanceerder.

'Ik wil haar niet verdedigen, maar met drie kinderen en een man die haar niet helpt...'

Brigitte vervolgt halsstarrig: 'Die zijn er wel meer.'

'Ja, maar neem mij nou, ik heb eens zitten rekenen. Als de kleine er eenmaal is, weet ik niet hoe ik rond moet komen.'

Diplo is binnengekomen en kijkt hen zwijgend aan. Nathalie mengt zich in het gesprek.

'Denk je dan dat ze nog terugkomt? Als ik haar was...'

Marguerite brengt het linnengoed rond.

'Ik geef het nu alvast, want straks ben ik weg...'

Martine komt binnen met tassen vol boodschappen in de hand.

'Ben jij d'r nu al?'

'Schei uit! Ik heb vannacht geen oog dichtgedaan!'

'Jij ook al niet? Misschien hebben we wel iets verkeerds gegeten. Ik heb buikpijn, vreselijk. Ik baal d'r wel van, net op de dag van mijn examen...'

Ze zwijgt als ze Agnès binnen ziet komen. Wie de kans krijgt, steekt haar hoofd om de hoek van de deur... de een met een baby in de armen, de ander terwijl ze een oogje houdt op wat er op haar afdeling gebeurt. Agnès zegt tegen niemand in het bijzonder: 'Goedemorgen! Ik ben bij Antoinette geweest en ik heb met haar gesproken.'

Brigitte is verontwaardigd.

'U moet niet met haar praten, u moet een rapport maken. En aangifte doen.'

Agnès pakt een papier uit haar tas. Ze laat het aan Brigitte zien.

'Mijn rapport is klaar. Maar daarmee krijg je je geld niet terug.'

'Maar als ze de kans krijgt doet ze het weer.'

'Luister, ik hoef jullie geen details te geven, maar Antoinette heeft echt grote problemen. Ik heb dit rapport dus geschreven, maar ik heb haar ook gevraagd om terug te komen.'

'Wat?'

Nathalie, onverwacht bits: 'Ik wil alles doen wat u wilt, maar met háár werk ik niet meer!'

Brigitte geeft niet op.

'Denkt u soms dat ik niet in de problemen zit?'

Agnès slaakt een geïrriteerde zucht.

'Goed, ga aan het werk. Ik vraag jullie alleen om er niet over te praten in haar bijzijn. Ze heeft hulp nodig, dat is alles.'

Ze loopt naar haar kantoor. Madeleine gaat naar haar toe.

'Is haar situatie echt zo ernstig?'

'Ja, die is echt ernstig.'

Agnès gaat haar kantoor in en doet de deur achter zich dicht.

Antoinette arriveert bij de crèche. Ze blijft met de kleine Louis in haar armen voor de ingang staan. Ze durft niet verder te gaan, staat als verstijfd voor de deur en kijkt recht voor zich uit. Twee of drie groepsleidsters verlaten hun afdeling, maar niemand weet wat te doen. Er heerst een pijnlijke stilte. Die nog pijnlijker wordt als Brigitte verschijnt. Antoinette loopt naar haar toe.

'Ik wil mijn excuses aanbieden. Zodra ik kan geef ik je het geld terug.'

Brigitte bekijkt haar met een ijzige blik van top tot teen en mompelt: 'Nou, dat zullen we nog wel zien...'

En ze loopt weg.

Agnès komt aanrennen. Ze pakt Antoinette bij de arm en voert haar mee naar haar kantoor. Antoinette spartelt tegen.

'Ik had het u toch gezegd. Ik ga weg.'

Voor de deur van haar kantoor neemt Agnès de kleine Louis van haar over.

'Ga naar je afdeling. Er is werk te doen!'

Antoinette aarzelt, Agnès geeft haar een duw. Uiteindelijk gaat ze schoorvoetend naar haar afdeling alsof ze naar het abattoir moet. Als Brigitte, die Nathalie een handje is komen helpen, Antoinette binnen ziet komen, ziet ze dit als een persoonlijke aanval. En ze is weg, nog voordat Nathalie een gebaar heeft kunnen maken om haar tegen te houden of de ander weg te sturen. Antoinette loopt triest en mat naar de kinderen toe en doet een onhandige poging om met hen te praten. Het lukt haar niet.

Brigitte spuwt haar gal terwijl Agnès haar tot rede probeert te brengen.

'Dat ze haar excuses heeft aangeboden, betekent nog niet dat alles voorbij is!'

'Denkt je dat je met schreeuwen meer bereikt?'

Ze wijst op de kleine Louis in haar armen.

'We moeten aan hem denken.'

'Ja hoor! Ze gebruikt haar kind als een schild. Als hij er niet was, zou ik...'

'Zo is het wel genoeg.'

'Zoals u wilt. Maar in de lunchpauze ga ik als het moet wel alleen naar het politiebureau!'

'Je hebt gelijk. Ze moet de gevangenis in. En haar kinderen naar een tehuis. Wij brengen haar wel een fruitmand. Wat een geweldige oplossing! Als je had gezien wat ik heb gezien... Brigitte, ik weet toch dat je een goed hart hebt...'

'Moet ik nog huilen ook? Goeiedag!'

Ze loopt de deur uit en laat Agnès in de grootste verwarring achter terwijl ze het kindje in haar armen zo goed en zo kwaad als het gaat liefkozend toespreekt.

Brigitte staat besluiteloos twee passen verderop in de gang. Sophie en Maryline komen naar haar toe. Brigitte foetert.

'Nu is het nog mijn schuld ook! Heb ík soms gestolen? Moet ik ook nog dankjewel zeggen?'

Maryline begrijpt die halsstarrigheid niet.

'Als ze nou echt in de shit zit...'

Sophie is dezelfde mening toegedaan.

'Wat moet er van haar kinderen worden?'

Brigitte, koppig: 'Daar had ze maar eerder aan moeten denken!'

Nathalie komt de dreumesafdeling uit.

'Het spijt me, maar ik kan niet met haar werken! En hoe haalt ze het in haar hoofd om haar kind mee te nemen!'

Agnès komt bij hen staan. Ze heeft nog steeds de kleine Louis in haar armen.

'Denk je niet dat we het daar tijdens het middagslaapje over zouden kunnen hebben?'

Nathalie heeft eindelijk een excuus gevonden om haar oude wrok jegens Agnès te luchten.

'Ik mag mijn zoon niet meenemen. Maar als een van de meiden een rotstreek uithaalt, mag ze ineens alles.'

'Nee hoor, ik probeer haar alleen maar uit de brand te helpen, dat is alles. Te redden wat er nog te redden valt.'

'Niemand helpt mij ooit uit de brand. Nooit!' En ze voegt er ietwat vals aan toe: 'Het is toch tegen de regels om een kind erbij te nemen, nietwaar?'

'Dat klopt, Nathalie. Het is heel goed om de regels en je rechten te kennen, zo kun je je beter verweren.'

Nathalie, koppig: 'Precies!'

Agnès antwoordt met een ontwijkende glimlach en loopt door naar de babyafdeling. Ze krijgt een ware vernedering te verduren als ze de kleine Louis aan Françoise wil geven, die zich afwendt en haar bits toevoegt: 'De crèche is vol. En ik heb het veel te druk.'

Agnès kijkt haar droevig aan. Dan richt ze zich tot Diplo.

'Michelle, wil je alstublieft een wieg uit het magazijn halen en die hier ergens neerzetten? Louis moet slapen.'

Diplo aarzelt geen moment. Maar bij de deur draait ze zich om en loopt terug naar Agnès.

'Gaat het dan zo slecht met Antoinette?'

'Het is erger dan alles wat je je kunt voorstellen. Haar man heeft bijna alles meegenomen, en de deurwaarders de rest.'

Madeleine luistert mee bij de deur.

'Vindt u dat we haar moeten helpen?'

Agnès glimlacht haar vriendelijk toe.

'Dat is het enige wat ik van je vraag.'

Diplo gaat naar het magazijn. Françoise, die goed wil laten merken dat ze niet meedoet, begint voor een paar kinderen een liedje te neuriën.

Het is etenstijd. Martine is op de dreumesafdeling de tafeltjes aan het dekken als ze zich opeens zorgen maakt om Louis. Die ligt nog steeds in zijn reiswieg en kijkt niet-begrijpend om zich heen.

'En waar moet hij eten?'

Diplo gebaart dat ze het niet weet. Françoise laat woedend haar misnoegen blijken.

'Hij heeft zijn moeder, die moet maar voor hem zorgen.'

Martine aarzelt geen seconde. Ze pakt Louis uit de wieg, loopt met hem naar de keuken en zegt zachtjes: 'Ik ga me toch iets lekkers voor je maken, je zult smullen. Ik weet nog niet wat, maar...'

Ze vindt Agnès op haar weg, voelt zich betrapt en meent zich te moeten rechtvaardigen.

'Het zal hem goed doen om met me mee te gaan. Hij kan toch niet de hele dag in die wieg blijven liggen? Ik weet wel dat we de kinderen nooit in de keuken laten eten...'

'Dat klopt, in principe doen we dat niet in deze crèche.'

Martine, bezorgd: 'Denkt u dat Antoinette het me kwalijk zal nemen als ik haar kind te eten geef?'

'Dat moet je haar zelf maar vragen.'

Martine steekt haar hoofd om de deur van de afdeling. Nathalie en Antoinette zijn de kinderen aan het helpen met eten en kijken elkaar niet aan.

'Antoinette, vind je het vervelend als ik Louis in de keuken te eten geef?'

Nathalie geeft antwoord.

'Ze schaamt zich toch nergens voor?'

Antoinette werpt haar een schuldbewuste blik toe. Nathalie haalt haar schouders op. Martine windt zich op.

'Ik heb jou niets gevraagd. Antoinette, als de kinderen slapen, moet je maar naar me toe komen, dan krijg je ook wat.'

'Nee, dank je.'

'Wat? Ik maak een heerlijk hapje voor je, je zult tot morgen vol zitten.'

'Nee, dat hoeft niet.'

'Maar je moet toch eten?'

'Ik heb geen trek.'

'Ik zal je eens wat zeggen, we nemen het je niet kwalijk, ik en de rest. Je hebt de prinses je excuses aangeboden. Zand erover.'

'Dat had je gedacht! Maar bedankt voor Louis. Als hij niet wil eten, moet je hem niet dwingen.'

'Ik? Ik hoef een kind nooit te dwingen! Geloof me, het hangt allemaal af van wat je op zijn bordje doet!'

Ze gaat ervandoor. Antoinette glimlacht even opgelucht en kijkt naar Nathalie. Maar die kijkt meteen de andere kant op.

Martine heeft Louis op een kinderstoel gezet. Ze geeft hem zingend te eten. Maryline komt binnen met de lege bladen en de kliekjes van haar afdeling.

'Zo Louis, vind je het leuk bij ons? Weet je, we mogen je mama heel graag. Ten eerste heeft ze schijt aan de prinses, en ten tweede weten sommigen van ons wel wat het is om in de ellende te zitten. Dus eet dat eten van Martine maar lekker op, dat zal je buikje goed doen!'

Martine begint te lachen.

'Je hebt gelijk! Mijn lieve kleine meneertje, wat vindt u van de gerechten die de bevallige Martine voor u heeft gekokkereld?'

Ze krijgen alletwee de slappe lach terwijl Louis zit te smullen.

De kinderen slapen nog niet of Nathalie gaat zonder een woord weg, pakt haar jas en loopt naar de uitgang. Sophie komt haar tegemoet.

'Waar ga je heen?'

'Ik heb je niks gevraagd...'

Sophie is sprakeloos van verbazing. Als Nathalie de deur uit gaat, loopt ze rakelings langs Brigitte, die haar jas ook aanheeft, en Madeleine, die haar zachtjes tot rede probeert te brengen. Ze zwijgen als Nathalie voorbijkomt. Als ze weg is, gaat Brigitte weer verder.

'Goed, oké! Als iedereen ertegen is, ga ik niet naar de politie.'

Madeleine lijkt echt opgelucht.

'Dat is echt aardig van je.'

'Maar ik wil jou wel eens zien als je beroofd wordt. Denk maar niet dat ik dan met je mee ga huilen! En als ze niet weggaat, vraag ik in ieder geval overplaatsing aan.'

'Je zult zien, het komt allemaal wel goed. Kom je eten?'

'Ik ga liever alleen een pizza eten. Daar kan niemand me tenminste van weerhouden, hoop ik...'

Marguerite vertrekt ook, maar voor de goede zaak. Ze gaat examen doen en heeft zich op haar paasbest uitgedost. Ze loopt van de ene afdeling naar de andere en vraagt iedereen om haar geluk te wensen. Wat iedereen op zijn manier doet. Onverstoorbaar geeft ze iedereen hetzelfde antwoord: 'Ik zeg geen dankjewel, dat brengt ongeluk.'

Maryline rent haar achterna met een krant in de hand, die ze op de juiste pagina openslaat.

'Luister eens! "De sterren staan uiterst gunstig voor wie vandaag examen moet doen." Moet je nagaan, net vandaag!'

Martines gezicht licht op.

'Je weet dat ik er niet zo in geloof, maar toch.'

Ze is iets ontspannener als ze de deur uit gaat, maar kijkt toch nog even achterom.

De kinderen slapen. Antoinette surveilleert als enige door de stille crèche en loopt met een verslagen gezicht geruisloos van de ene naar de andere slaapzaal. Ze weet dat iedereen bij Agnès in de personeelsruimte is. Brigitte zit in een hoek de krant te lezen om goed te laten merken dat de bijeenkomst haar totaal niet interesseert. Françoise is kribbig.

'Ik herhaal dat we dit niet ongemerkt voorbij moeten laten gaan.'

Madeleine wil de gemoederen tot bedaren brengen.

'Dat hebben we toch ook niet gedaan? Bovendien heeft Agnès een rapport gemaakt.'

Agnès knikt instemmend. Brigitte kijkt op, een bewijs dat ze toch meeluistert.

'Ja, waarschijnlijk om alles goed te praten.'

Agnès neemt rustig het woord.

'Nee, Brigitte, ik heb de waarheid geschreven. Maar ik heb ook de situatie van Antoinette beschreven en dat ze hulp nodig heeft. Het bestuur zal erover oordelen en een beslissing nemen. Ze zal misschien worden overgeplaatst of ze krijgt een officiële berisping.'

Maryline oppert een andere mogelijkheid.

'Ze zou het best met betaald verlof kunnen gaan. Dan gaat ze voor twee maanden naar de Antillen, en als ze terugkomt, is alles vergeten.'

Sophie stelt een ander probleem aan de orde.

'Maar ze heeft geen geld.'

Maryline windt zich op.

'Alles wordt betaald! Daarom noemen ze het betaald verlof! En ze wordt daar door haar familie onderhouden!'

Madeleine ziet toch nog een probleem.

'Ja, maar ondertussen worden haar schulden hier niet afbetaald. Zo komt ze er niet uit.'

De discussie wordt onderbroken door een gebaar van Diplo. Het wordt stil. Nathalie is net met haar zoontje in een buggy bij de deur verschenen. Ze heeft een koppige uitdrukking op haar gezicht. Ze zet de buggy als willekeurig welke ouder in de opbergruimte. Dan kleedt ze haar zoontje uit. Als ze zeker weet dat iedereen naar haar kijkt, vraagt ze op een schijnheilig ongedwongen toon: 'Wie gaat er naar het magazijn om een reiswieg te halen?'

Ze kijkt Agnès strak aan.

'Gaat u Raphaël wegsturen? Alleen omdat zijn moeder eerlijk is?'

Agnès blijft heel rustig.

'Ik stuur niemand weg, Nathalie. Ik probeer het goede te doen. En geloof me, dat is niet gemakkelijk.'

En ze gaat weg. Madeleine haalt haar op de gang in.

'Ik denk dat u dat rapport niet moet inleveren.'

'Madeleine, iedereen denkt hier wel iets! Ik ben verplicht om dat rapport te maken. Ik haast me niet, ik wacht tot morgen of overmorgen. Zodat Antoinette de tijd heeft om keuzes te maken. Maar als ik het niet zou inleveren, zou ik vroeg of laat in de problemen komen.'

Op de peuterafdeling buigt Nathalie zich over haar zoon.

'Raphaël, jij blijft hier met de andere kinderen spelen. Je zult zien, Sophie en Madeleine zijn heel aardig. Ik kom je zo weer ophalen.'

Ze wil weggaan. Haar zoontje klampt zich aan haar vast. Ze kan niet meer weg. Als ze er onverwacht vandoor probeert te gaan, begint hij te huilen. Maar ze zet door en gaat toch. Hij rent haar door

299

de gang achterna. Als ze haar afdeling binnengaat, bonst en timmert hij op de deur, en hij brult net zo lang tot ze hem binnenlaat. Ze probeert hem een paar keer de les te lezen – vergeefs. Hij wil haar voor niets ter wereld laten gaan. Als ze zich met een ander kindje wil bezighouden, wordt hij gek van jaloezie en begint hij te stampvoeten. Het kind verhuist van afdeling naar afdeling, en de toestand begint zo langzamerhand lachwekkend te worden. Wat de arme Nathalie nog zenuwachtiger maakt. Maryline is de eerste die meedogenloos toeslaat.

'Nou nou, je hebt een echte fanclub!'

'Sodemieter op.'

'Zeg je dat tegen mij of tegen je arme Raphaël?'

Nathalie, die bozer en bozer wordt, pakt haar zoon, zet hem midden op de dreumesafdeling en schreeuwt: 'En nu blijf je hier! En je houdt je rustig! Begrepen? Anders word ik heel erg boos.'

En ze gaat naar de andere kindjes toe. De arme Raphäel begint nu nog harder te brullen, maar ze heeft besloten om het te negeren. Ze draait zich niet eens meer om. Ze ziet dus niet hoe Antoinette op Raphaël afloopt, zachtjes tegen hem praat en hem in haar armen neemt om te sussen. Als ze het eindelijk merkt, weet ze niet wat ze moet zeggen. Slechts een dankbaar knikje, dat Antoinette met een glimlach beantwoordt, de eerste in een lange tijd. Maryline, die dit allemaal heeft gevolgd, gaat naar Brigitte toe. Ze is knipplaten aan het ronddelen.

'Je hebt niet gezegd... Hoeveel zat er in je portefeuille?'

'Meer dan tweehonderd franc. Dat lijkt misschien niet veel, maar...'

'Wacht even! Tweehonderd franc, dat vind ík wel veel!'

Maryline gaat meteen naar de peuterafdeling. Sophie en Madeleine zijn druk bezig met de kinderen.

'Ik hou een collecte! Zodat Antoinette de prinses kan terugbetalen, en ze eindelijk eens ophoudt met dat geklier.'

Sophie is gegeneerd.

'Maar als je nou geen geld hebt?'

'Geef wat je kan missen. Al is het maar vijf cent! Het gaat om het gebaar.'

Antoinette heeft Raphäel weer op de grond gezet. Hij is nu met de andere kindjes aan het spelen. Maryline gaat naar haar toe.

'Kijk! We hebben een collecte gehouden.'

Ze overhandigt het geld. Antoinette is ondersteboven.

'Dankjewel, maar ik wil geen liefdadigheid. Ik vind er wel iets op.'

'Wacht even, het is alleen maar om dat stomme wijf terug te betalen. Om rust te hebben. Er zit tweehonderd franc bij, wat je met de rest doet moet je zelf weten. Je geeft haar het geld terug en we hebben weer rust.'

Antoinette kijkt verbaasd.

'Maar dat is veel te veel!'

'Welnee, dat heb je van haar gepikt. Plus nog wat kleingeld...'

Antoinette schudt haar hoofd.

'Het is te veel. Er zat alleen een biljet van honderd franc in haar portefeuille.'

Maryline, verbaasd: 'Weet je het zeker?'

Antoinettes blik spreekt boekdelen. Maryline is verbijsterd. Ze rent naar de babyafdeling en roept Sophie.

'Moet je nou horen!'

Even later gaat Antoinette, naar voren geduwd door een stuk of wat collega's, voor Brigitte staan, die nauwelijks opkijkt van haar knipplaten. Ze mompelt: 'Ik wil mijn excuses aanbieden.'

'Dat weet ik, dat heb je al gezegd.'

Antoinette aarzelt even en houdt haar dan het geld voor.

'De collega's hebben me geholpen. Het maakt het wel niet goed, maar je hebt in ieder geval je geld terug. Hier.'

De meeste groepsleidsters, zelfs met baby's in hun armen, hebben een manier gevonden om alles te kunnen volgen. Brigitte staat gegeneerd op.

'Wat is dat?'

'Je tweehonderd franc.'

Antoinette kijkt haar recht in de ogen. Brigitte voelt zich niet op haar gemak en wordt rood. Ze neemt de biljetten aan, bekijkt ze, wringt zich in allerlei bochten. De groepsleidsters wisselen verontwaardigde blikken.

Brigitte stamelt: 'Eh... Ik weet niet meer hoeveel erin zat.' Ze aarzelt. 'Hoeveel zat erin?'

'Honderd franc.'

Brigitte, die zich nu hoogst ongemakkelijk voelt, hoewel ze niet eens heeft gezien dat iedereen naar haar kijkt, geeft Antoinette het geld terug.

'Hou maar.'

'Maar niet alles!'

'Jawel, alles. Voor mij maakt het niet meer uit. En als ik het goed heb begrepen, heb jij het hard nodig.'

Ze is duidelijk opgelucht dat ze zich van haar leugen heeft ontdaan. Ze duwt Antoinettes hand weg en gaat weer aan het werk. Dezelfde opluchting is te bespeuren bij de groepsleidsters die toekijken.

Luide kreten klinken op. Antoinette rent naar de dreumesafdeling. Nathalie, die alleen achter is gebleven, weet niet goed wat ze met de kleine Lionel aan moet, die voor de zoveelste keer een ander kind heeft geslagen. Antoinette kalmeert het jongetje terwijl Nathalie met tranen in haar ogen opzij gaat. Haar zoontje komt naar haar toe en kijkt haar droevig aan. Als de rust is weergekeerd, neemt Antoinette de kleine Raphäel bij de hand en ze brengt hem terug naar de speelhoek. Even later komt Nathalie naar haar toe. Ze mompelt: 'Neem me niet kwalijk, Antoinette.'

Als de ouders hun kinderen komen halen, kijkt Antoinette van een afstand naar het vaste ritueel van vraag en antwoord en jas aandoen.

De enige belangrijke gebeurtenis van die dag: Nathalie legt Lionels moeder uit dat haar zoontje te agressief is, dat ze met hem moet praten, omdat anders... Lionels moeder maakt zich zorgen.

'Stuurt u hem weg?'

'Nee, natuurlijk niet, maar...'

De moeder luistert al niet meer. Ze schudt haar zoontje door elkaar.

'Hou je nou eens op met ons te schande te maken? Hou je op? Wacht maar tot je vader thuiskomt. Wacht maar!'

Nathalie wil haar kalmeren. Maar ze weet niet hoe ze dat aan moet pakken en ziet ervan af.

De crèche is verlaten, alleen Agnès en Antoinette zijn er nog. Agnès doet haar best om Antoinette gerust te stellen.

'Ik leg het wel uit aan mevrouw Képler. Ze zal het begrijpen. Maar ik moet haar dit rapport geven. Bovendien kan zij je raad geven over waar je hulp kunt krijgen.'

'Ik weet niet hoe ik u moet bedanken.'

Agnès heeft andere zorgen.

'Waar ga je vanavond heen?'

Antoinette haalt haar schouders op.

'Naar huis.'

'Dat kan niet. Waarom blijf je hier niet slapen?'

'Dat mag niet.'

'Ik geef je toestemming. Je hebt hier alles wat je nodig hebt.'

'Dan kan ik niet aannemen.'

'En als ik het nu eis?'

Antoinette weigert weer, aarzelt en geeft dan toe.

Agnès ligt in Bertins armen. Ze schrikt wakker. Ze maakt zich heel voorzichtig los uit zijn omarming en staat op. Ze sluipt naar de huiskamer. Daar draait ze een telefoonnummer. Ze laat de telefoon lang overgaan, maar niemand neemt op. Ze legt neer en blijft, nog half slapend, in gedachten verzonken staan. Als ze opkijkt, staat Pierre voor haar. Hij is opgestaan en staat naar haar te kijken.

'Wat heb je?'

'Niets. Antoinette is niet meer in de crèche. Ze is vast naar huis gegaan. Het is grappig hoe je gehecht blijft aan je eigen omgeving, ook al is alles...'

Hij neemt haar in zijn armen.

'Aan de ene kant ben ik heel blij dat je dit werk doet, omdat ik denk dat mijn zoon maar bofт dat hij jou als directrice heeft. Maar aan de andere kant is het niet zo gemakkelijk voor zijn vader.'

De crèche is de volgende ochtend al volop in bedrijf als Agnès arriveert. Maryline staat in de hal een sigaretje te roken dat ze zo goed mogelijk probeert te verbergen.

'Is Antoinette er?'

'Ik heb haar niet gezien.'

'Was je de eerste vanochtend?'

Maryline knikt.

'Was de deur van de crèche open?'

Maryline reageert verbaasd.

'Moest Antoinette dan openen?'

'Nee, maar... Ik dacht misschien...'

Maryline wordt vrolijker.

'Ik heb geopend! Ik was eindelijk eens op tijd! Ik moet er wel bij zeggen dat Bobby een vroege vogel is, en dat helpt als je een serieus meisje wilt worden.'

Tot haar grote verbazing loopt Agnès snel door en haast zich naar de dreumesafdeling, waar Nathalie alleen is met de kinderen.

'Is Antoinette er niet?'

'Nee! En ik heb er genoeg van dat ik alles alleen moet doen.'

Agnès kijkt bezorgd.

'Ik weet het. Maar weet je niet waar ze is?'

'Moet ik ook nog voor portier spelen? Het enige wat ik weet is dat ik al het werk moet opknappen.'

'Vraag Brigitte maar om je te helpen.'

Nathalie, steeds verbaasder: 'Brigitte?'

Ze haalt haar schouders op.

Agnès, op liefdevolle toon: 'Hoe heb je het met Raphaël gedaan?'

'Hoezo, hoe heb ik met hem gedaan? Hij is blijkbaar ook liever in die andere crèche. Het zal iedereen een zorg zijn of ik de hele dag moet rennen. Dus dat doe ik dan maar!'

Agnès wil antwoord geven als haar oog op de kleine Lionel valt, achter de glazen deur van de kleine badkamer die hij tevergeefs open probeert te krijgen.

'Heeft hij alweer gevochten?'

'Nee, vandaag is het precies andersom.'

'Waarom zit hij dan opgesloten?'

'Zijn ouders hebben hem de les gelezen, volgens mij de hele nacht. En zelfs vanochtend nog toen ze hem brachten. Hij slaat niemand meer. Maar nu nemen de anderen meteen wraak. Ze slaan hem en hij doet niets terug. Ik heb hem moeten opsluiten omdat ik hier helemaal alleen ben.'

Agnès rent naar de badkamer en bevrijdt de kleine Lionel. Het jongetje kijkt haar oneindig droevig aan. Ze neemt hem in haar armen en mompelt: 'Je mag je wel verdedigen, hoor.'

Lionel kijkt haar niet-begrijpend aan. Ze draait zich om en ziet dat Nathalie het ook niet zo goed begrijpt. Ze richt zich op en neemt het jongetje bij de hand.

'Kom maar mee.'

Ze gaat samen met Lionel alle afdelingen af en vraagt overal of iemand Antoinette heeft gezien. Niemand weet waar ze is. Nog steeds met Lionel aan de hand gaat ze de linnenkamer in.

'Marguerite, heb je Antoinette soms gezien?'

Marguerite kijkt op. Haar ogen staan vol tranen.

Agnès snapt het meteen.

'Ben je gezakt?'

'En ik wist alle antwoorden! Maar er kwam niets uit mijn mond! Niets, geen woord! Ik zei het antwoord in mijn hoofd, maar ik kon het niet zeggen. Begrijpt u dat nou?'

'Natuurlijk, dat is examenvrees. Dat gebeurt.'

Marguerite is in tranen.

'Ik slaag nooit.'

Agnès voelt dat ze haar moet troosten en gaat bij haar zitten, hoe bezorgd ze ook is om Antoinette.

'De volgende keer zal ik je helpen met overhoren.'

'Ik heb genoeg van de linnenkamer. Je hoeft toch zeker niet te kunnen praten om voor kleine kinderen te zorgen?'

'Ik weet het, Marguerite. Als je wilt, kun je oppas worden. Kinderen bij je thuis ontvangen. Ik zal je helpen met een vergunning.'

'Het is te klein bij mij.'

Agnès staat op.

Marguerite glimlach flauwtjes, staat dan ook op om weer aan het werk te gaan, pakt haar linnengoed en laat het onmiddellijk weer vallen.

'Het spijt me, het gaat niet.'

'Zou je niet bij Antoinette langs willen gaan?'

'Ik? Hoezo?'

'Ik ben ongerust. Ik ben bang dat ze iets doms doet. Je hoeft alleen maar even langs te gaan en te kijken of ze er is. Of iemand haar heeft gezien. Alsjeblieft. Ik zal je haar adres geven.'

Ze gebaart dat ze haar moet volgen, nog steeds met Lionel aan de hand, die alles zwijgend gadeslaat.

De hele crèche wacht op de terugkeer van Marguerite. Zodra ze binnenkomt, rent Agnès op haar af. Anderen volgen.

'En?'

'Ze is er niet! Niemand heeft haar gezien. Het schijnt dat ze vannacht niet eens thuis is geweest. Ik heb met iedereen in de flat gesproken.'

Agnès wankelt achteruit en laat zich tegen de muur aan vallen. Diplo komt naar haar toe.

'Denkt u dat ze misschien...'

'Ik denk niks! Ik maak me ongerust.'

Maryline trekt de moraal uit het verhaal.

'We hebben het haar zo moeilijk gemaakt, dat moest wel slecht aflopen.'

Brigitte wordt boos.

'Wat? Ga je nu weer zeggen dat het mijn schuld is?'

'Ik zeg niets, maar ik denk er het mijne van! Is dat soms verboden?'

'Ik heb geen aangifte gedaan! Ze hoefde me niet terug te betalen! Wat had ik nog meer moeten doen?'

De toon is gezet. Agnès brengt hen tot zwijgen.

'De kinderen slapen!'

Het is meteen stil.

Sophie maakt zich ongerust.

'Denkt u dat haar iets is overkomen?'

'Ik ga toch maar naar de politie.'

Madeleine, aarzelend: 'Dat is niet nodig. Ze kan toch nog...'

'En als het nou wel nodig is?'

Agnès gaat naar haar kantoor. Ze verdwijnt naar binnen en komt met haar jas aan weer terug. Ze blijft nog even staan om enkele aanwijzingen te geven.

'Informeer de zustercrèche dat ik weg ben. Als ik niet terug ben tegen de tijd dat de eerste ouders komen, vertel ze dan niets. Nathalie, zorg goed voor Lionel. Sluit hem niet op en laat hem ook niet slaan. Goed, ik ga.'

Ze kijkt nog een keer om zich heen alsof ze terugdeinst voor wat ze straks misschien te horen zal krijgen, en loopt dan langzaam naar de deur. Op het moment dat ze naar buiten wil gaan, komt Madeleine naar haar toe.

'Ga niet.'

'Jawel, ik moet.'

'Nee.' Ze aarzelt of ze het zal zeggen. 'Ze is bij mij!'

'Bij jou?'

Madeleine knikt en praat heel zachtjes.

'Ze was gisteren zo in de put dat ik haar mee naar huis heb genomen. Ze heeft de hele nacht liggen huilen. Ze voelde zich vanochtend niet in staat om te komen. Ik heb gezegd dat ze naar de dokter moest gaan en zich voor een paar dagen ziek moest melden.'

'Maar waarom heb je niks gezegd?'

'Dat moest ik haar beloven. Ze wil geen medelijden. Ze komt een tijdje bij me wonen. Ik woon nu toch alleen met mijn kinderen. Zondag gaan we haar twee oudste kinderen ophalen.'

'Maar dat had je me toch wel kunnen vertellen? Maar goed, ik begrijp het wel. Ze moet naar een maatschappelijk werkster. En naar iemand die haar helpt met haar schulden. Het is heel aardig van je dat je je over haar ontfermt.'

Agnès loopt terug naar haar kantoor en trekt ondertussen haar jas weer uit.

Enkele collega's komen om Madeleine heen staan en vragen wat er aan de hand is.

'Antoinette komt een tijdje bij me wonen. Dat is beter voor haar, denk ik.'

Agnès komt zeer gespannen naar buiten.

'Waar is het rapport? Wie heeft het weggehaald?'

Diplo vraagt ter verduidelijking: 'Het rapport over Antoinette?'

'Wie heeft het weggehaald?'

Nathalie doet er nog een schepje bovenop.

'Uit uw kantoor?'

'Ja! Daarnet lag het er nog. Diplo?'

Diplo schudt haar hoofd. Agnès kijkt hen één voor één vragend aan. Madeleine, Maryline, Françoise, Nathalie, Sophie, en zelfs Marguerite en Martine. Allemaal gebaren ze dat ze er niets van af weten. Dan komt Brigitte aanlopen, die achter was gebleven om toezicht op de kinderen te houden. Alle blikken richten zich op haar. Ze kijkt naar de grond. Agnès stormt op haar af.

'Ik wil niet dat er in mijn bureau wordt gesnuffeld!'

'Ik heb niet gesnuffeld, het lag óp uw bureau!'

'Waar is het?'

'Ik heb het verscheurd.'

Agnès kijkt haar verbluft aan. Ze loopt terug naar haar kantoor en doet de deur achter zich dicht. Maryline gaat naar Brigitte toe.

'Kelere, ik sta versteld van je. Waarom heb je dat gedaan?'

'Ik weet het niet.'

Françoise gaat naar de dichte deur van Agnès' kantoor. Ze luistert even, hoort niets en loopt weer terug.

'Denken jullie dat ze een nieuw rapport gaat schrijven?'

Maryline staat voor de verandering eens niet met haar mening klaar.

'Met Agnès weet je het nooit. Maar zij heeft haar toch als eerste geholpen.'

Diplo stelt zich erg ambtelijk op.

'Ja, maar ze is het verplicht.'

Sophie gaat naar Madeleine toe.

'Als je mijn mening wil weten, ik vind het hartstikke goed wat je doet.'

Een klein groepje loopt in het donker in de richting van het flatgebouw waar Madeleine woont. Sophie wijst de weg. Maryline, Diplo, Françoise en Brigitte volgen. Ze lopen met vastberaden tred, maar blijven staan als het flatgebouw in zicht komt.

Diplo maakt zich zorgen.

'Wat gaan we tegen haar zeggen?'

Brigitte, alsof dat vanzelf spreekt: 'Nou, dat ze weer terug kan komen.'

Maryline, heel terecht: 'Als jij dat zegt, heeft het iets van: ik veroordeel je maar ik vergeef je!'

Brigitte is verontwaardigd.
'Dat heb ik niet gezegd!'
'Nee, maar probeer je eens in haar te verplaatsen.'
'Nee, dank je!'
'Begin nou niet opnieuw.'
'Ik heb niets gezegd.'
Sophie heeft iets verzonnen.
'We zeggen gewoon dat we haar toch nog heel graag mogen.'
Maryline ziet het al voor zich.
'Ik kan jullie wel vertellen dat we dan voor lul staan.'
Françoise ziet het nog beter voor zich.
'En als we met zijn allen komen aanzetten, zal ze denken dat het
afgesproken werk is.'
Maryline begint te lachen.
'Dat is het toch ook?'
'Jawel, maar niet op die manier.'
Ze zwijgen als ze Madeleine zien, die de flat uit komt en op hen
af komt rennen.
'Is er iets? Wat doen jullie hier?'
Diplo kijkt haar vragend aan.
'We wilden bij haar langsgaan.'
'Het is niet het goede moment.'
Sophie, met een heel klein stemmetje: 'Denk je?'
'Het is te vroeg.'
Brigitte dringt aan.
'Maar we moeten met haar praten, na alles wat er is gebeurd.'
'Later. Dat is echt beter.'
Ze gebaart dat ze weg moeten gaan. Ze aarzelen even en gaan er
dan met zijn vijven weer zwijgend vandoor. Na enkele passen blijft
Brigitte even staan. Ze kijkt omhoog alsof ze Antoinette hoopt te
zien. Maar ze ziet niemand en voegt zich weer bij de rest.
Madeleine kijkt hen na en gaat naar binnen.
Boven heeft Antoinette, half verscholen achter een gordijn, het
hele tafereel gevolgd. Ze heeft haar kleine Louis in haar armen. Ze
laat het gordijn terugvallen.

Lees ook: Elaine Kagan *Andermans dochter*

Het was liefde op het eerste gezicht. Hij, een onweerstaanbare, 'foute jongen'. Zij, een lief meisje uit een joods *middleclass*-gezin: slim, rustig en mooi. Will en Jenny trotseren hun verschillende milieus en beginnen een hartstochtelijke relatie. Dan raakt Jenny zwanger. Ze beramen een vluchtplan, maar op de grote dag gaat er iets mis... Wanneer Jenny's baby wordt geboren willen haar ouders dat zij het kind ter adoptie afstaat aan een liefdevol echtpaar; het meisje, dat zij Claudia noemen, groeit op als hun eigen dochter.

Claudia is inmiddels volwassen. Hoewel ze veel van haar adoptiefouders houdt, wordt ze gekweld door dromen over haar 'andere moeder'. Nieuwsgierig naar haar identiteit begint zij aan een zoektocht die haar via Manhattan tot in Californië brengt. Ze ontmoet een vrouw en later een man die door het lot en de tijd van elkaar werden gescheiden, maar die elkaar nooit hebben kunnen vergeten.

*Hartverscheurend. Eén keer in de zoveel tijd wordt er een roman geschreven die lezers naar een wereld transponeert waarin ze zich kunnen verliezen. *Andermans dochter* doet dat. – *Booklist*
*Ontroerend en overtuigend. – *Publishers Weekly*